Die Frau in der Literatur

Margaret Forster

Es sind die Töchter, die gefressen werden

Roman

Aus dem Englischen von
Margarete Längsfeld
Mit einem Vorwort von
Sybil Gräfin Schönfeldt

Ullstein Taschenbuch

Die Frau in der Literatur

Ullstein Buch Nr. 30158
im Verlag Ullstein GmbH,
Frankfurt/M – Berlin

Ungekürzte Ausgabe

Die Originalausgabe erschien
unter dem Titel
›MOTHER CAN YOU HEAR ME?‹
bei Secker & Warburg, London

Umschlagentwurf und Foto
von Hannes Jähn

Printed in Germany 1994
Druck und Verarbeitung:
Ebner Ulm
ISBN 3 548 30158 4

14. Auflage April 1994

Die Deutsche Bibliothek – CIP-Einheitsaufnahme

Forster, Margaret:
Es sind die Töchter, die gefressen werden: Roman / Margaret Forster.
Aus dem Engl. von Margarete Längsfeld. Mit einem Vorw.
von Sybil Gräfin Schönfeldt. – Ungekürzte Ausg.,
14. Aufl. – Frankfurt/M; Berlin: Ullstein, 1994
(Ullstein-Buch; Nr. 30158: Die Frau in der Literatur)
Einheitssacht.: Mother can you hear me? <dt.>
ISBN 3-548-30158-4
NE: GT

Vorwort
von Sybil Gräfin Schönfeldt

Vorwort

Beruf fürs Leben: Tochter
»Wann kommst du denn?«, das ist die Frage, die viele fürchten, viele Töchter, Mädchen und auch Frauen im vorgerückten Alter, Töchter mit alternden Eltern. »Wann kommst du und besuchst mich?« Auch ein Problem, wenn die, die das fragen, nicht Hunderte, sondern nur ein paar Kilometer entfernt leben, in ihrem alten Haus oder in einem Heim. Ist dann nicht alles bestens? Braucht sich das Kind *dann nicht einfach nur ins Auto oder die S-Bahn zu setzen und...*

»Ach Gott«, seufzt eines der Kinder, grauhaarig, in einer »guten Position«, wie die Eltern das nennen, aber eben mit dem Fleiß und der Einsatzbereitschaft errungen, mit der sich Frauen in der Männergesellschaft ihre Position erkämpfen und vor allem: halten müssen, »es geht ja gar nicht um den einen Besuch. Es geht darum, daß sie es schafft, mir ein schlechtes Gewissen zu machen, wenn ich mal nicht komme! Nein, nein, sie jammert nicht. Sie kriegt dann nur so eine ersterbende Stimme am Telefon und sagt: ›Ach, du hast es gut! Immer so interessante Leute und so viel Leben um dich! Das ist für dich natürlich alles viel schöner, als bei deiner alten Mutter zu sitzen.‹ Was soll ich dazu sagen? Ich kann ihr einfach nicht begreiflich machen, daß mich das schöne Leben im Büro so erledigt, daß ich auch einmal ein Wochenende für mich brauche, ganz allein für mich. Wo ich einfach tun und lassen kann, was ich will. Auch: mich um andere Menschen kümmern, denn es gibt manche, denen ich mehr verdanke als meinen Eltern.«

Aufstand gegen automatisch geforderten Dank, Aufstand gegen das, »was ich nur als Erpressung bezeichnen kann«, wie eine Tochter sagte. »Und immer nur die Töchter«, stellte eine andere fest, »wenn ich ein Junge geworden wäre und einen Laden hätte oder der Chef von einem Krankenhaus wäre, dann dächten sie gar nicht daran, mich springen zu lassen. Nicht mal mit einem Beruf, der einen viel weniger fordert als der von meinem Bruder. Der muß sich abends ausruhen, der hat seine Ferien wohlverdient, der kann die Gnade seiner Besuche wie ein Guru verteilen. Aber ich, ich muß ran. Immer. Warum eigentlich? Neulich bin ich nach X gefahren, zur Taufe meines Patenkindes. Das hat Vater mir regelrecht vorgeworfen. Für die hast du Zeit, hat er gesagt. Du hättest genausogut zu mir kommen können.«

Einzelfälle? Auf jeden Fall sehr viele Einzelfälle, denn wenn man so eine Geschichte erzählt und die ältlichen Töchter nicht prinzipiell der Hartherzigkeit oder der groben Undankbarkeit zeiht, wenn sie –

nach ich weiß nicht wie vielen Berufsjahren oder jetzt, »wo die Kinder aus dem Hause sind« – mit dem Blick auf die Jahre, die noch bleiben, auch einmal an sich denken, dann bricht es aus vielen heraus.

Und in der Tat: Es sind die Töchter, die gefressen werden. Die immer noch an der Leine gehalten werden und die selbst ein schlechtes Gewissen haben, wenn sie sich empören; die zittern, wenn sie nur an die Eltern denken; denen im jahrelangen Kampf um Autonomie alle Gefühle bitter geworden sind; die Worte wie Dankbarkeit und Kindespflicht nur noch mit einem höhnischen Schluchzer aussprechen können. Es bricht aus ihnen heraus, weil die Eltern offenbar ganze Arbeit geleistet haben und als ein heimliches Über-Ich ihre emanzipierten, tüchtigen, von allen bewunderten Töchter derart terrorisieren, daß der gute alte Schwarze Mann samt allen anderen Schreckgespenstern der Kindheit vor Neid erblassen müßte. Das Vierte Gebot, und alle Zeitungen und Zeitschriften voll von Artikeln über die armen Alten, die aus den Familien gestoßen werden, in Heime, und um die sich keiner kümmert. »...siehst du, mein Kind, genau wie du! Denkst nur an dich, an deine Karriere, ans Geldverdienen, an dein Vergnügen.« Schuldbeladenes Schweigen, und die Liebe stirbt, und irgend etwas nagt und fragt: Wie ist das mit der Schuld und dem Recht auf das Verständnis der anderen?

Da ist ein Vater, der immer dann das Haus verläßt und sich betrinkt, wenn die Tochter anruft. »Soll sie sich aufregen«, sagt er zu Nachbarn (die dann die Tochter alarmieren), »das ist die Strafe, daß sie sich nicht um mich kümmert!« Sie, die sich immer kümmert, kümmert sich auch diesmal. Auch beim zweiten Mal. Beim dritten Mal fragt sie: »Willst du nicht doch zu mir ziehen?« Oh nein, nicht aus dem Haus, in dem er geboren worden ist. Nein, auch keine Pflegerin, »keine fremde Person, wozu habe ich denn dich?« Und als sie nach dem vierten Mal wieder zu Hause ist, in Tränen, wie jedesmal, sagt sie: »Ich weiß, daß ich das nicht einmal denken dürfte, aber ich bin soweit, ich spreche es aus: Wenn er sich beim nächsten Mal doch zu Tode tränke! Ich bin erst frei, wenn er tot ist.«

Manche geben auch nach und sich auf. Opfern sich, wie sich eh und je Frauen geopfert haben, lieben oder reden sich ein, daß sie liebten. Und wenn man das miterlebt, auch die Fälle, in denen die Liebe tatsächlich besteht, kommt einem in den Sinn: »den eigenen Kindern nicht zur Last fallen.«

Das alles ist ein Problem zwischen den Generationen, aber nicht nur zwischen zweien. Auch Mütter sind Töchter, bleiben es – wie viele Mütter meinen – ihr ganzes Leben lang und werden weiter wie Töchter behandelt, während sie selber Töchter erziehen: genauso, wie sie erzogen und behandelt worden sind? Oder ganz anders? Gibt es überhaupt eine Wahl, oder lenkt eine Über-Mutter, ob wir es wissen und wollen oder nicht, Herz und Hand und Verstand? Das sind die Fragen, die offensichtlich auch die Engländerin Margaret Forster bewegt haben. In ihrem Roman kämpfen drei Frauengenerationen um Freiheit und Liebe, und wer eine Mutter hat oder hatte, wird – zumindest für Augenblicke – sein eigenes Leben wiedererkennen.

Sybil Gräfin Schönfeldt
ZEITmagazin

1

Angela Bradbury wartete viele Jahre darauf, ihrer Tochter Sadie die Geschichte zu erzählen, wie es zu ihrer Existenz gekommen war. Sie fand, es sei eine hübsche Geschichte voller Romantik und Leidenschaft, und oftmals hatte sich Angela – die Augen voller Glückstränen – vorgestellt, wie sie es schildern würde.

»Es war an einem wunderschönen Tag«, wollte sie mit leiser Stimme beginnen, »an einem friedlichen und heißen Tag, obwohl es erst März war, und dein Vater und ich fuhren mit den Fahrrädern ans Meer, an meiner Lenkstange hing ein Picknickkorb, und als wir ankamen, sind wir geschwommen, obwohl das Wasser eiskalt war, und hinterher hockten wir in den Dünen und aßen unser Picknick, und dann «– hier würde ihre Stimme sicherlich brechen –» und dann liebten wir uns, und dabei wurdest du gezeugt.«

Sadie würde fragen, warum sie sich ein Baby gewünscht hatte, und Angela hatte eine rührende Erklärung bereit – ehrlich und zärtlich. »Ich hatte solche Zweifel, ob es richtig war«, wollte sie sagen, »ich wußte nicht, ob ich eine Mutter sein wollte, mit allen Konsequenzen, aber dein Vater hat mich überzeugt – es genüge, sich so sehr ein Baby zu wünschen, hat er gesagt, und dazu brauche es keine Rechtfertigung. Es würde der sichtbare Beweis unserer Liebe sein, sagte er, Teil der unabwendbaren natürlichen Gesetzmäßigkeit, und ich dürfe keine Angst haben. Und sobald feststand, daß du unterwegs warst, war ich überglücklich und wußte, daß er recht hatte.«

Doch leider fragte Sadie nicht, nicht ein einziges Mal, niemals; nicht eine Spur von Neugier zeigte sie, und wenn Angela ihr die bezaubernde Geschichte aufzudrängen versuchte, stöhnte Sadie nur und sagte: »Um Himmels willen, Mami.«

Jeden Montag, Mittwoch und Freitag telefonierte Angela mit ihrer Mutter in St. Erick, einer ländlichen Stadt im Nordwesten von Cornwall. Sie rief sie pünktlich um halb sieben an. Wenn sie sich aus irgendeinem Grund verspätete, rief ihre Mutter an und erkundigte sich, was los sei. Außerhalb dieser festgesetzten Zeiten, die zu Angelas Leben gehörten wie Aufstehen und Schlafengehen, telefonierten sie selten miteinander. Sie fand die Anrufe bedrückend, aber sie waren unentbehrlich für ihren Seelenfrieden. Nachdem sie mindestens fünf Minuten mit ihrer Mutter geplaudert hatte, erfand sie eine akzeptable Entschuldigung und legte auf; sogleich war sie erleichtert und sogar glücklich, falls ihre Mutter ausnahmsweise gut gelaunt war.

Es war erschreckend, an einem Sonntagnachmittag das Telefon klingeln und die Stimme ihres Vaters zu hören – es bedeutete Unheil. Sie meldete sich mit ihrer Nummer, und er sagte: »Bist du's, Angela?«, und sie ärgerte sich darüber. Wer hätte es denn sonst sein sollen, da ihre Stimme gewiß erwachsen klang und sonst keine weibliche erwachsene Person im Haus wohnte? Bei solchen Gelegenheiten war sie grausam zu ihm. »Ja doch«, sagte sie kurz angebunden, obwohl sie die Niedergeschlagenheit in seiner Stimme bemerkt und sofort richtig gedeutet hatte. »Ist was passiert?« Weil sie eine geborene Trewick war, wußte Angela, daß diese Vermutung nahelag.

»Es ist wegen deiner Mutter.«

Natürlich. Wie immer. Nichts anderes konnte ein dermaßen heftiges Magenflattern hervorrufen.

»Was ist mit ihr?«

»Sie ist krank. Ich hab' ihr das Frühstück gebracht, mit Kleie und allem Drum und Dran, hab' ihr beim Aufstehen geholfen, hab' sie angezogen und alles, und sie sagte, sie wollte sich nicht mit ihrer Frisur plagen, aber ich sagte, o nein, jetzt geht das schon wieder los, und ich hab' sie gekämmt, so gut ich konnte; sie ist jedenfalls auf die Beine gekommen, und ich dachte, hoppla, ihr Mund sieht 'n bißchen komisch aus, aber sie sagt, sie fühlt sich wohl, doch irgendwie ist sie mies gelaunt, und wie ich vom Brotholen komme – ich mußte ein Brot holen, sonst hätte ich sie ja nicht allein gelassen –, da sagt sie, sie will sich hinlegen, und ich hab' ihr die Hausschuhe ausgezogen, und sie hat sich aufs Sofa gelegt, und sie war ganz blaß im Gesicht –«

Sie mußte ihn ausreden lassen. Selbst wenn sie es fertiggebracht hätte – Angela hätte ihn nicht unterbrochen. Sie hörte beinahe träumerisch zu und entfernte geistesabwesend ein paar Fusseln von ihrem Ärmel. Vielleicht würde ihr Vater ewig weiterquasseln, und man brauchte nichts zu unternehmen. –»Jedenfalls, sie versucht aufzustehen und sich an die Hausarbeit zu machen, und weg war sie, blitzschnell lag sie am Boden, ihr Kopf wäre um ein Haar am Kamingitter aufgeschlagen, lag da wie ein Klotz, ich konnte sie nicht hochkriegen, und sie zittert, und ihr ganzes Gesicht verzerrt – was für ein Anblick, du lieber Himmel! – also schnappte ich mir den Feuerhaken und hämmerte an die Wand, um Mrs. Collins zu rufen, und zum Glück war sie zu Hause und hat's gehört – sie kam jedenfalls rüber, und zusammen haben wir Mutter wieder aufs Sofa geschafft – sie ist schwer wie 'n Sandsack, das würdest du nie glauben, bis du sie mal aufheben mußt – und Mrs. Collins sagt glattweg, ›sie hat einen Schlaganfall, Mr. Trewick‹, und, weiß Gott, sie hatte verdammt recht; der Doktor sagte, ›sie hat einen Schlaganfall‹, sowie er sie nur ansah, und ich muß zugeben, er ist gleich gekommen, ein junger Kerl zwar, aber sehr nett, ›sie hat einen Schlaganfall‹, sagte er, aber das war gestern – das war eine Nacht! – und heute morgen ging's ihr noch schlechter, eine leichte Lungenentzündung ist dazugekommen, sagt der Doktor –«

»Schrecklich«, sagte Angela. Seine Atempause war zu lang, um sie zu ignorieren. »Arme Mutter.«

»Arme Mutter, das kann man wohl sagen«, fuhr der Vater fort, »da hast du verdammt recht – dachte schon, sie stirbt – aber ich komme schon klar, und wir werden ja sehen, wie's mit ihr weitergeht – der Doktor kommt heute nachmittag wieder, und er hat ihr Tabletten gegeben und alles mögliche, aber sie kann natürlich kaum schlucken, sprechen kann sie auch nicht, es ist eine Plage, sie zu füttern, aber ich schaff das schon, und Mrs. Collins ist eine große Hilfe –«

»Es ist wohl das Beste, wenn ich komme«, sagte Angela. Es mußte sein. Sie verachtete sich, weil sie es so widerwillig sagte, aber daran war ihr Vater selbst schuld.

»Valerie kommt auch«, sagte der Vater mit triumphierender Stimme. »Nicht daß du denkst, ich hätte sie zuerst angerufen, aber sie ruft immer sonntags nachmittags an, und da konnte ich's ihr nicht verschweigen, nicht wahr, also hat sie's zuerst erfahren.«

Angela ignorierte diese Bemerkung. Die Annahme, sie könnte beleidigt sein, weil Valerie es zuerst erfahren hatte, war zu idiotisch, um darauf einzugehen. Das hatte er absichtlich gemacht, weil er glaubte, dadurch eine Rivalität zu fördern, die zu einem engeren Kontakt führen würde; er war einfach unfähig zu begreifen, daß seine Töchter in dieser Hinsicht überhaupt nicht miteinander konkurrierten. Angela wäre froh gewesen, wenn er es nur Valerie gesagt hätte. Valerie wäre froh gewesen, wenn er es nur Angela gesagt hätte.

»Ich nehme morgen den Frühzug von Paddington«, sagte Angela. »Dann bleibt mir genug Zeit, um alles zu organisieren.«

»Ich denke nicht, daß du die Reise vergeblich machst, Mädchen«, sagte der Vater. »Vielen Dank.«

Vaters Bescheidenheit war niemals echt. Er war ihr nicht wirklich dankbar. Er wußte genau, daß Dank nicht angebracht war, aber er versetzte sich gern in die Rolle des bedauernswerten alten Mannes, der Hilfe brauchte. Wenigstens, bis sie dort ankam.

Im Laufe der letzten Jahre hatte es mehrere Reisen wie diese gegeben, mehrere dringende Rufe, an Mutters Bett zu eilen, weil es zusehends mit ihr zu Ende ginge. Aber es ging nie zu Ende. Sie erholte sich wundersamerweise von ihren häufigen und wechselnden Leiden und schalt den Vater, weil er die Familie vorschnell zusammengetrommelt hatte. Jedesmal, wenn Angela hinfuhr, packte sie, von Vaters trübsinniger Stimmung angesteckt, ein Kostüm für die Beerdigung ein: ein schwarzes Kostüm, eine cremefarbene Seidenbluse und ein schwarz-silbernes Halsband, weil ihr Vater unbedeckte Halsausschnitte nicht leiden konnte. Er würde unbedingt wünschen, daß sie elegant aussah, und würde Trauer nicht als Entschuldigung für Schlamperei gelten lassen. Mutter und er mißbilligten Angelas Art, sich zu kleiden – sie schwelgten häufig in Erinnerungen, wie adrett und schick sie immer angezogen war, ehe sie nach London ging. Sie sagten, ihre Kleidung sei neuerdings richtig aufgetakelt, ausgesprochen lächerlich für eine Lehrerin und Mutter von vier Kindern. Das sei doch wohl nicht nötig, meinten sie. Beide legten großen Wert auf ihre Kleidung und sahen zu jeder Tageszeit untadelig aus. Besonders Mutter. In Angelas Kindheit hatte Mutter sich jeden Nachmittag umgezogen und den Vormittagsrock mit dem Nachmittagsrock vertauscht, auch wenn beide gleich abgetragen waren. Die Unterscheidung war für sie überaus wichtig – Stolz auf ihre Erscheinung hatte nichts mit Eitelkeit zu tun, sondern mit der Notwendigkeit, die Moral aufrechtzuerhalten.

Als ihr Vater sie das erstemal kommen ließ – Mutter hatte eine schlimme Grippe gehabt –, war Angela, ihren neugeborenen Sohn Max in der Tragetasche, erster Klasse gereist. Sie konnte sich noch an den Schnee draußen erinnern und an das Licht, das er in das graue, staubige Abteil warf, wo sie, in eine Ecke gekuschelt, ihrem Baby die Brust gab und sich fragte, ob ihre Milch die Strapazen überstehen würde, sich direkt aus dem Wochenbett auf eine fünfhundert Kilometer weite Reise zu begeben. Sie hatte gehofft, daß Max, zehn Tage alt, und der Winter – es war Januar – ihr die Fahrt ersparen würden, aber Vaters Stimme hatte so niedergeschlagen geklungen. »Es geht rasch zu Ende mit ihr«, sagte er, und es blieb keine Wahl, es sei denn, man hatte ein Herz aus Stein, es sei denn, man wollte ganz und gar egoistisch dastehen. Sie war gekommen. Mutter erholte sich. Sie öffnete die Augen, um Max, ihren ersten Enkelsohn, zu betrachten, und sie lächelte und streckte einen Finger nach dem Baby auf ihrem Bett aus. Es war wie ein Wunder zu beobachten, wie das Baby nach dem Finger griff und wie das Leben in Mutter zurückströmte. »Ich wußte, daß der Trick helfen würde«, hatte der Vater geprahlt.

Nach einer Woche war Angela wieder zu Hause, ausgedörrt von den Gefühlsduseleien, und hatte eine angesichts des ganzen Theaters genesende Mutter und einen überschäumenden Vater zurückgelassen. Sie überstand es wieder und wieder, ohne jemals gegen all die

Ängste unempfindlich zu werden, welche damit verbunden waren.

Diesmal fuhr sie zweiter Klasse. Die Fahrpreise waren rapide gestiegen, die Unkosten waren enorm. Wie immer drängten sich die Minderbemittelten aus dem ganzen Land im Zug. Die Wohlhabenden schienen nie mit der Eisenbahn zu fahren, jedenfalls nicht von Paddington nach Penzance, und wenn doch, so ging ihr Wohlstand in der drängenden Menschenmenge unter. Überall waren Kinder, in ihren heißen Händen klebten Süßigkeiten, die ihnen lächerlicherweise unentwegt zugesteckt wurden. Kein Gedanke wurde daran verschwendet, wie sie sich die Zeit vertreiben sollten, wenn ihnen das Lutschen langweilig wurde. Es tat Angela weh, das mitanzusehen. Auch als die Kinder zankten und brüllten, konnte sie kein Mitleid mit den geplagten Müttern empfinden. Das hatten sie sich selbst zuzuschreiben. Sie hatten ihre mütterlichen Pflichten vernachlässigt. Angela funkelte sie wütend an. Setz dich brav hin, sagten sie, sitz ruhig, sitz gerade, sitz, sitz und schau aus dem Fenster – es war zum Kotzen. Verständige Mütter hätten Buntstifte und Papier, Märchenbücher und Puzzles mitgenommen. Verständige Mütter hätten mit ihren Sprößlingen gespielt. Verständige Mütter hätten gemerkt, daß die Kinder sich langweilten. Angela bemühte sich, nicht hinzusehen. Sie saß da und dachte daran, wie eisern sie entschlossen gewesen war, eine verständige Mutter zu werden. Wie Mutter, dachte sie, ohne daß sie sich je klargemacht hätte, was das bedeutete.

Es war ein hübsches Baby, nach einer qualvollen Entbindung – normal, aber qualvoll. Angela empfand keinerlei Verzückung. Man hatte so viele gräßliche Dinge mit ihr angestellt – ihr Schläuche in die Nase geschoben, sie angeschrien, sie solle pressen, wenn sie nicht pressen wollte, und die Schmerzen waren, weil unerwartet, um so schlimmer gewesen. »Was mache ich falsch?« hatte Angela zurückgebrüllt, aber niemand schien es zu wissen. Sie hatte alle Übungen richtig gemacht, sie war ruhig geblieben und nicht kopflos geworden, und dann war da ganz plötzlich ein explosionsartiger Schmerz gewesen, und man hatte sie gezwungen, das Lachgas zu nehmen, das sie nicht wollte. Und deshalb empfand sie keine Verzückung, nicht einmal Erleichterung – lediglich tiefe Scham und Kummer. Sie lag auf dem hohen Bett, während jemand das Blut aufwischte, das überall zu sein schien – »auf dem ganzen Fußboden«, schimpfte die saubermachende Schwester, und Angela war unendlich traurig und auch verängstigt. Sie hatte keine Kraft. Sie konnte keinen Arm heben, ja nicht einmal den Kopf bewegen. Ihr Gesicht war starr von getrockneten Tränen, und die Haare klebten ihr schweißnaß an der Stirn. Man brachte ihr das fest in eine Decke gewickelte Baby. Die Ergriffenheit gab ihr ihre Kraft zurück. Es berührte sie wie ein Wunder – ein Gesicht, das sie nicht kannte – aber sie hatte es hervorgebracht! Und sie wurde von Mitgefühl übermannt, und wieder strömten Tränen, hemmungslos, unhaltbar. So ein winziges, hilfloses Wesen, und sie selbst so abgekämpft und erschöpft. Das war einfach zuviel, um es zu begreifen, und sie lag die ganze Nacht wach und grübelte, dabei ersehnte sie nichts so sehr wie den Schlaf. Ich bin Mutter, sagte sie sich wieder und wieder. Was bedeutet das? Und in ihrem armen müden Kopf schwirrten Bilder von ihrer Mutter, die einst all dies durchgemacht und nie darüber gesprochen hatte.

Sie sah die leuchtend orangefarbene Tür aufgehen, bevor das Taxi anhielt. Vater hatte die Tür kürzlich gestrichen – »Zwei Schichten, innen und außen, beste Dulux-Qualität, kein Pfusch« –, und er wollte, daß man es bemerkte. Außerhalb von London waren Taxis ein reines Vergnügen, langsame, billige Vehikel, deren Fahrer einem so schön altmodisch das Gepäck trugen. Der Vater hatte das Taxi gewiß um die Ecke biegen sehen, da er zweifellos seit einer halben Stunde auf dem Ausguck war. Die Trewicks waren immer auf dem Ausguck. In der Ecke über dem Fernsehapparat war ein Spiegel so angebracht, daß man Haustür und Gartentor von jedem Winkel des Zimmers aus im Blick hatte. Bei den Trewicks brauchte niemand an die Tür zu klopfen – sie öffnete sich stets, zuweilen erschreckend, sobald der verblüffte Besucher seine Hand nach der Klingel ausstreckte. Sollte der Besucher jedoch vom Vater übersehen worden sein, so wäre er gehört worden, denn die Glocke war so schrill, als enthalte das kleine Haus geheime Flügel und verborgene Flure, die es zu durchdringen galt.

»Gute Reise gehabt«, sagte der Vater. Er stellte selten Fragen. Er stellte Behauptungen auf, denen man entweder widersprach oder zustimmte.

»Es geht so.«

»Komm rein. Zieh erst deinen Mantel aus, bevor du zu ihr gehst. Ich will keine nassen Mäntel in der Nähe deiner Mutter, in ihrem Zustand.«

Er blieb stehen und sah mit streng gerunzelter Stirn zu, wie sie ihren Mantel auszog. Sie schüttelte energisch ganze zwei Regentropfen ab und hängte ihn ordentlich auf einen Kleiderbügel.

Valerie, ihre Schwester Valerie, saß auf dem Bett, eine Blechschüssel mit Wasser in der einen Hand und einen Wattebausch in der anderen. »Muß Mutters Lippen befeuchten«, murmelte sie. Ihre Brille war vom Wasserdampf beschlagen. »Mit *heißem* Wasser?« fragte Angela. »Sie fühlt sich so kalt an«, sagte Valerie, indem sie mit dem Wattebausch unendlich behutsam über Mutters aufgesprungene und geschwollene Lippen strich. Angela setzte sich auf die andere Seite des Bettes. Die Mutter war auf drei Kissen gestützt, ihr weißes filziges Haar war grotesk zerdrückt. Ihre Augen waren geschlossen, ihre Haut sah grau aus. Angela nahm ihre Hand, die schlaff auf der blauen Steppdecke lag, und sagte: »Hörst du mich, Mutter? Ich bin Angela.« Langsam, ganz langsam, mit unendlicher Anstrengung, öffneten sich die Augen der Mutter und versuchten, sich zu konzentrieren – von Medikamenten getrübte, blutunterlaufene, aber immer noch leuchtend blaue Augen. Ihre Lippen bewegten sich, brachten jedoch keinen Laut hervor. Angela drückte abermals ihre Hand und beugte sich über das Gesicht der Mutter. »Hörst du mich, Mutter? Ich bin Angela – Angela.« Und diesmal lächelte die Mutter und brachte ein geflüstertes »Angela« und einen kaum merklichen Händedruck zustande. Dieses Lächeln – es war derselbe wehmütige Anflug eines Lächelns, um das Angela ihr Leben lang gerungen hatte.

»Sie hat zu Gott gefleht, daß du kommen würdest«, sagte der Vater am Fußende des Bettes. »Nicht wahr, Mutter? Hm?« Er kam zu Angela hinüber, beugte sich über die Mutter und schüttelte den Kopf. »Schlimm«, sagte er ernst, »sehr schlimm.« Angela sprang abrupt auf, so daß das knarrende alte Bett heftig wackelte und das heiße Wasser sich über Valerie ergoß; sie ging aus dem stickigen Zimmer, die Treppe hinauf ins Bad, wo sie das Gesicht in demselben blauweiß gestreiften Handtuch vergrub, das sie einst donnerstags nach der Schule mit zum Schwimmen genommen hatte. Es roch merkwürdig, war aber gewiß letzte Woche im Waschzuber gründlich gewaschen worden. Ihr Vater wollte keine Waschmaschine – nicht nötig. Er wollte die Sachen auch nicht zur Wäscherei bringen – nicht nötig. Er sagte, er müsse etwas zu tun haben, und deshalb brach er weiterhin Mutters stolzes Hausfrauenherz, indem er ihre wohlgehütete abgenutzte Wäsche ruinierte.

Angela wusch sich das Gesicht und kämpfte wie üblich mit der Platzangst, die sie immer in diesem Haus befiel. Über der Badewanne war eine seltsame Apparatur angebracht, um Mutter das Ein- und Aussteigen zu erleichtern, weil sie allmählich von Arthritis gelähmt wurde. Auf dem Wannenboden lag eine große grüne Gummimatte, damit Mutter nicht ausrutschte. Der Vater machte häufig darauf aufmerksam. »Das ist ihre Matte«, pflegte er zu sagen, indem er die Leute ins Badezimmer führte, um sie ihnen zu zeigen, »damit sie nicht ausrutscht. Und ihr Dingsda zum Ein- und Aussteigen – natürlich bleibe ich trotzdem in der Nähe, das ist doch wohl selbstverständlich.«

Angela ging wieder hinunter, einigermaßen gefaßt, aber mürrisch. Es lag am Vater, daß sie mürrisch war. Er erfüllte sie mit unterdrückter Wut. Er saß am Kamin; die Arme verschränkt, die Beine von sich gestreckt, saß er in seinem geflickten Ledersessel dicht vorm Feuer. Angela stellte sich ans Fenster und sah auf den Regen, der auf die Ligusterhecke fiel und sie glänzend machte und ihr Grün dunkler erscheinen ließ, als es wirklich war. Es war eine schrecklich adrette Hecke; sobald sie irgendein Zeichen von Wachstum aufwies, wurde sie gestutzt. Angela mochte sich nicht setzen, sie scheute sich vor der Intimität des Beisammenseins am Kamin. Doch der Vater sagte »setz dich«, und sie mußte gehorchen. Sie setzte sich steif auf die Kante eines harten hohen Eßzimmerstuhls, so weit weg, wie es ihr in dem kleinen vollgestopften Zimmer möglich war.

»Was hältst du von ihrem Zustand?« fragte der Vater. »Hm?«

»Sie scheint ziemlich krank zu sein.«

»Das kann man wohl sagen. Ich denke nicht, daß du die Reise vergeblich gemacht hast.«

»Mach dir wegen der Reise keine Gedanken.«

»Wie geht's den Kindern?«

»Gut.«

Valerie kam aus dem Wohnzimmer im Erdgeschoß, das in ein Schlafzimmer verwandelt worden war. Sie ging auf Zehenspitzen und hielt den Finger an die Lippen. Sie setzte sich neben den Vater und strich sich seufzend mit einer Hand über die Stirn.

»Hast du sie umgezogen?« fragte der Vater.

»Sie war nicht naß«, sagte Valerie, »ich habe eben nachgesehen. Ich habe ihr das Gesicht gewaschen und die Lippen mit Salbe eingerieben. Ich habe die Steppdecke heruntergenommen und ihr ein dickeres Plumeau und noch eine Decke gegeben. Aber ich habe das Seitenfenster einen Spalt geöffnet, damit ein bißchen frische Luft hereinkommt, und –«

»O nein«, sagte der Vater und stand auf. »Nein, nein, nein – kein offenes Fenster. Auf gar keinen Fall.«

»Aber es ist so heiß und stickig«, widersprach Valerie, »es ist nicht gesund, wenn –«

»Was gesund ist, bestimme ich«, sagte der Vater. »Bei diesem Regen – und ihr ist sowieso so kalt – du bringst sie ja um«, und damit ging er auf die Tür zu Mutters Krankenzimmer zu.

»Geh jetzt nicht hinein«, sagte Valerie. »Du weckst sie auf – ich schleiche leise hinein und mach' es zu, wenn du darauf bestehst.«

»Schleichen kann ich selbst«, sagte der Vater.

Er öffnete die Tür, beobachtet von beiden Töchtern, die wußten, wie ungeschickt er war. Er trat vorsichtig ins Zimmer und ließ die Tür offen; er wollte in dem schmalen Durchgang zwischen Kleiderschrank und Frisierkommode um das Bett herumgehen; da er aber die Augen auf das anstößige Fenster fixiert hatte, zu dem er sich nun den Weg bahnte, übersah er den kleinen Hocker, der unter dem Waschtisch hervorragte, und stolperte darüber. Seine altersfleckige Hand nach einem Halt ausstreckend, riß er die Spitzendecke von der Kommode und warf die zinngerahmte Fotografie von Mutters Mutter hinunter. »Verflucht«, sagte er mit einem Blick zum Bett. Mutter rührte sich nicht. Er gelangte ans Fenster, schloß es, blieb eine Weile dort stehen und machte sich an den Vorhängen zu schaffen. Dann ging er zum Bett hinüber, zupfte die Decken zurecht, befühlte Mutters Stirn und schüttelte den Kopf.

»Ich mache einen kleinen Spaziergang«, sagte Angela in das sich ausbreitende Schweigen, als alle wieder auf ihren Plätzen saßen.

»Bei dem Regen«, sagte der Vater.

»Regen macht mir nichts aus.«

»Ich dachte an nasse Mäntel und Schuhe«, sagte der Vater, »und nicht, ob dir Regen was ausmacht. Nasse Sachen im Haus – das habe ich gemeint. Ausgerechnet jetzt, in ihrem Zustand.«

»Ich bringe meinen Mantel in die Waschküche, wenn ich zurückkomme.«

»Und die nassen Haare?«

»Die kann ich trocknen.«

Der Vater schürzte die Lippen und stieß mit dem Schürhaken ein großes Stück Holzkohle ins Feuer.

»Rücksichtslos«, sagte er. »Immer dasselbe.«

»Soll ich Kohlen reinholen, wenn ich meinen Mantel anhabe?« fragte Angela.

»In der Kiste sind Kohlen genug.«

»Kommst du mit, Valerie?«

»O nein, ich bleibe bei Mutter«, sagte Valerie mit einem müden, gequälten Lächeln. »Ich bin fix und fertig.«

Angela ging zum Friedhof. Es gab nicht viel Auswahl. Zwei Flekken Land, die zur Gemeinde gehörten; der eine war für die Toten, und der andere bildete das ausgedehnte Gebiet, wo Angela ihr halbes Leben verbracht hatte. Ihr Schlafzimmerfenster war zum Friedhof hinausgegangen – das war das erste, was sie täglich erblickte: die weißen Grabsteine und die lange Eibenallee, die zum neuen Krematorium führte. Angela liebte den Friedhof und fand es keineswegs morbid oder deprimierend, hier stundenlang spazierenzugehen. Er war überaus eindrucksvoll angelegt, sehr feierlich, mit breiten, von Pappeln gesäumten Wegen und kleinen schmiedeeisernen Brücken über den träge rinnenden Bächen, die anscheinend die Toten tränkten. Überall Blumen – nicht bloß jämmerlich verwelkende Kränze, sondern reihenweise farbenprächtige Geranien unter den Bäumen und riesige quadratische Beete mit leuchtend bunten Dahlien an allen Wegkreuzungen.

Angelas sämtliche Verwandte, sowohl seitens der Trewicks als auch der Nancarrows, waren hier begraben. Der Vater pflegte jeden Sonntagmorgen mit ihnen alle Gräber zu besuchen, und sie hatten das keineswegs sonderbar gefunden. Die Gräber ihrer Vorfahren hatten Angela stets beeindruckt und mit Stolz erfüllt. James George Trewick, ihr Urgroßvater, hatte das älteste Grab von allen in der einzigen überwucherten Ecke des Friedhofs, wo die Bäume und Sträucher so dicht um die Gräber standen, daß sie einen fast undurchdringlichen Wall bildeten. Sie kannte seine Daten auswendig – geboren am 23. Januar 1832, gestorben am 1. November 1894. Ihr Liebling war ihr Großonkel William, weil er an demselben Datum geboren und – exakt fünfzig Jahre später – gestorben war, aber das schönste Grab hatte die Mutter ihrer Mutter. Ein Engel aus blaßgrauem Stein stand mit ausgebreiteten Schwingen über dem rechteckigen Rasenstück, wo Beatrice Nancarrow unter einem riesigen Ahornbaum ruhte. Die bei der Fruchtreife vom Baum herabschwirrenden ›Propeller‹ wurden Jahr für Jahr als lästig empfunden, und als Kind hatte Angela sie aufsammeln und in die grüne, für Pflanzenabfälle bestimmte Kiste am Bach werfen müssen.

Als Angela und Valerie noch klein waren, pflegte ihre Mutter dienstags nachmittags mit ihnen herzukommen, und die Mutter holte eine kleine – aus Angst vor Unfällen in ein dickes Tuch gewickelte – Schere aus ihrem Einkaufskorb und – aus Angst vor Rheuma – ein Kissen, um sich darauf zu knien, und dann schnitt sie eifrig das Gras auf dem zwei mal einszwanzig großen rechteckigen Grab. Angela wurde losgeschickt, um Wasser aus dem Trog zu holen, und dann tauchten Valerie und sie kleine Bürsten ins Wasser, bestreuten sie mit Scheuerpulver und schrubbten den steinernen Engel, der mit einer bröckeligen schwarzen Masse überkrustet war. Sie brachten nie viel von dem Zeug herunter, aber der Anblick des beschmutzten Engels stimmte die Mutter dermaßen traurig, daß sie sich jedesmal mächtig anstrengten. Mutters Kummer betraf meistens derartige Dinge, was für ein Kind schwer verständlich, aber dennoch betrüblich war. Sie taten, was sie konnten, und hinterher setzten sie sich auf eine Bank im Schatten, um etwas zu trinken und Kekse zu essen.

Die Stimmung von damals drängte sich lebhaft in ihre Erinnerung, als Angela den gewundenen schmalen Pfaden folgte, welche die Hauptwege miteinander verbanden. Welche Zufriedenheit, sich in Mutters Anerkennung zu sonnen, welch ein Genuß, gemeinsam eine Arbeit zu verrichten. Das hatte sie eng miteinander verbunden. Es war einfach gewesen, dort zu sitzen, ihre Lebhaftigkeit zu zügeln und ihren Überschwang zu dämpfen, worum sie sich alle in Mutters Gegenwart bemühten. Um Mutter zu gefallen, um ihre Anerkennung zu erringen.

Das hübsche Baby schrie unentwegt. Angela kam mit ihm nach Hause, pflegte es hingebungsvoll, genoß den Zwang, die vielen Windeln und Kleidungsstücke zu waschen, genoß das Angebundensein und die Möglichkeit, zu beweisen, wie versessen sie war, alles richtig zu machen, doch das Baby schrie und trieb sie zum Wahnsinn. Es nahm zu, es war kräftig und gedieh ausgesprochen gut, es war nicht krank, aber es schrie. Angela hatte anscheinend keinen natürlichen Instinkt, der ihr sagte, was falsch war, und keine natürliche Fähigkeit, mit dem Problem fertig zu werden. Und das Geschrei war so herzzerreißend, so heftig und beharrlich.

Sie versuchte, das Baby außer Hörweite zu bringen, doch dann wurde sie von innerer Unruhe gezwungen, hinzugehen und zu horchen.

Ihre Mutter sagte: »Du kannst kein Musterkind erwarten«, und in der Klinik hieß es: »Babys müssen *schreien«, aber keine von diesen Weisheiten tröstete sie. Sie hatte das Gefühl, daß es ihre Schuld war, wenn das Baby schrie, und das konnte sie sich nicht verzeihen. Sie weinte vor Selbstmitleid, und es ärgerte sie, daß sie Stunden damit verbrachte, auf und ab zu gehen, auf und ab, das kleine verschwitzte Häufchen Unglück im Arm, das ihr Baby war. Sie liebte es sehr, sie hatte sich so bemüht, es war so ungerecht. In der Nachbarschaft gab es jede Menge vernachlässigter Babys, die Tag und Nacht schliefen und nie den geringsten Anlaß zur Besorgnis gaben. Sie war verängstigt, sie war überzeugt, daß sie – wissentlich – eine Rolle übernommen hatte, die sie nicht ausfüllen konnte. Sie war nicht wie ihre Mutter. Sie war nicht geduldig, zärtlich und ruhig. Ihr armes Baby würde ihr Anderssein spüren.*

»Hörst du mich, Mutter? Ich bin Angela.« Sie saß dort, wo Valerie gesessen hatte, die nassen Haare in ein Handtuch gewickelt, um den Vater zu beschwichtigen. Die Mutter öffnete die Augen und versuchte zu lächeln. Es war schwierig zu erkennen, ob man zu ihr sprechen konnte. Meine Stimme wird von weit her kommen, dachte Angela, und sie wird nicht deutlich zu hören sein. Mutter kann höchstens meine körperliche Gegenwart, mein Hiersein anerkennen. Die Umarmungen, diese luftabschnürenden Umarmungen, mit denen sie Mutter einst überfallen hatte – oh, die schmatzenden, schwellenden Küsse, das Umklammern der Hände, das Knuddeln und Kuscheln, so daß Mutter schreiend nach Luft schnappte und Vater schimpfte: Laß das. Und die Zärtlichkeiten, die Liebkosungen – »Ich hab dich so lieb, so so lieb, ich hab dich lieb lieb lieb – ich hab dich am allerliebsten auf der ganzen Welt« – und weiter und weiter, bis es Vater zur Raserei trieb. Sie hatte sich nie gefragt, warum. Mutter protestierte nicht. Mutter verhielt sich passiv, duldete es aber, daß die überschwengliche Demonstration weiterging. Doch jetzt war es unmöglich, Mutter in die Arme zu nehmen. Es war sogar schwierig, ihr einen ehrlichen Kuß zu geben, wenn es auch nicht körperliche Abneigung war, die eine Umarmung verhinderte – es war die Angst, daß Mutter sie durchschaute, daß sie den Unterschied spürte zwischen dem, was einst, und dem, was jetzt war. Selbst wenn es das war, was Mutter am meisten wünschte und brauchte, war es das Letzte, was sie ihr geben konnte.

Valerie kam hereingeschlichen, erfrischt von dem abscheulichen milchig-süßen Getränk, das sie sich bereitet hatte. Sie setzte sich auf die andere Seite des Bettes, ihre Miene war ernst und kummervoll. Sie sprach zur Mutter in einem gräßlichen, schauerlichen Flüsterton, den Angela als herablassend empfand. Am liebsten hätte sie zu ihrer Schwester gesagt: »Um Himmels willen, halt den Mund«, aber sie sagte es nicht. Valerie war immer so schnell eingeschnappt. Sie war das jüngste Kind, im Krieg geboren, ein ausgesprochenes Versehen, aber von der Mutter freimütiger geliebt als sonst eines von den vieren. Einmal, als Valerie als Zweijährige mit Scharlach im Krankenhaus gelegen hatte und gerade wieder, noch schwach auf den Beinen, nach Hause gekommen war, hatte die Mutter Angela zugerufen: »Oh, schau sie nur an – unser Liebling!«, und Angela hatte sie gehaßt.

Der Haß hatte sich im Laufe der Jahre zu Mißmut und letztlich zu Gleichgültigkeit geläutert. Valerie war eine Wohltat für Mutter.

»Woran denkst du?« flüsterte Valerie, indem sie sich über das Bett beugte und Angela ins Gesicht blickte. »Worüber lächelst du?«

»Über dich.«

»Wieso denn? Was habe ich gesagt?«

»Nichts.«

»Du bist nicht sehr nett, Angela, unter diesen Umständen.«

»Stimmt.«

»Ich habe dich doch nur gefragt, was du von Mutters Zustand hältst – ob du denkst – du weißt schon – ob sie –«

»Stirbt?«

»Pssst!« Valerie hielt sich die Hand vor den Mund und deutete mit einem Ausdruck äußerster Qual zur Mutter hinüber.

»Nein«, sagte Angela. »Ich glaube nicht, daß sie stirbt. Leider.«

»Aber Angela!«

»Aber Valerie, sie ist alt und müde und unglücklich. Soll sie das noch länger aushalten? Warum?«

»Früher hast du geweint, wenn Mutter krank war – du hattest Alpträume, daß sie sterben würde – ich weiß noch, wie du deswegen schreiend aufgewacht bist, und jetzt bist du so gefühllos, es ist schrecklich.«

Das Zimmer schwamm jedesmal von Blut – alles Braune wurde zu Blut – die Kommode, der Kleiderschrank, das Fußende des Bettes, die Tür, die Fensterbank, das Linoleum auf dem Fußboden – überall Blut, und Mutter tot. Und sie hatte geschrien, bis Mutter kam und sie fest an sich drückte und sie auf die Stirn küßte und ihr Schluchzen beruhigte. »Ich hab geträumt, du wärst t-t-tot«, wimmerte sie, und die Mutter sagte: »Aber nein, ich bin nicht tot. Ich bin lebendig«, und diese Gewißheit war Seligkeit und war beinahe das ganze Grauen des vorangegangenen Traumes wert. Mutter lebte. Angela schlief glücklich und gänzlich getröstet ein. Nichts auf der Welt zählte, außer daß Mutter nicht tot war.

»Denk doch bloß mal«, sagte Valerie schwer atmend und zornesrot, »denk doch mal daran, wie Mutter zumute ist.«

»Das weißt du genau, was?«

»Ich versuche es – auch wenn ich selbst keine Mutter bin – ich versuche es, und ich kann mir nichts Schlimmeres vorstellen, als todkrank im Bett zu liegen und zu spüren, daß –«

»Hör bloß auf, Valerie. Du weißt ja nicht, wovon du redest.«

Valerie fing an zu weinen. Ihre Schultern bebten beängstigend: Dicke Tränen kullerten herab und befleckten die blaue Nylonsteppdecke. Es war so leicht, Valerie zum Weinen zu bringen. Mutter wurde immer so ärgerlich – »Laß die arme Kleine in Ruhe«, pflegte sie zu sagen, sobald Valeries feistes, tränenverschmiertes Gesicht aufkreuzte, »quäle sie doch nicht so.« – *»Sie* quält *mich«*, hatte Angela ausgerufen, aber Mutter glaubte es nicht. Als sie sah, wie Valerie immer wieder auf Mutters Knien geherzt und gehätschelt wurde, schwor Angela insgeheim Rache. Sie zwang Valerie zu Spielen, die sie nicht spielen wollte, und terrorisierte sie, wenn die Mutter nicht im Haus war. Sie waren nie Verbündete, außer gegen den Vater.

Angela stand vom Bett auf und setzte sich auf den einzigen Stuhl. Sie nahm Mutters mit Text- und Bildausschnitten aus frommen Zeitschriften vollgestopfte Bibel zur Hand und hielt sie sich vors Gesicht, so daß Valerie sich ausgeschlossen vorkommen mußte. Die Mutter las täglich mit selbstherrlicher Rechtschaffenheit in der Bibel. Der Vater, der kein Wort davon glaubte, hatte nichts dagegen, und wenn sie niedergeschlagen war, drückte er ihr die Bibel in die Hand – »Hier, Mutter, mal sehen, was die Heilige Schrift für dich tun kann.« Als einzige von den vieren war Valerie in ihre Fußstapfen getreten. In dem Bezirk von Manchester, wo sie wohnte, war sie eine Säule der Kirche, stets in der Nähe, so daß der Vater felsenfest behauptete, sie habe ein Auge auf den Hilfspfarrer geworfen. Die beiden älteren Brüder, Tom und Harry, hatten mit kirchlichen Einrichtungen nichts im Sinn, aber da sie in Australien waren, war es Angelas Abtrünnigkeit, die am meisten schmerzte.

Nachdem sie ein paar Minuten darin geblättert hatte, ließ Angela die Bibel vorsichtig sinken. Valerie hatte sich wieder gefaßt. Ihre Nase war gerötet und glänzte, und ihre Augen hinter der riesigen Brille waren noch feucht, aber sie war still.

»Ich bleibe heute nacht auf, wenn du willst«, sagte Angela, »ich bin noch frisch.«

Valerie nickte. »Du kannst Vater nicht draußen halten«, sagte sie, »er geht die ganze Nacht ein und aus – er kommt nie zur Ruhe.« Sie schwiegen eine Weile, die alberne Kabbelei war vergessen. Mutters Keuchen erfüllte das winzige vollgestopfte Zimmer, hoch und tief, hoch und tief, dazu alle paar Atemzüge ein rasselnder, heiserer Laut, der beängstigender war als alles andere. Da sie nichts zu tun hatten, war ihnen ihre gegenseitige Anwesenheit besonders stark bewußt.

»Wie geht's den Kindern?« fragte Valerie schließlich, und Angela war sich klar, daß sie nett sein mußte.

»Gut. Sadie hat nichts als Jungen und Popmusik im Kopf, Max besteht bloß noch aus Fußball, Saul liebt die Schule, und Tim liebt mich. Das wär's.«

»Du hast es gut.« Valerie seufzte. Die alte Leier. »Genau wie Mutter«, fuhr Valerie fort, »vier Kinder – außer, daß du nur ein Mädchen hast.«

»Gott sei Dank«, sagte Angela.

»Was?«

»Daß ich nur ein Mädchen habe.«

»Aber wieso – Mutter mochte Mädchen lieber – weißt du noch, wie selig wir waren, als sie sagte, sie liebte ihre Jungen, aber Mädchen seien ihr am liebsten? Und erst neulich hat sie zu mir gesagt, Jungen seien ein Reinfall, sie wollten nichts mehr mit einem zu tun haben, wenn sie erwachsen wären, sie würden einem entfremdet, während Mädchen einem näherkämen.«

»O Gott«, sagte Angela.

»Was hast du? Das war doch ein Kompliment – du und ich sind ihr nahegeblieben.«

»Du vielleicht«, sagte Angela. »Ich fühle mich Millionen Meilen entfernt. Jungen haben den richtigen Riecher.«

»Ich verstehe dich nicht«, sagte Valerie, »wirklich. Hast du was gegen Mutter? Hast du was gegen Sadie? Was ist bloß in dich gefahren?«

»Ich denke, du solltest schlafengehen«, sagte Angela.

Der Vater nahm sich viel Zeit, um sich angeblich zum Zubettgehen vorzubereiten. Zweimal, nachdem er sich förmlich verabschiedet und nach oben zurückgezogen hatte, erschien er wieder und sagte: »Willst du nicht zu Hause anrufen? Hm?«

»Nein«, sagte Angela spontan. »Warum sollte ich?«

»Ach, du bist nicht wie deine Mutter«, murmelte der Vater, während er davonschlurfte, »du bist kein bißchen wie sie – sie hätte sich wegen euch allen aufgeregt und gegrämt, krank vor Sorge wäre sie gewesen.« Und hätte uns mit ihrer ewigen Sorge verrückt gemacht, dachte Angela. Ich tu so was nicht. Ich will so eine Beziehung nicht – ich schneide sie mittendurch, ich will, daß Sadie so frei ist wie die Luft. Die ganze ungemütliche Nacht hindurch saß sie da und dachte über ihren Schwur nach, ihre Kinder nicht an ihre Schürzenbänder zu fesseln, ihnen nie Grund zu dem Wunsch zu geben, sich von ihr zu lösen. Sie hatte sich vorgenommen, die Bindungen eigenhändig durchzuschneiden, bevor sie gefestigt waren. Sie durfte nicht zu sehr an ihren Kindern hängen. Ihre Kinder durften nicht zu sehr an ihr hängen. Aber es erwies sich, daß eine solche Harmonie schwer durchzuhalten war.

Gegen Morgen erwachte sie aus einem leichten Schlummer und sah das Licht durch die dünnen Gardinen hereinfallen. Irgend etwas im Zimmer hatte sich verändert. Erschrocken merkte sie, daß sie Mutters schweren Atem nicht mehr hörte. Sie sprang auf und beugte sich über die schlafende Gestalt im Bett und dachte nur, daß Vater ihr nie verzeihen würde, wenn sie ihn nicht gerufen hätte und Mutter gestorben wäre. Aber sie war nicht tot. Ihr Atem ging wieder normal, oder wenigstens beinahe, und um ihn zu hören, mußte man näher herangehen und lauschen. Angela befühlte die Stirn der Mutter und betrachtete prüfend ihre Gesichtsfarbe. Kein Zweifel, daß es ihr besserging. Lächelnd begab sich Angela leise in die Küche und machte sich

Tee. Sie nahm ihn mit ins Schlafzimmer, froh, daß sie Valerie oder den Vater nicht geweckt hatte; sie setzte sich hin, schlürfte ihren Tee, war regelrecht vergnügt. Wieder eine Es-geht-zusehends-zu-Ende-Reise vorüber. Mutters Widerstandskraft war überwältigend – einfach erstaunlich.

»Hallo Angela«, sagte die Mutter, und Angela erschrak dermaßen, daß sie ein wenig von ihrem Tee verschüttete. Mutters Augen waren weit geöffnet und klar. Sie lächelte und hob ganz leicht die Hand, und Angela war unendlich glücklich.

2

Als die Gemeindeschwester, blitzsauber anzusehen, pünktlich in ihrem roten Miniauto eintraf, führten sie ihretwegen einen regelrechten Zirkus auf.

»Zu meiner Zeit«, sagte der Vater mit selbstgefälligem Schmunzeln – »zu meiner Zeit fuhren die Krankenschwestern – falls man überhaupt eine ergattern konnte – mit dem Fahrrad; wenn eine ein altes Rad hatte, konnte sie von Glück sagen. Bei jedem Wetter ist sie meilenweit gestrampelt und fand nichts dabei – Autos gab es damals keine, jedenfalls nicht für Krankenschwestern.«

Die Schwester war an Vaters Geschwätz schon gewöhnt. »Dann geh ich eben wieder und komm mit einem Fahrrad zurück, wenn's Ihnen recht ist, Mr. Trewick.«

»Eine Tasse Tee gefällig?« sagte der Vater geschmeichelt.

Sie scharten sich alle um Mutters Bett, und die Schwester hielt mit ihrem Erstaunen nicht hinterm Berg – Mutters Fortschritt war beachtlich. Redensarten wie »das Schlimmste überstanden« und »auf dem Wege der Besserung« schwirrten durch die stickige Luft, und als die Schwester meinte, es dürfte ruhig etwas kühler im Zimmer sein, hatte der Vater im Nu das Fenster geöffnet und sagte nur: »Na gut, auf Ihre Verantwortung.« An den Kleiderschrank gelehnt, sah er zu, wie die Mutter mit Salbe eingerieben wurde. »Sie haben sich ja übers Wochenende 'ne Dauerwelle machen lassen«, sagte er. Die Schwester lächelte schwach, doch die Mutter war schon so weit genesen, daß sie aus Kummer über Vaters Vertraulichkeit ein leises Stöhnen ausstieß.

»Stimmt«, sagte die Schwester.

»Gehen Sie auf 'ne Hochzeit oder so was?«

»Für einen alten Herrn bist du ganz schön aufdringlich«, sagte Angela und drückte Mutters Hand, um ihr zu zeigen, daß sie wußte, wie ihr zumute war.

»Ich bin gar nicht aufdringlich«, sagte der Vater, »ich zeige bloß Interesse, das ist alles, und das würde dir auch nicht schaden. Außerdem bin ich nicht alt, was, Muttchen?«

Die Mutter schauderte leicht wegen dieser Anrede, doch der Vater merkte es nicht, er war viel zu gut gelaunt. »Wie alt schätzen Sie mich?« wandte er sich an die Schwester. »Nur zu, raten Sie mal.«

»Bringen Sie ihn bloß nicht in Verlegenheit«, sagte Angela. Valerie zuckte zusammen. Der Mutter ging es zwar besser, aber doch noch nicht so gut, daß man sich über ihr Bett hinweg anzügliche Bemerkungen erlauben konnte.

Die Gemeindeschwester tat dem Vater bereitwillig den Gefallen – es war fast, als sehe sie das als einen Teil ihrer Aufgabe an. »Na ja«, sagte sie, indem sie der Mutter ein Thermometer unter die Zunge schob, »Sie sind pensioniert, also weiß ich schon mal, daß Sie über fünfundsechzig sind, stimmt's?«

»Richtig«, sagte der Vater, »stimmt genau. Fünfundsechzig hab' ich längst auf dem Buckel, wie's in dem Lied heißt.«

»In welchem Lied?« wollte Angela wissen, aber der Vater überhörte sie und bedrängte sein Opfer, ihm zu antworten.

»Mal sehen«, sagte die Schwester und tat so, als ob sie gründlich überlegte, »nun, ich würde sagen, neunundsechzig – feiern demnächst den siebzigsten, hm?«

»Zehn Jahre daneben«, sagte der Vater triumphierend. »Ich werde achtzig.«

Das Erstaunen der Schwester war offenbar echt. Während sie sich mit Mutter befaßte, stieß sie mehrmals hervor: »Das hätte ich nicht gedacht« und »achtzig, na so was«.

»Er hätte einen Orden verdient«, meinte Angela, aber nichts vermochte Vaters plötzliche Hochstimmung zu trüben, bis die Schwester sagte, sie hätte gern noch etwas heißes Wasser, worauf der Vater und Valerie in ihrem Eifer, es zu holen, in der Tür zusammenstießen. Angela mußte lachen.

Der Vater drehte sich wütend zu ihr um – die gute Laune war mit einemmal verflogen – und drohte ihr mit dem Finger. Sie lächelte ihn dennoch unverwandt an, nicht gewillt, sich einschüchtern zu lassen, doch zu ihrem Verdruß klopfte ihr das Herz, und ihr Gesicht glühte. Sie konnte ihren Vater noch immer nicht ohne Angst vor Strafe nekken. In ihrer Erinnerung tauchten die Schläge und die häßlichen Szenen auf, die unvermeidlichen Demütigungen, und obwohl der Vater jetzt nicht mehr die Kraft besaß, sie zu verletzen, hatte sie nie ganz aufgehört, vor ihm zu zittern. Er konnte freilich nichts dafür, genausowenig, wie sie etwas dafür konnte.

Als das Baby zwei Jahre alt war, war es kein Baby mehr, sondern Sadie – unbestreitbar eine höchst eigenwillige Persönlichkeit. Im Rückblick auf Sadies Babyzeit wunderte sich Angela, wieso ihr das Kind schwierig vorgekommen war – warum hatte sie sich so sehr gewünscht, daß ihr Baby endlich sprechen lernte, warum hatte sie gewollt, daß Sadie selbständig wurde? Sadie legte sich bei jeder Gelegenheit mit ihr an. Sie wollte nicht essen, sie bekam ohne ersichtlichen Grund entsetzliche Wutanfälle, wurde wegen der läppischsten Kleinigkeit mürrisch und bockig. Angela dachte daran, daß ihre Mutter nie die Geduld verloren hatte – nur der Vater. Die Mutter schimpfte oder schlug nie – nur der Vater. Mit Schrecken sah Angela allmählich ein, daß es zwecklos war, sich zu bemühen, wie Mutter zu werden. Verzweiflung und Niedergeschlagenheit machten sie so zornig, daß sie Sadie häufig schlug oder sie unsanft in ihr Zimmer stieß, und dann weinte sie Tränen der Reue.

»Es tut mir leid«, sagte sie hinterher, »es tut mir schrecklich leid, ich bin eine ekelhafte Mutter.«

Erstaunlicherweise schien Sadie ihr nichts nachzutragen. Innerhalb einer halben Stunde, nachdem sie sich gegenseitig fürchterlich angeschrien hatten, summte sie fröhlich vor sich hin, und nur Angela war bedrückt. Ob Sadie in Angst vor mir heranwächst? Diese Frage quälte sie. Sie hatte sich nie vor ihrer Mutter gefürchtet, die stets Geduld und Verständnis zeigte und ständig Zuflucht vor all den Stürmen der Kindheit bot. Mit unendlicher Geduld erklärte Ben, ihr Mann, daß nicht jede Mutter so sein müßte wie ihre Mutter. Sadie würde neben der Sanftheit eben auch Härte erfahren. Aber meine Mutter war nur sanft, sagte Angela. Ich bin ein Versager.

Niemand wollte die Gemeindeschwester fortlassen. Valerie kochte frischen Tee, und sie tranken ihn alle zusammen im Wohnzimmer, während die Mutter nach der Strapaze des Gewaschenwerdens schlief. Die Schwester sagte, sie sei überzeugt, daß Mrs. Trewick bald wieder zu Kräften kommen werde, und sie lobte alle wegen der ausgezeichneten Pflege. Die Krise sei vorüber, meinte sie. »Gott sei Dank«, sagte Valerie. »Fein«, freute sich der Vater. Angela sagte nichts, obwohl sie wußte, daß ihr Schweigen auffiel und ihr später vorgehalten werden würde.

»Warten wir ab, was der Doktor heute nachmittag sagt«, meinte der Vater, »und dann wollen die Mädels wohl nach Hause, aber ich komme schon zurecht. Sie arbeiten nämlich, wissen Sie, und da können sie nicht einfach alles stehen und liegen lassen, aber so ist das Leben nun mal heutzutage. Die eine ist Lehrerin, und die andere ist Sozialfürsorgerin – wie finden Sie das?«

»Fabelhaft«, sagte die Gemeindeschwester. »Sie sind bestimmt sehr stolz auf sie.«

»Ich hab auch noch zwei Söhne«, sagte der Vater, »alle beide in Australien – sonst wären sie jetzt auch hier.«

»Da bin ich nicht so sicher«, murmelte Angela.

»Was?« sagte der Vater. »Natürlich wären sie hier. Halt dich zurück, Fräuleinchen.« Wieder drohte er mit dem Finger.

»Ich muß jetzt gehen«, sagte die Gemeindeschwester, worauf sie von allen mit übertriebener Dankbarkeit und Anerkennung überschüttet wurde.

»Warum hast du das von Tom und Harry gesagt? Hm? So ein Unsinn – selbstverständlich würden sie zu ihrer Mutter ans Krankenbett kommen, wenn sie könnten – du läßt die Leute absichtlich denken, es wäre ihnen egal – so eine Gemeinheit – warum hast du das gesagt?«

»Warum sagt überhaupt jemand irgend was?« gab Angela zurück, wohl wissend, daß sie ihn mit derartigen Floskeln in Wut brachte.

»Solche blöden Bemerkungen kannst du dir für London aufheben«, sagte der Vater, »hier bei uns zieht so was nicht. Hier wird vernünftig geredet. Ich weiß nicht, was mit dir los ist.«

»Das hast du nie gewußt.«

»Da hast du verdammt recht. Alles bloß Zeitverschwendung. Da rackert man sich ab und gibt sich alle Mühe und tut sein Bestes, und wozu? Alles für die Katz. Mach, daß du wegkommst, verschwinde. Aber kümmer dich noch mal um deine arme Mutter, ehe sie von uns geht.«

»Sie ›geht‹ nirgends hin«, sagte Angela, aber er war bereits davongeschlurft, um seine eingebildeten Pflichten zu erledigen.

Am Nachmittag, kurz nachdem der Arzt da war, konnte die Mutter wieder zusammenhängend sprechen. Es rührte Angela zu Tränen, diesen heiseren Flüsterton zu hören, der so ganz anders klang als ihre normale helle Stimme. Der Jubel über die Rückkehr eines Menschen von der Schwelle des Todes traf sie wie ein Schlag. Sie bewunderte die Beharrlichkeit, die Liebe zum Leben, die den gebrechlichen Körper und die Seele der Mutter zusammenhielten. Angela freute sich genauso aufrichtig über die Genesung wie Valerie und der Vater, auch wenn sie ihrer Mutter erst kurz vorher endgültig den Tod gewünscht hatte, damit ihr zukünftige Qualen erspart blieben. Am Abend saß sie bei ihr, während Valerie kochte und der Vater endlose Telefongespräche führte, um aller Welt die gute Nachricht zu verkünden. Ihre Visionen von den bevorstehenden schlimmen Monaten behielt sie für sich. Sie wollte lieber nichts davon verlauten lassen, daß es mit der Mutter alles andere als rosig aussah – ihre Lungen waren angegriffen, sie hatte ein schwaches Herz, die Arthritis lähmte sie immer mehr, ihr Augenlicht wurde trüb, ihr Gehör war geschwächt. Es würde noch Wochen dauern, bis sie aufstehen konnte, und abermals Wochen, bis sie hinauswanken konnte, und in der Zwischenzeit mußte sie sich auf den mörderischen Kampf mit dem Vater einlassen, der sie beharrlich drangsalierte, aufregte und plagte.

»Du hättest nicht kommen sollen«, lauteten Mutters erste zusammenhängende Worte, die sie an Angela richtete. »Die armen Kinder – ganz allein – und die weite Reise –«

»Den Kindern geht's gut«, sagte Angela, »und ich wollte unbedingt kommen.«

»Wie lieb von dir. Es tut mir leid, daß es nötig war – ich bin eben alt und lästig.«

»Nein«, sagte Angela, »das bist du nicht. Du bist überhaupt nicht lästig – du bist meine kranke Mutter und sollst dir keine Gedanken machen; du mußt dich erholen und gesund werden.«

Ihr Leben lang hatte sie es als ihre Aufgabe betrachtet, die Mutter zu beschützen – vor sich selbst, vor der grausamen Welt. »Laß das nur nicht deine Mutter hören«, war eine der ersten Vorschriften, die Angela eingeprägt wurden. Das bezog sich auf alles, was beunruhigend wirken konnte. Mutter durfte nichts Unangenehmes oder Bedrückendes erfahren, und das umschloß eine Vielfalt von Themen, die mit der Zeit immer zahlreicher wurden.

Angela wollte der Mutter auf keinen Fall Kummer bereiten und an ihrem betrübten Gesichtsausdruck schuld sein, deshalb lernte sie folgsam, ihre eigenen Ängste, Beklemmungen und Alpträume zu verbergen, um die Mutter um so besser abschirmen zu können. Die Mutter nahm sie in die Arme und trocknete ihr die Tränen, ohne jemals zu wissen, weshalb sie weinte, und bald lernte Angela, auch diese Beweise ihres Unglücks zu unterdrücken. Die Mutter erfuhr nie, daß Angela als Zehnjährige in der Schule fälschlich des Diebstahls bezichtigt und von einer übereifrigen Direktorin einem schlimmen Verhör unterzogen wurde. Die Direktorin hatte sich nicht einmal entschuldigt, als die wahre Schuldige gefunden wurde. Die Mutter erfuhr nie, daß der Schwimmunterricht ihr Höllenqualen bereitete. Zweimal wöchentlich ging sie ins städtische Hallenbad zu den von der Großmutter finanzierten Schwimmstunden. Mr. Shropshire, der Schwimmlehrer, war ein brutaler Mensch; er brüllte sie an und stieß ihr eine lange, am Ende mit einem widerlichen spitzen Haken versehene Stange in den Rücken. »War's schön, Schätzchen?« fragte die Mutter lächelnd, froh, daß Angela schwimmen lernte, weil sie es selbst zu ihrem Bedauern nicht konnte, und Angela sagte »ja«, weil sie das Lächeln im Gesicht der Mutter nicht auslöschen wollte.

»Ich weiß nicht, warum der liebe Gott mich jedesmal verschont«, sagte die Mutter. »Manchmal glaube ich, das tut er nur, um deinem Vater etwas zu tun zu geben.« Sie blickte Angela hoffnungsvoll an, doch Angela wich dem Thema aus. Gespräche über Gottes Absichten führten zu nichts. Die Religion war Mutters größter Trost, und es wäre grausam, ihre Frömmigkeit zu kritisieren – grausam und unnütz. In jüngster Zeit hatten alle die Mutter in ihrer Hingabe an Gott Vater und Jesus Christus bestärkt, weil es eine Entlastung war, daß sie etwas hatte, in das sie ihr Vertrauen setzen konnte. Anstatt sich über die geistlichen Sprüche, die im ganzen Haus an den Wänden hingen, lustig zu machen und über die frommen Traktate, welche die Mutter sammelte, zu spotten, rang Angela sich ein weises Kopfnikken ab und begrüßte es, wenn immer mehr davon ins Haus kamen. Keiner wollte, daß die Mutter in ihrem jetzigen Zustand anfing, das Christentum und seine Bedeutung in Frage zu stellen.

Der Vater kam herein, trat ans Bett und blickte mit aufreizender Besitzermiene auf die Mutter herab.

»Na, wie geht's, Mama?« fragte er mit schräggehaltenem Kopf.

Die Mutter war zu schwach, um ihrem Ärger Luft zu machen, aber der flehende Blick, den sie Angela zuwarf, war nicht mißzuverstehen.

»Sie ist müde«, sagte Angela, »das siehst du doch.«

»Willst du dich aufsetzen, Mama?« Und schon zog der Vater ein weiteres Kissen hervor und machte sich daran, die Mutter aufzurichten.

»Sei nicht kindisch«, sagte Angela. »Sie mag ja nicht mal einen Finger rühren.«

»Sie soll sich aber bewegen«, sagte der Vater. »Ich muß dafür sorgen, daß sie so bald wie möglich Bewegung bekommt, sonst bleibt sie für immer bettlägerig – ja ja, sie braucht unbedingt Bewegung« – und mit groben, hastigen Gebärden schob er der Mutter das Kissen unter die Schultern, so daß ihr Kopf in einem überaus unbequemen Winkel nach vorn sackte.

»Sie muß Bewegung haben«, wiederholte er, »nichts wie rauf ins Badezimmer. Wie ist es, Mama, mußt du aufs Klo, hm?«

Die Mutter schüttelte stumm den Kopf und warf Angela abermals einen hilfesuchenden Blick zu, doch Angela sagte nichts. Sie hielt diese Belastung nicht mehr aus – es war sinnlos, daß Mutter sie zu ihrer Kampfgefährtin gegen Vaters Grobheit und mangelnde Sensibilität erwählte. Als der Vater das Zimmer verließ, um seinen Tatendrang woanders auszulassen, flüsterte die Mutter: »Du hast ja keine Ahnung, was ich alles durchmache.«

»Doch«, sagte Angela, »ich weiß. Aber er meint es nicht so – er kann nichts dafür – er ist nun mal so.«

Das hätte sie nicht sagen sollen. Es war nicht das, was die Mutter von ihr hören wollte. So hatte sie nicht gesprochen, als sie noch zu Hause lebte und den Vater zu Mutters Verteidigung mit heftigen Worten angriff und bereit war, seinen gewaltigen Zorn auf sich zu nehmen. Der Vater plagte die Mutter einzig und allein durch sein Wesen, für das er nichts konnte – da er sie verehrte, konnte er sie niemals anschreien, geschweige denn schlagen. Angela aber konnte er anschreien und schlagen, wenn sie zu weit ging, und die Mutter hielt sich heraus und schaute zu, sie, die Ursache von allem und dennoch unschuldig.

Immer waren es geringfügige Anlässe, die zu den kleinlichen Szenen führten. Die Mutter saß am hübsch gedeckten Tisch; sie aß mit ausgesprochener Anmut, schnitt ihr Fleisch in kleine Stücke und schob sie zierlich in den Mund, den sie beim Kauen geschlossen hielt. Der Vater übergoß sein Essen mit Soße, ertränkte es geradezu darin und stopfte es sich samt einer halben Scheibe Brot in den Mund, wobei er auf dem Weg vom Teller zum Mund die Hälfte verlor. Wenn Angela bei der Mutter auch nur den leisesten Schauder des Ekels bemerkte, sagte sie: »Ich esse lieber in der Küche. Ich mag nicht mit Schweinen an einem Tisch sitzen – mir wird übel, wenn ich ihn ansehe.« Solche Dinge waren es, albern, absurd, unverzeihlich. Immer gab die Mutter den Anlaß dazu, und das tat ihr leid.

»Ich muß morgen nach Hause«, sagte Angela, »obwohl ich gern noch bleiben würde.«

»Es war lieb von dir, daß du gekommen bist«, sagte die Mutter.

»Ich kann ja bald wiederkommen.«

»Nein, nein – du darfst die Kinder nicht allein lassen – der Gedanke tut mir weh.« Der leichte Tick in Mutters Augenwinkel, dieses nervöse Zucken, das sie hatte, solange Angela zurückdenken konnte, setzte nun kaum merklich wieder ein, da die Wirkung der Medikamente nachließ, die es während ihrer Krankheit ruhiggehalten hatten.

»Den Kindern geht's gut«, sagte Angela. »Ben kommt so prima mit ihnen zurecht, daß sie mich gar nicht vermissen.«

»O doch«, sagte die Mutter. »Alle Kinder vermissen ihre Mutter.«

»Meine nicht«, behauptete Angela. »Ich habe sie so erzogen. Ich bin nicht so eine Mutter wie du.«

Es fiel ihr jedesmal schwer, Sadie allein zu lassen. Angela brachte es kaum über sich, abends wegzugehen, wenn Sadie schlief – angenommen, sie wachte auf und brauchte sie? –, und schon gar nicht tagsüber, wenn sie wach war. Sie fand es ungeheuerlich, mit welcher Selbstverständlichkeit andere Mütter ihre kleinen Kinder allein ließen. Nur wenn Ben aufpaßte, war sie einigermaßen beruhigt. An seinem freien Tag erledigte sie zuweilen hastig Besorgungen in der Stadt, und oft, wenn sie zurückkam, stand Sadie mit plattgedrückter Nase und traurig am Fenster.

»Sei vernünftig«, sagte Ben, »du weißt genau, daß sie sich bei mir wohlfühlt – wir haben tolle Spiele gemacht – sie fängt immer erst an zu weinen, wenn du zurückkommst.«

Aber mich hat Mutter nie alleingelassen, dachte Angela, jedenfalls nicht, als ich noch ganz klein war. Mutter war immer da. Kleine Kinder waren so hilflos, sie konnten sich nur mit der Sprache des Körpers verständlich machen. Sie gelobte sich, daß alles anders werden sollte, sobald Sadie sprechen und begreifen könnte; dann würde sie ohne Gewissensbisse fortgehen. Aber das Kind jetzt, mit zwei Jahren, allein zu lassen kam ihr wie Verrat vor. Sie hatte kein Recht, sich Freiheit zu wünschen, Freiheit von Sadie. Ihre Mutter hatte sich so etwas nie gewünscht.

Ben rief an; er wirkte deprimiert und bedrängte sie, umgehend nach Hause zu kommen.

»Will dich wohl daheim haben, hm?« sagte der Vater.

»Der Ärmste«, sagte die Mutter. »Es war wirklich sehr lieb von ihm, daß er dich wegließ. Nicht jeder Mann hätte das erlaubt.«

Angela lachte. »In dieser Hinsicht hat er nicht viel zu melden«, sagte sie. »Ich tu', was ich will, und damit muß er sich wohl oder übel abfinden.«

»Aber Angela«, protestierte die Mutter, lächelte jedoch dabei. Angelas selbständige Art hatte sie seit jeher begeistert. Sie war überzeugt, daß sie durch einen glücklichen Zufall eine starke, widerstandsfähige, furchtlose Tochter aufgezogen hatte, nicht nach ihrem eigenen Ebenbild, sondern nach dem Bild ihrer Träume. Das entschädigte sie für den Abscheu vor ihrem eigenen schwachen Charakter. Nichts freute sie mehr als eine Demonstration von Angelas Stärke.

»Von klein auf«, pflegte sie zu sagen, »wußtest du, was du wolltest, und hast alles darangesetzt, um es zu bekommen. Du bist kein bißchen wie ich.«

Jede übertriebene Prahlerei, die über Angelas Lippen kam, fand Mutters stillschweigende Zustimmung, bis Angela schließlich das Gefühl hatte, daß jegliches Zögern, jegliche Unsicherheit ungehörig sei. Häufig rühmte die Mutter gerade dann überschwenglich ihre Entschlossenheit, wenn sie mit den Nerven am Ende war, und dann konnte sie unmöglich aufgeben. »Ich hätte nicht so ohne weiteres ins Ausland gehen können«, sagte die Mutter, als sie auf das Taxi warteten, das die fünfzehnjährige Angela zum Bahnhof bringen sollte. Sie fuhr allein nach Frankreich, um eine Zeitlang bei einer Familie in Avignon zu leben. »Ich hätte mich nicht einmal bis nach London getraut«, sagte die Mutter, »dazu hätte ich viel zuviel Angst gehabt. Und in einen Zug zu steigen, der mit der Fähre über den Kanal fährt, und drüben den richtigen Anschluß zu erwischen –« Sie zählte Angelas sämtliche geheimen Ängste auf. »Ach, da ist doch nichts dabei«, sagte Angela. »Ich freu mich richtig darauf.«

Valerie wollte noch ein paar Tage bleiben, eine Woche vielleicht, bis Mutter wirklich über den Berg wäre. Bevor Angela abreiste, gingen sie zusammen einkaufen, um Konserven und Trockennahrung zu besorgen, auf die der Vater zurückgreifen konnte. Diese Vorräte waren die einzige Möglichkeit, wenigstens teilweise gegen seine knauserige Haushaltsführung anzukämpfen.

»Fein, daß du länger bleibst«, sagte Angela, »das macht es mir leichter abzureisen. Ich danke dir.« Sie wollte gar nicht, daß es so schroff und kurz angebunden klang. Es lag an Valeries Gefühlsduselei, auf die sie unwillkürlich borstig reagierte.

»Du mußt schließlich an die Kinder denken«, meinte Valerie ohne jegliche Schärfe.

»Ja ja, Kinder sind eine großartige Ausrede. Ein Job ist nicht halb so überzeugend, obwohl es für dich sicher auch nicht leicht ist.«

»Nein«, sagte Valerie, »aber ich konnte doch die Arbeit nicht wichtiger nehmen als Mutters Gesundheit. Das wäre nicht recht. Falls irgendwas passierte, würde ich es mir nie verzeihen.«

Angela warf hastig vier Suppendosen in den Einkaufswagen, den sie durch den Supermarkt schoben. Es kam ihr fast so vor, als ob sie mit dem Vater spräche.

»Was machen wir nur«, sagte Angela, »wenn Vater stirbt oder krank wird? Hast du daran schon mal gedacht? Manchmal wache ich deshalb nachts schweißgebadet vor Angst auf. Wir müßten Mutter in ein Heim geben.«

»O nein«, sagte Valerie. Die nach einer Packung Sülze ausgestreckte Hand hielt mitten in der Bewegung inne. »Kommt nicht in Frage. Das würde ich nicht zulassen. Wir müßten uns etwas überlegen.«

»Aber was?« fragte Angela. »Ich könnte sie nicht zu mir nehmen. Unmöglich.«

»Dann käme sie eben zu mir.«

»Ich könnte Mutter nicht bei mir haben – das würde mich umbringen. Wir haben genug Platz und Geld, und ich arbeite nicht die ganze Woche, aber ich könnte es nicht – ich würde verrückt. Ich würde glatt durchdrehen.«

Valerie nahm eine Dose Bohnen aus dem Regal und stellte sie behutsam in den fast vollen Wagen. Ihr Gesicht war leicht gerötet. Sie gingen zur Kasse.

»Früher hast du immer gesagt, wenn du groß wärst, sollte Mutter bei dir wohnen, Angela«, hielt Valerie ihr vor. »Du hast gebettelt, sie müsse es dir versprechen. Weißt du das nicht mehr?«

Sie hatten deswegen gestritten. Sie waren die Straße entlanggegangen, hatten an Mutters Mantelärmeln gezerrt und gerufen: »Bei mir! Sie muß bei mir wohnen!« Und eine jede hatte um Mutters Zustimmung gefleht. Tänzelnd und hüpfend, fünf und sieben Jahre alt, hatten sie um die Mutter gestritten, verzweifelt bemüht, ihr eine Zusage zu entlocken, aber sie wollte sich nicht festlegen. »Wenn ich alt bin«, sagte sie, »wollt ihr mich bestimmt nicht.« – »Doch! Doch!« riefen sie. »Na, wenn das so ist«, sagte die Mutter, um jedes Kind einen Arm gelegt, während sie in inniger Bewunderung zu ihr aufschauten, »dann will ich bei derjenigen wohnen, die es sich am meisten wünscht, wenn sie erwachsen ist.« – »Das bin ich«, rief Angela, und Valerie weinte, weil es sich so endgültig anhörte.

Der Vater ließ es sich nicht nehmen, sie zum Bahnhof zu begleiten, wodurch sich die Qual der Abreise verlängerte. Das war in gewisser Hinsicht schlimmer als der Abschied von der Mutter, die es viel tapferer ertrug, als man es von ihr hätte erwarten dürfen. Die Mutter hatte sich immer vor unvermeidlichen schmerzlichen Ereignissen gefürchtet – aber wenn es soweit war, wollte sie es so schnell wie möglich hinter sich bringen. Auf dem weißen Kissen liegend, wirkte sie gebrechlich und müde, und doch sah sie hübsch aus in ihrem rosa Nachthemd mit dem Spitzenbesatz am Ausschnitt, das Angela ihr letztes Jahr zu Weihnachten geschenkt hatte. Die Sonne schien durch die dünnen Gardinen und betonte das Weiß ihrer vollen Haare und das lebhafte Blau ihrer Augen, die keine ihrer Töchter geerbt hatte. Sie hatte jetzt etwas mehr Farbe im Gesicht, und wenn ihr Ausdruck auch erschöpft war, so war er doch frei von Schmerz, und ihre Stirn war glatt, ohne Furchen. Sie entließ Angela mit einem Lächeln und einem liebevollen Händedruck; der Vater hingegen, streng und unnachgiebig, mit dunklem Filzhut und steifem Wintermantel, ließ sie nur widerwillig ziehen.

Sie waren jedesmal viel zu früh am Bahnhof. Es war schon Tradition, daß alle Trewicks eine halbe Stunde vor Einfahrt des Zuges auf dem eiskalten Bahnsteig standen, und wenn der Zug Verspätung hatte, was häufig vorkam, war ihre frühzeitige Ankunft um so lächerlicher. Angela stand stocksteif neben dem Vater; sie wußte, daß es sinnlos war, ihm vorzuschlagen, in den Wartesaal zu gehen oder im Erfrischungsraum eine Tasse Tee zu trinken. Die Trewicks tranken nicht zu jeder Tageszeit Tee – eine Tasse zum Frühstück, eine Tasse zum Mittagessen, eine Tasse zur Teestunde am Nachmittag, das genügte. Duch den Bogen am Ende des überdachten Bahnsteigs blies der Wind herein, er trieb den Abfall vor sich her und brannte in den Augen, die sich anstrengten, den Eilzug zu erspähen, der immer noch nicht kam. Der Vater stampfte mit seinen hohen Schuhen, die Militärstiefeln ähnelten.

»Saukälte«, sagte er.

Angela schwieg. Sie stellte ihren Mantelkragen hoch, teils gegen den Wind, aber auch, um sich vor Vaters prüfendem Blick abzuschirmen. Es konnte sich nur noch um Minuten handeln, bis er loslegte.

»Ich hoffe, daß sie wieder gesund wird«, sagte der Vater schließlich und schüttelte zweifelnd den Kopf. »Ihr Aussehen will mir nicht gefallen. Das wird lange dauern, bis sie wieder auf dem Damm ist.«

»Du darfst sie aber nicht drängen«, sagte Angela mit matter Stimme. Das entfernte Tuten eines Zuges war leider nur Einbildung.

»Ich dränge sie bestimmt nicht, keine Angst, aber wenn sie noch lange im Bett bleibt, wer weiß, was dann passiert. Und es schlägt ihr natürlich aufs Gemüt, daß du wegfährst, ganz bestimmt, aber da kann man nichts machen, wir kommen schon darüber weg, es ist eben nicht zu ändern.«

»Ich laß von mir hören«, sagte Angela. »Ich rufe jeden Tag an.«

»Und wann bist du wieder hier?«

»Ich weiß es nicht.«

»Ostern kommst du wohl nicht, hm?«

»Nein, dieses Jahr wird es wohl nicht klappen.«

»Da wird deine Mutter aber enttäuscht sein, na ja, da kann man nichts machen. Ostern ist eben auch nicht mehr, was es mal war, das sag' ich ihr andauernd, aber sie will es nicht einsehen, bei solchen Sachen kann sie richtig giftig werden.«

Der Zug kam immer noch nicht. Starr vor Kälte und Unbehagen, fragte sich Angela, was Ostern in den Augen des Vaters wohl einst gewesen sein mochte. Sie konnte sich nur an neue Kleider erinnern und an eine Prozession in der mit intensiv duftenden Lilien geschmückten Kirche, und zu Hause gab es bunt gefärbte Eier, die herrlich aussahen und fade schmeckten.

»Was sagst du zu ihr?« wollte der Vater wissen.

»Sie war sehr krank. Ich finde, sie hat sich erstaunlich gut erholt, wenn man ihren Zustand bedenkt.«

»*Du* siehst natürlich nicht, wie's mit ihr steht, wenn du nicht da bist – wenn sie ihre chronischen Anfälle hat, ist es ganz schlimm – dann will sie dies nicht und das nicht, will bloß in Ruhe gelassen werden, es ist schrecklich. Ich muß ihr ihren Willen lassen, bis es vorbei ist.«

»Ja«, sagte Angela.

»Sie vermißt euch alle; das macht ihr schon Kummer, daß sie keinen von euch in der Nähe hat.«

»Wir zwei sind doch gar nicht so weit weg«, sagte Angela, »Valerie und ich.«

»Ein paar hundert Kilometer«, sagte der Vater. »Wenn das nicht weit ist.«

Einem rettenden Engel gleich fuhr der Zug auf dem Bahnsteig ein. Der Vater machte sich sogleich daran, Angela einen Platz zu verschaffen, als halte er sie für unfähig, das selbst zu besorgen. Er stieß und schubste gänzlich unschuldige Reisende und warf ihnen giftige Blicke zu, wenn sie sich erdreisteten, sich auf einen Platz zu setzen, den er im Visier hatte.

»Hier, Angela«, bellte er vom Ende des Wagens her, »beeil dich, sonst schnappt dir einer diesen Platz auch noch weg, die sind ja alle so unverschämt.«

Ihm zuliebe legte sie ihre Sachen auf den ungünstig gelegenen Platz, den er ihr ausgesucht hatte.

»Ich muß gleich zurück«, sagte er, »zu deiner Mutter. Na, dann, gute Reise – und alles Gute.«

Das war seine einzige Art, Zuneigung zu zeigen, ein Euphemismus für die Hunderte von liebevollen Worten, die er nicht aussprechen konnte. Angela nahm sich zusammen und unterdrückte das intensive Verlangen, aus Freude über ihre bevorstehende Freiheit in die Hände zu klatschen und zu lachen; sie begleitete den Vater bis zur Tür und winkte, bis er außer Sicht war. Sogleich fühlte sie sich so erleichtert, daß ihr flau davon wurde.

Kraftlos und mit schmerzendem Kopf ließ sie sich auf den Eckplatz sinken, zu dem sie hinübergewechselt war, und betrachtete die vorübereilende Landschaft. Es war jedesmal dasselbe – sie hatte immer fortgewollt, und doch durfte sie das Band der Mutterliebe, das sie an zu Hause fesselte, nicht zerreißen. Wozu hätte ihre Mutter sonst gelebt? Sie waren alle vier buchstäblich der Saft ihres Lebens. Keiner konnte grausam zur Mutter sein, niemand konnte von ihnen behaupten, daß sie gefühllos wären, und doch waren sie dazu fähig.

Die Felder draußen wichen einer Heidelandschaft, während Angela sich bemühte, die Bilder zu verdrängen, die ihr einfach nicht aus dem Kopf gehen wollten. Die Mutter, die in diesem entsetzlich muffigen vollgestopften kleinen Zimmer lag – ohne Ausblick auf Himmel oder Bäume – und den ganzen Tag auf das verhängte Fenster starrte, geplagt von einem ungeschickten Besserwisser, gedemütigt, indem sie für jede Handreichung von ihm abhängig war, vor sich nur noch den Tod, und bis dahin der quälende Zwang, dem beharrlichen Quengeln des Vaters nachzugeben und sich anzuziehen, zu essen und sich umherzuschleppen. Und der Vater – einst ein kräftiger, starker Arbeiter, nun darauf beschränkt, Mahlzeiten auf einem Tablett anzurichten, Corned Beef in Halbpfunddosen zu kaufen, Geschirrtücher zu waschen, in einer unmöglichen Situation sein Bestes zu tun. Vater und Mutter zusammen; beide durch den Fortgang ihrer Kinder gekränkt und betrogen, blickten sie fassungslos auf ihre eigenen alternden Eltern zurück, die sie mit Aufmerksamkeiten überschüttet hatten. Die Mutter kümmerte sich um alle Kranken in der Nachbarschaft – sie bahrte die Toten auf, sie half bei Geburten, kaufte ein und kochte für jeden, der darauf angewiesen war. Die Worte »arme alte ...« kamen ihr ständig über die Lippen – arme alte Mrs. Soundso, arme alte Mrs. Dingsda –, und nun war sie die arme alte Mrs. Trewick und konnte es nicht begreifen. Es war unfaßbar, wieso alles schiefgegangen war. Warum, grübelte Angela, warum mag ich nicht bei meiner eigenen Mutter sein, warum bin ich sogar dann selig, daß ich nach Hause fahre, wenn mir ganz elend ist?

Als Sadie drei Jahre alt war, veränderte sie sich. Die Wutanfälle hörten genauso unerklärlich auf, wie sie begonnen hatten, und Angela war entzückt über das ausgeglichene, ziemlich ernste kleine Mädchen, zu dem sich das Baby entfaltet hatte. Küsse und Liebkosungen, einst so freigebig verschenkt und gefordert, wurden nun als große Gunst gewährt oder schroff verweigert. Es war für Angela eine eigentümliche Erfahrung, ein körperliches Verlangen nach Sadie zu verspüren, da sie ihre Umarmungen nun so oft zurückwies – sie drückte Sadie an sich und war traurig, wenn Sadie sich losrangelte. Sogar Trost wies Sadie zurück. Wenn sie hingefallen war und sich das Knie aufgeschrammt hatte, war es sinnlos hinzulaufen, um sie aufzuheben – sie war aufgestanden und hatte sich die Tränen abgewischt, bevor die Mutter bei ihr war. Sadie trösten zu dürfen war ein Luxus. Angela schwor sich, sich nicht darüber aufzuregen; sie bemühte sich, Freude zu empfinden, weil ihre Tochter sich zu einer so stolzen und unabhängigen Persönlichkeit entwickelte. Doch insgeheim bedauerte sie, daß es mit der animalischen Intimität zwischen ihnen so rasch zu Ende war. Sie ist meine Tochter, dachte Angela, doch schon schiebt sie mich beiseite, und in ihrem Kopf gehen Dinge vor, von denen ich nichts weiß. Wer hat den Bruch ausgelöst? Oder war er unvermeidlich? Sie kam zu keinem Ergebnis und tadelte sich, weil sie es so wichtig nahm.

Auf der Heimfahrt im Taxi befiel sie eine kaum zu bändigende Euphorie. Angela begriff es selbst nicht, wie aus einer tiefen Depression dermaßen schnell ein solches Glücksgefühl entstehen konnte. Ein Lächeln lag auf ihrem Gesicht, als das Taxi durch die lauten verstopften Straßen nach Richmond rumpelte, wo sie wohnte; am liebsten wäre sie ausgestiegen und gerannt, so überschäumend war ihre wieder erwachte Vitalität. Nichts konnte sie entmutigen, denn sie war wieder einmal vorläufig erlöst, sie war jung und gesund und glücklich, weit entfernt von den grausamen Klauen des Alters und den Familienpflichten, deren Jämmerlichkeit sie noch vor kurzem mit Schwermut erfüllt hatte. Gewiß, das Schuldgefühl blieb, doch ohne Mutters und Vaters unmittelbare Nähe konnte sie es in den entferntesten Winkel ihres Gedächtnisses verbannen. Der Schmerz, der unerträglich war, als sie das Elend der Eltern vor sich hatte, stumpfte rasch ab zu einem mehr oberflächlichen Gefühl.

Die Haustür blieb fest geschlossen, als sie das Taxi bezahlte. Hier lagen keine Trewicks auf der Lauer. Sie konnte ihren Schlüssel nicht finden und mußte läuten, was einen regelrechten Aufstand zur Folge hatte. Tim kabbelte mit Saul, wer die Tür aufmachen durfte, und Max mischte sich dazwischen. Sie fielen wie ein Rudel Wölfe über sie her, übertönten sich gegenseitig mit Neuigkeiten und machten Beschwerden und Klagen Luft. Hinter ihnen stand Ben, er sah grau und mitgenommen aus.

»Gott sei Dank«, sagte er. »War das ein Chaos!«

Sie umarmte alle, glücklich trotz des anschwellenden Chors von Anforderungen; sie nahm das Durcheinander im Haus kommentarlos hin, froh, daß sie wieder da war. Die Wärme, die Geräumigkeit, die Helligkeit, die Gemütlichkeit, das Geschrei und das Lachen machten sie benommen. Bei der Mutter war es so still gewesen, so gedämpft und düster. Sie zog ihren Mantel aus und ging in die Küche;

automatisch nahm sie ihr Revier wieder in Besitz, indem sie alles dorthin räumte, wohin es gehörte, und Ordnung in ihr Reich brachte. Ben präsentierte stolz ein Mahl aus dem Ofen; es gab Pizza, dazu einen sorgsam geputzten Salat und zum Nachtisch zwei Sorten Eis. Sie setzten sich sogleich an den Tisch, tranken eine Flasche Wein zum Essen, und Angela weinte fast vor Seligkeit.

Sadie war nicht da. Ben sagte, sie sei selten zu Hause gewesen. Er nörgelte zwar ein bißchen über ihren Egoismus – nie hatte sie ihm angeboten, ihm zu helfen –, aber er regte sich nicht weiter darüber auf. Sie kam erst viel später, als die Jungen schon im Bett waren. Sie war salopp wie immer.

»Ach hallo«, sagte sie zu Angela, während sie den Militärsack hinwarf, den sie überallhin mitschleppte. »Gott, bin ich erledigt – diese verflixten Munford-Blagen sollte man erwürgen.«

»Dann spiel doch nicht Babysitter bei ihnen«, sagte Angela.

»Ist noch Tee da?« fragte Sadie. Sie musterte ihre schwarzlackierten Fingernägel. »Herrgott«, sagte sie, »das Zeug blättert aber schnell ab.«

»Wie ich höre, hast du dich hier selten blicken lassen«, sagte Angela.

»So?«

»Na ja, es hätte Papa sicherlich geholfen, wenn du öfter zu Hause gewesen wärst.«

»Du hast mir nicht gesagt, daß ich irgendwas tun soll.«

»Ich weiß. Ich hatte eben gehofft, daß du anstandshalber ...«

»O Gott – kaum bist du zurück, da geht das wieder los!«

Es wäre ja so einfach, dachte Angela, wenn ich jetzt Tränen in den Augen hätte, aber ich will das nicht, weil Mutter mir das immer angetan hat. Die Versuchung war groß, alles, was Sadie sagte, wörtlich zu nehmen und es so schlimm aufzufassen, wie es sich anhörte.

»Wie geht's der Oma?« fragte Sadie. Vater hätte jetzt gesagt, er dachte schon, daß sie nie fragen würde, ging es Angela durch den Sinn.

»Bedeutend besser«, sagte sie.

»Fein«, und dann, schroff und herablassend: »War's schlimm?«

»Ja.«

Ein Brummen als Antwort. Dann ein Gähnen. Wie gräßlich sie aussah in ihrer schwarzen Röhrenhose und dem weiten, spitz ausgeschnittenen Männerpullover, der an den Ellbogen zerrissen und ausgefranst war. Die teilweise herausgewachsene Afrodauerwelle hatte die Haare brüchig und filzig gemacht. Sadie hatte dunkle, verschmierte Flecken unter den stark mit blauem Lidschatten geschminkten Augen und einen dicken Pickel am Kinn, an dem sie offenbar herumgedrückt hatte.

Angela malte sich aus, wie es hätte sein sollen – eine strahlende Sadie kam in der Schürze an die Tür und schlang die Arme um ihre Mutter, führte sie herein, drückte sie ungestüm auf einen Stuhl und versicherte ihr, daß alles bestens gelaufen sei. Sadie, die in einem Topf auf dem Herd rührte und mit mitfühlender Miene ihre Mutter aufforderte, ihr alles, aber auch wirklich alles zu erzählen, und ihr mit verständnisvollen Worten zeigte, daß sie mit ihr litt. Sadie, die ihr sagte, sie solle sich keine Sorgen machen, Sadie, die sie drängte, sich auszuruhen, Sadie, die mit ihren geheimen Wünschen übereinstimmte.

»Dann verzieh ich mich«, sagte Sadie, »wenn kein Tee da ist.«

»Mach dir doch einen«, schlug Angela vor.

»Hm. Nicht so wichtig. Tschüß –« und die Tür schloß sich hinter ihr, als sie ihren Sack schnappte und zu Bett ging.

Mutter hatte das alles gehabt. Im Bett dachte Angela daran, wie ihre Mutter gelegentlich nach Hause gekommen war, und die beiden Schwestern hatten miteinander gewetteifert, damit die Mutter sich wie eine Königin fühlen sollte. Sie buken Kuchen und legten die beste Tischdecke auf und protestierten lauthals, wenn die Mutter auch nur einen Finger rührte. Sie beobachteten sie gespannt beim Essen und liefen los, um ihr noch mehr Marmelade, noch mehr Milch für ihren Tee zu holen und ihr alles auf der Welt zu verschaffen, was in ihrer Macht stand. Sie zogen ihr die Schuhe aus und brachten ihr die angewärmten Pantoffeln und umlauerten sie wie Wachhunde. Doch außer einem Lächeln und einem Seufzen erfolgte nie eine Reaktion. Angela wälzte sich im Bett auf die andere Seite und versuchte, den Gedanken an die dahinsiechende Mutter zu verscheuchen.

Einmal hatte die Mutter von einer Freundin eine Theaterkarte geschenkt bekommen, und sie zweifelte, ob sie hingehen sollte, denn der Vater war im Club (also im Wirtshaus), und Tom und Harry waren im Pfadfinderlager, und Angela und Valerie, neun und sieben Jahre alt, müßten allein bleiben. Geh nur, geh, bat Angela, ich kann auf Valerie aufpassen, das schaff ich schon, ich kann alles machen, bitte, bitte – und die Mutter ging, nervös, unsicher; sie bat Mrs. Collins von nebenan, ab und zu nach den Kindern zu horchen. Sie waren so brav gewesen. Sie lasen und hörten Radio und deckten den Tisch fürs Frühstück, damit Mutter es nicht mehr zu tun brauchte, wenn sie heimkam. Sie bereiteten sich allein ihr Abendessen – eine Tasse Tee und Toast mit Käse –, und dann gingen sie zu Bett. Valerie schlief auf der Stelle ein, Angela aber lag wach und lauschte. Sie wollte Mutter freudig ausrufen hören: »Oh, sie haben aufgeräumt und den Tisch gedeckt, die Süßen.« Aber der Vater kam als erster zurück, und plötzlich ertönte ein Gebrüll: »Verflucht! Alles verdampft!«, und Angela begriff nicht, was das bedeutete, aber eine Minute später hörte sie die Mutter am Gartentor; lachend bedankte sie sich bei ihrer Freundin; dann das Klappern ihrer Schuhe auf dem Weg und dann der Vater: »Das ist das letzte Mal, daß du weggehst und sie allein läßt – alles verdampft – guck doch bloß – alles voll Rauch – fünf Minuten später, und es hätte gebrannt – wir können uns auf Angela verlassen, hast du gesagt – das hat man nun davon –« Die Mutter kam leise nach oben, und Angela brach in Tränen aus. »Du hast den Kessel auf dem Herd gelassen«, sagte sie matt. »Ich hätte euch nicht allein lassen dürfen.« Und als sie sah, wie verzweifelt Angela war, deckte sie sie zu und gab ihr einen Kuß und sagte, es sei nicht so schlimm. Es war aber doch schlimm. Es war nie vergessen worden. Sie hatten die Mutter enttäuscht, und der Vater hatte daraus die Konsequenzen gezogen.

Schlaftrunken sagte sich Angela, sie wolle gar nicht, daß Sadie ihr zur Hand ging. Sie war zu müde, um das Verhalten ihrer Tochter zu analysieren; sie wußte nur, daß es richtiger war, sie, Angela, so zu behandeln, wie Sadie es tat, als so behandelt zu werden, wie ihre Mutter sie behandelt hatte. Die Mutter hatte ihre Kinder so erzogen, wie sie sie haben wollte. Sie, Angela, erzog ihre Kinder auch so, wie sie sie haben wollte. Diese Dinge erledigten sich nicht von selbst. Spät in der Nacht schien ihr dies ein tröstlicher Gedanke, wenn sie auch nicht wußte, warum.

3

Es war nicht anstrengend, dreimal wöchentlich Englisch zu unterrichten, aber nach einer Woche Abwesenheit fand Angela es trotzdem aufreibend. Da in ihrem Leben alles so genau geplant war, fiel es ihr schwer, sich wieder in den Ablauf einzufinden. Der Rückstand bei den Korrekturarbeiten, der nachzuholende Unterricht, der durcheinandergeratene Stundenplan – das alles bedeutete, daß sie nun nicht nur montags, mittwochs und donnerstags vormittags in die Schule ging, sondern auch nachmittags bleiben mußte, um das Versäumte aufzuholen. Und wenn sie nachmittags in der Schule blieb, konnte sie erst einkaufen und kochen, wenn die Kinder heimkamen, und alles geriet zum Chaos. Sie kam sich in diesen Tagen mehr und mehr wie ihr Vater vor, der schon verzweifelte, wenn er nur fünf Minuten zu spät aufbrach, um einen Kuchen zu kaufen, den niemand wollte.

Und nun hatte ihre Mutter am ersten März Geburtstag, und das war für Angela eine zusätzliche ungeheure Belastung. Bei allem, was sie tat, als sie sich abmühte, ihr Dasein wieder ins Lot zu bringen, dachte sie nur daran, was sie für Mutter kaufen könnte. Es war eine nahezu unlösbare Aufgabe, etwas Passendes zu finden, weil sie der Mutter längst alle erdenklichen Wünsche erfüllt hatte. Mutter hatte ausdrücklich darum gebeten, ihr dieses Jahr nichts zu schicken – sie lebe nicht mehr lange, und es sei nicht der Mühe wert. So ging das schon seit zehn Jahren, und sie erreichte damit nur, daß sie alle, die es anging, in eine wilde Hektik trieb. Mutters Geburtstag war immer der wichtigste Tag des Jahres gewesen – warum, hatte Angela nie ergründen können; es war eben so, der Tag war für die Angehörigen wichtiger als Weihnachten oder die eigenen Geburtstage. Wochen im voraus sparten sämtliche Kinder ihre Pfennige, und dann klapperten sie alle dieselben Geschäfte ab, wobei sie oftmals aufeinander trafen, und suchten nach dem richtigen Geschenk für die Mutter, nach einem Gegenstand, der so erlesen war wie der heilige Gral. Jedes Jahr versicherte die Mutter, sie wünsche sich nichts weiter als einen Kuß, sie lege keinen Wert auf Geschenke und wolle nicht, daß sie ihr weniges Geld für sie ausgäben, aber sie glaubten ihr nicht und wetteiferten miteinander, wer ihr die größte Freude machte. Allen voran Angela. Sie sparte ihr spärliches Taschengeld schon Wochen, bevor die anderen damit anfingen, und überlegte stundenlang, wofür sie die ganze Summe ausgeben sollte.

Es gab nichts Schwierigeres auf der Welt, als der Mutter eine Freude zu machen. »Damit machst du deiner Mutter aber keine Freude«, lautete eine ständige Redensart ihres Vaters, und meistens sagte er es, wenn er selbst kurz vorher die Mutter gekränkt hatte. Er sagte es ärgerlich, aber gleichzeitig triumphierend, als erfülle es ihn mit obskurem Stolz, daß sie sich nicht freute. Wäre die Mutter eine geschickte Lügnerin gewesen, so hätten sie vielleicht nie erfahren, ob sie sich freute oder nicht, aber sie brachte es niemals fertig, einer ehrlichen Antwort auf eine direkte Frage auszuweichen.

»Ist es auch das *richtige* Grün?« hieß es, als jemand ihr einen billigen Schal zu einem ganz bestimmten Hut gekauft hatte. »Findest du, daß er dazu paßt?« Die gutgemeinte Antwort war niederschmetternd. »Na ja, vielleicht einen Ton dunkler ... aber er ist schon richtig« – und ach, diese Enttäuschung, und dann rannte man nach oben, um die Demütigung in einem Kissen zu verbergen.

Aber war die Qual des Versagens auch bitter, so war der Jubel, wenn man gelegentlich das Richtige traf, wahrhaft süß. So erging es Angela mit der Perlenkette, die sie für siebzehneinhalb Shilling auf dem Markt erstanden hatte; sie hatte sie monatelang bewundert, wie sie schimmernd auf dem dunkelblauen Samtkissen in der Schachtel lag. Jede Woche ging sie zu dem Stand, erkundigte sich nach dem Preis und befühlte die Kette behutsam unter den wachsamen Augen des Händlers. Jede Woche zählte sie ihr Geld und mußte unverrichteter Dinge wieder gehen, bis der Mann eines Tages sagte: »Weißt du was, ich geb' sie dir billiger und heb' sie dir auf, bis du siebzehneinhalb zusammenhast, einverstanden?«

Er wickelte die Schachtel in rosa Seidenpapier. Angela kaufte ein goldenes Band, verschnürte das Päckchen damit und verzierte es mit einer riesengroßen Schleife. Mit klopfendem Herzen überreichte sie der Mutter das Geschenk – und die Mutter stieß einen entzückten Schrei aus; sie legte sich die Kette sogleich um den Hals und zog geschwind ihren einzigen guten Pullover an, um das Schmuckstück besser zur Geltung zu bringen. Mutter, die weder ein Talent noch die Kraft zur Täuschung besaß, war hingerissen. Nie wieder hatte ihr etwas so viel Freude gemacht wie diese billige Reihe falscher Perlen aus der Hand eines zehnjährigen Kindes.

In diesem Jahr wurde Mutter fünfundsiebzig. Einmal, als Angela hingebungsvoll Mutters dichte kastanienbraune Haare bürstete, hatte sie die Mutter gefragt, ob ihre Haare weiß würden, wenn sie eine alte Dame wäre. »Wer weiß, vielleicht werde ich nie eine alte Dame«, hatte die Mutter gesagt. »Was?« sagte Angela, und sie hielt inne, weil ihre Hand auf einmal zu schwach war, um weiterzubürsten. »Was?« »Vielleicht werde ich nicht alt, weil ich nicht so lange lebe«, hatte die Mutter in scheinbarer Gewißheit wiederholt. »Das darfst du nicht sagen!« rief Angela und brach in lautes hemmungsloses Schluchzen aus. Die Mutter war ganz zerknirscht. Sie tröstete Angela und sagte, ihre eigene Mutter sei jung gestorben und ihr Vater auch, und deshalb sei sie nie auf den Gedanken gekommen, daß sie älter werden könne als ihre Eltern.

Und jetzt wurde die Mutter fünfundsiebzig, und auch ihre Eltern waren gar nicht so jung gestorben, wie sie es Angela in jenem entsetzlichen Augenblick glauben machte. Mutters Überzeugung, daß sie nicht alt werden würde, beruhte lediglich auf einer krankhaften Einbildung, doch sie blieb als furchtbare Prophezeiung, die gewiß in Erfüllung gehen würde, in Angelas Gedächtnis haften.

Der fünfundsiebzigste war nicht so ein besonderer Geburtstag wie der siebzigste. Zu Mutters siebzigstem Geburtstag hatte Angela ihr einen Korb mit siebzig roten Rosen geschickt. Wie in Hollywood, hatte die Mutter, gerührt von solcher Extravaganz, gesagt. Doch das ließ sich nicht wiederholen, ebensowenig wie die anderen Einfälle, die Mutters Beifall gefunden hatten, weil sie originell waren. Mutters immerwährende Liebe galt Kleidern, mochte das unter den gegebenen Umständen auch noch so absurd sein. Mutter wäre eine ausgesprochene Modepuppe geworden, wenn sie die Möglichkeit gehabt hätte. Sie besaß die richtige Figur, sie interessierte sich für Mode, sie hatte Geschmack; alles, was ihr fehlte – ein äußerst hinderlicher Umstand –, war das nötige Geld. Ihre Schwester Frances, Schneiderin von Beruf, hatte in ihrer Jugendzeit wahre Wunder für Mutter vollbracht, indem sie ihr aus Stoffresten, die von Kundenaufträgen übrigblieben, modische Kleider nähte, die sie selbst, da sie klein und pummelig war, nicht tragen konnte. Doch dann heiratete Frances und zog fort, und das ausgerechnet zu einer Zeit, als Mutter ihre schlimmsten und schwierigsten Jahre durchmachte. Neue Kleider waren unerschwinglich. Mutter mußte alles bis zum letzten Faden auftragen, und das war ihr zuwider. Der finsterste Tag in ihrem Leben war der, an dem sie verstohlen einen Secondhand-Laden aufsuchte, weil sie dringend ein Kleid für eine Hochzeit brauchte.

Kleider liebte die Mutter auch heute noch; sie machte sich gern schick, egal, ob sie gesund oder krank war, und sie wollte auch dann hübsch aussehen, wenn sie nirgendwohin ging. Ständig schmeichelten ihr die Leute wegen ihres Aussehens, doch solche Komplimente machten sie zornig. Ach, das alte Stück, das hab ich schon jahrelang, sagte sie dann, als sei diese Tatsache allein schon tadelnswert. Wenn sie etwas Neues bekam, prüfte sie ungeheuer kritisch, wie sie darin aussah, bis schließlich Vaters Ausruf »Damit kannst du deiner Mutter keine Freude machen!« eine neue Bedeutung erhielt. Die Mutter sehnte sich danach, wieder einkaufen gehen zu können, Unmengen von Kleidern zu probieren, sich vor dem Spiegel zu drehen und sich schließlich für das schickste zu entscheiden. Zu Angelas Erleichterung ließ der Vater das jedoch nicht mehr zu. Er meinte, die Mutter würde einen Anfall bekommen, das ewige Aus- und Anziehen, das ständige Auf- und Zumachen sei zuviel für sie. Er sagte, sie habe mehr als genug Kleider, um bis an ihr Lebensende versorgt zu sein.

Ein neues Kleid für den kommenden Sommer würde der Mutter mehr Freude machen als alles andere, aber der bloße Gedanke an den Einkauf belastete Angela ungeheuer. Es gab dabei so vieles zu bedenken. Das Kleid mußte lange Ärmel haben, weil Mutter fand, daß keine Dame über vierzig ihre rauhen Ellbogen zeigen dürfe. Es mußte vorn zu schließen sein, weil das Anziehen sonst zu beschwerlich war. Es mußte waschbar sein. Es durfte am Hals nicht gebunden werden, weil Mutter selbst keine Schleifen mehr binden konnte, aber andererseits mußte es irgend etwas am Hals haben, einen Kragen oder dergleichen; ein schmuckloser Halsausschnitt kam nicht in Frage. Es durfte weder zu lang sein, weil Mutter das unelegant fand, noch zu kurz, weil sie das ordinär fand. Es sollte möglichst gemustert sein, aber nicht auffallend, farbig, aber nicht grell. Die Größe war ein Problem. Obwohl klein und zierlich, hatte die Mutter recht ausladende Hüften – »das meint man gar nicht«, pflegten die Verkäuferinnen mit geschürzten Lippen zu sagen, was Mutter jedesmal in Verlegenheit brachte. Größe 38 war oben zu weit und paßte unten genau. Anständig sitzen konnte das Kleid nur, wenn es so geschnitten war, daß es oben eng anlag und einen weiten Rock hatte.

Nach sorgfältigem Überlegen und etlichen vergeblichen Fahrten zu Geschäften, die sie noch nie aufgesucht hatte, kaufte Angela schließlich ein Kleid. In einer großen, mit Goldfolie umwickelten Pappschachtel sah das Geschenk wirklich aufregend aus. Jetzt galt es nur noch, die Geburtstagskarten zu verfassen, je eine von jedem, und zwar in Versen. Mutter legte großen Wert auf beziehungsreiche Verse; die Reime auf den fabrikmäßig hergestellten Karten genügten da nicht. Mutter hatte es gern, wenn der Absender seine Gefühle klar ausdrückte, sie mochte Verse, die ihr sagten, wie sehr sie geschätzt und geliebt wurde, und vor allem war es wichtig, daß sie ernst gemeint waren und von Herzen kamen.

Als nach Sadie Max und dann Saul geboren waren, wurde das Leben hektisch, und Angela blickte sehnsüchtig auf die Zeit zurück, als sie nur ein Kind hatte. Sadie wurde mehr und mehr in den Hintergrund gedrängt, ohne daß irgend jemand es beabsichtigt hätte. Sie nahm es ausgesprochen gutmütig hin.

Ihre Gutmütigkeit war es auch, die den Unfall verursachte. An einem Winternachmittag kamen sie alle schmutzig und frierend aus dem Park, und der neugeborene Saul schrie sich die Seele aus dem Leib. Max, ein lebhafter, ungestümer, kräftiger kleiner Junge, lief schnurstracks in die Küche und fegte mit einer einzigen Bewegung drei Einmachgläser vom Tisch, die dort standen, weil sie noch beschriftet werden mußten. Überall waren Glassplitter. Den heftig saugenden Saul an der Brust, versuchte Angela, die größten Scherben aufzulesen, während sie Max ankeifte, er solle aus dem Weg gehen. Sadie war inzwischen wortlos verschwunden. Sie ging ins Kinderzimmer hinauf und schluckte eine eigentümliche Zusammenstellung von Tabletten – ein ganzes Röhrchen Kinderaspirin mit Orangengeschmack, die für Max bestimmt waren, weil bei ihm gerade die Bak-

kenzähne durchbrachen und er jede Nacht aufwachte und schrie; ein halbes Fläschchen Fluortabletten, weil sie den salzigen Geschmack mochte, und vier Eisentabletten, weil sie so schön gesprenkelt waren. Auf dem Teppich vor Max' Gitterbett sitzend, futterte Sadie sämtliche Tabletten; mühelos öffneten ihre geschickten Finger die Verschlüsse (›MIT KINDERSICHERUNG‹). Zwischendurch ging sie immer wieder ins Bad, um die Tabletten, die sie sich haufenweise in den Mund gestopft hatte, mit Wasser hinunterzuspülen. Sie hatte nicht das geringste Schuldgefühl, und die Gefahr war ihr erst recht nicht bewußt. Als sie fertig war – als nämlich Max' gräßliches Gebrüll abgeklungen war –, ging sie mit den Röhrchen hinunter und fragte Angela, ob sie sie für ihr Puppenhaus haben könne. Sie fuhren im Taxi zum städtischen Krankenhaus – Ben war mit dem Wagen unterwegs –, als ob es sich um einen Vergnügungsausflug handelte. Sadie, mit roter Häkelmütze, war sehr gefaßt; ernst und feierlich hielt sie das Glas mit der Flüssigkeit, von der ihr übel werden sollte. Aber Sadie war störrisch, sie wollte nicht trinken, sie weigerte sich, es auch nur zu probieren. Angela flehte sie an, noch und noch, machte Versprechungen, erklärte ihr, warum es sein mußte. Es half nichts. Also ab in einen Raum – Angela bestand entgegen ärztlichem Rat und Wunsch darauf dabeizusein –, wo sie Sadie auf einen OP-Tisch hoben, ihr ein Rohr in den Rachen schoben und Unmengen Flüssigkeit hineingossen. Sadie, tränenüberströmt, Spuren von Erbrochenem im Gesicht, zitterte erbärmlich, als Angela sie hinaustrug.

Sie weigerte sich beharrlich, sie in der Nacht allein zu lassen. Sadie schlief. Angela weinte. Um Mitternacht wachte Sadie auf und schrie unentwegt bis acht Uhr morgens. Angela wiegte sie die ganze Nacht hin und her; ergeben nahm sie die Strafe auf sich. Mit jeder weiteren Stunde der Erschöpfung wuchsen ihre Gewissensbisse, während ihr Kummer gleichzeitig abebbte. Als Sadie mit geballten Fäusten auf sie einschlug, ließ sie es sich gefallen. Als Sadies Fingernägel auf ihrer Wange einen langen roten Kratzer hinterließen, erlaubte sie ihr demütig, es noch einmal zu tun. Ben war es, der das Kind schließlich beruhigte.

Den ganzen nächsten Tag wankte Sadie mit bleichem Gesicht und wimmernd umher, bis sie am Abend Frieden schlossen – sie kletterte zu ihrer Mutter auf den Schoß, und ihre zärtliche Umarmung rührte Angela zu Tränen, die nie wieder zu versiegen drohten. Sie wünschte, sie müßte den weichen, schlaffen Körper nie mehr aus ihren kraftlosen Armen lassen. Sie hatten wieder zusammengefunden, sie waren ineinander verschlungen, wie die zarten jungen Triebe des Weins sich umeinander ranken, um besser wachsen zu können. Ihre Körper drück-

ten aus, was ihre Zungen nicht sagen konnten, und Angela hatte Angst, sich zu rühren. Die Bindung bestand, unauflöslich, trotz des abweisenden, unnahbaren Blicks, den die Augen ihrer Tochter neuerdings annahmen, und die Erkenntnis, daß diese Bindung vorhanden, daß sie keine Einbildung war, daß sie nicht einseitig von ihr ausging, war für Angela traurig und tröstlich zugleich.

Sadie erholte sich rasch. Sie war stolz auf ihr Abenteuer. Sie schärfte Max ein, niemals Tabletten zu nehmen, und in ihrem schrillen, überheblichen Ton erkannte Angela schaudernd sich selbst.

Am frühen Morgen rief der Vater an, um mitzuteilen, daß das Geschenk für Mutter soeben angekommen sei.

»Es ist fabelhaft«, dröhnte er, »genau das Richtige. Ich hab's ihr übergezogen, sitzt wie angegossen. Sie ist natürlich noch nicht auf, ich laß sie noch liegen, weil sie krank war, sie steht erst später auf – aber ich hab's ihr übers Nachthemd gezogen, und sie hat in den Spiegel geguckt, und sie sagt, es ist erstklassig. Und von den Jungs hat sie Karten und Briefe gekriegt, genau zur rechten Zeit – und sie freut sich wie ein Schneekönig.«

»Fein«, rief Angela.

»Rufst du sie heute abend an?«

»Natürlich.«

»Gut, aber warte bis nach der Tagesschau, dann paßt es ihr am besten.«

Dann paßte es ihm am besten.

Es war gräßlich, die Kinder anzutreiben, ihren Beitrag zu leisten. Keines von ihnen sah die Notwendigkeit ein, Mutter zuliebe irgendwas zu tun. Sadie brummte, schon gut, schon gut, aber was willst du eigentlich, und Angela erwiderte bissig, es dürfe ja wohl nicht allzu schwer sein, das zu erraten. Es übersteige doch sicher nicht ihre Fähigkeiten, sich mit sechzehn Jahren zu überlegen, wie sie ihrer Großmutter zum Geburtstag gratulieren könnte? Sie habe doch gewiß ein natürliches Mitgefühl für eine alte Frau, die sie stets geliebt habe und nun krank und ans Haus gebunden sei?

Sadie stolzierte hinaus und knallte die Tür zu, kam jedoch rechtzeitig zurück, um mit den anderen ins Telefon zu singen: »Happy birthday, liebe Oma«, und es klang wie eine altmodische Gesangsgruppe. Anschließend war Sadie als Älteste zuerst mit Sprechen an der Reihe, und sie machte es so gut, daß niemand ihrer liebevoll besorgten Stimme anmerken konnte, daß sie Angela mit verzerrtem Gesicht ein Zeichen gab, sie wisse nicht, was sie sonst noch sagen solle. Max weigerte sich, außer »Alles Gute zum Geburtstag« etwas zu sagen, und rannte danach sogleich auf die Straße, um weiter Fußball zu spielen. Nur Saul und Tim plapperten frei und natürlich, wofür Angela sie aus tiefstem Herzen lobte.

»Wenn ich alt bin«, sagte Angela beim Abendessen, »dürft ihr eure Kinder nicht zwingen, mich anzurufen, wenn sie nicht wollen.«

»Keine Bange«, sagte Sadie, »das mach' ich bestimmt nicht.«

»Aber ich nehme an, daß ich es mir dann von ihnen wünsche«, sagte Angela, und während sie überlegte, erstarrte ihre Hand über der Suppenkelle, »ich nehme an, wenn man alt ist, wünscht man sich Liebe um jeden Preis, ich könnte mir denken –«

»Nun mach schon mit der Suppe«, sagte Sadie.

»Als ich jung war –«, begann Angela.

»Ach du lieber Himmel«, sagte Sadie.

»Als ich jung war«, wiederholte Angela, doch da sie gleichzeitig die Suppe austeilte, fingen alle an zu essen und hörten nicht zu, »dachte ich, ich würde mir immer wünschen, daß mir jeder die Wahrheit sagt, aber jetzt bin ich da nicht mehr ganz so sicher. Es ist bitter, wenn –«

»Mami«, sagte Sadie, »halt die Luft an.«

»Wieso?«

»Weil uns dein ewiges Gequassel nervt – meinetwegen kannst du ruhig weiterquatschen, wenn's dir Spaß macht, aber wir hören nicht zu.«

»Warum nicht?«

»Weils's uns langweilt.«

»Woher willst du wissen, daß es langweilig ist? Ich habe die Geschichten meiner Mutter aus ihrer Jugend geliebt, ich habe sie gebettelt, sie mir zu erzählen –«

»Vielleicht waren die ja spannend –«

»– ich konnte nie genug kriegen und –«

»– im Gegensatz zu deinen.«

»– ich habe sie angefleht, meine Lieblingsgeschichte wieder und wieder zu erzählen. Aber du, du machst dir überhaupt nichts aus meinen Erinnerungen.«

»Nur weiter so«, sagte Sadie, »meinetwegen kannst du dich in deinen Erinnerungen aalen. Ich will dich ja nicht beleidigen –«

»Nein?«

»– aber du hast uns alles schon tausendmal erzählt.«

»Ist ja nicht wahr.«

»Doch. Und du erzählst uns ja nicht einfach Geschichten – du erzählst sie bloß, weil du uns 'ne Moralpredigt halten willst – du erzählst sie bloß, um uns dranzukriegen, weil wir nicht solche

Prachtexemplare von Musterkindern sind, wie's du angeblich warst.«
Sadie sprach ganz ruhig und gelassen, und das machte es nur noch schlimmer.

»Jetzt machst du's doch genauso – in Wirklichkeit willst du uns bloß erzählen, wie das mit deiner Großmutter war, oder etwa nicht? Darum dreht sich doch der ganze Quatsch über die Gefühle alter Leute, stimmt's? In der nächsten Minute legst du los, wie du jeden Tag nach der Schule zu deiner Großmutter gegangen bist und ihr vorgelesen hast und was sonst noch alles, und uns hältst du wohl für so dämlich, daß wir nicht merken, was du in Wirklichkeit sagen willst, nämlich wie gemein es von uns ist, daß man uns zwingen muß, mit unserer Oma zu sprechen, wenn sie Geburtstag hat.«

»Na schön«, sagte Angela, »wenn du dir das alles so prima zurechtgelegt hast, warum begreifst du dann nicht, wie mir zumute ist?«

»Es ist zum Kotzen«, sagte Sadie achselzuckend.

»Aber wieso denn?«

»Weil's eben so ist. Übrigens – ich sterbe vor Hunger.«

»Ich verstehe nicht, warum –«

»Ach Mami – verdammter Mist –«

»Aber warum können wir nie miteinander reden – ich wüßte gern, was du denkst – als ich jung war, wollte niemand –«

Aber Sadie war schon weg; sie hatte sich einen Apfel und eine Banane aus der Obstschale auf dem Tisch geschnappt und war, ohne sich noch einmal umzudrehen, hinausstolziert.

»Mach dir nichts draus, Mami«, sagte Max, »uns kannst du erzählen, wie es war, als du jung warst. Was hast du damals gemacht?«

»Ach, ist doch egal.«

»Aber ich will's wissen, ehrlich, erzähl weiter.«

»Ich hab keine Lust mehr.«

Der Vater hatte keine Debatten zugelassen. Wenn er etwas sagte, das man lächerlich oder albern fand, hatte man einfach den Mund zu halten. Wenn er etwas sagte, was sachlich falsch war, wurde kein Widerspruch geduldet. Am schlimmsten war es, wenn er etwas verbot, von dem man wußte, daß er es selbst tat. »Geht ja nicht über die Straße, wo kein Fußgängerüberweg ist«, sagte er. »Du tust es ja auch«, hielt Angela ihm vor. »Ihr sollt nicht tun, was ich tue«, sagte er, »sondern was ich sage, und damit hat sich's.« Jawohl, damit hatte sich's, oder es knallte. »Zieht eure Schuhe aus, wenn sie schmutzig sind – ihr sollt sie vor der Küchentür ausziehen, so wie ich.« – »Hast du nicht gesagt, wir sollten nicht tun, was du tust?« fragte Angela, und wieder knallte es, diesmal fester. Niemand lachte. Niemand erklärte ihr den

Unterschied. Erklärungen – vernünftige Erläuterungen – waren ihr nie zuteil geworden. Im Gegensatz zu Sadie. Alles, was sie verlangte, wurde entweder gutgeheißen, für richtig befunden oder, wenn nötig, als falsch abgelehnt. Doch irgendwie hatte die Theorie versagt – sie, Angela und Ben, gaben Sadie haufenweise Erklärungen, sie waren bereit, jeden Gedanken mit ihr zu teilen, doch Sadie dankte es ihnen in keiner Weise. Sie haßte Gespräche. Unterhaltungen waren ihr suspekt. Angela und Ben waren auf Vermutungen angewiesen, wenn sie ergründen wollten, warum Sadie sie »zum Kotzen« oder langweilig fand oder mit noch unerfreulicheren Attributen belegte.

Eine ganz leise Angst regte sich in Angela, als sie Sadie wiedersah; sie fühlte sich schwach und kam sich plötzlich alt vor; sie fürchtete, Sadie nicht mehr gewachsen zu sein. Sadies Stärke beeindruckte sie – nicht ihre physische Kraft, obwohl die Tatsache, daß sie inzwischen fünf Zentimeter größer war als ihre Mutter, schon recht einschüchternd war – sondern dies totale Selbstvertrauen, das Sadie stets umgab. Angela war sich klar, daß es nur Einbildung sein konnte, aber das half nichts: Sadies Kraft machte Angela mit jedem Tag ein bißchen schwächer – sie war nicht mehr dieselbe zuversichtliche Person wie früher. Sie wollte unbedingt Sadies Achtung erringen und spürte, wie sich eine krankhafte Gefallsucht in ihr ausbreitete. Sadie kam ihr keinen Schritt entgegen. Erbarmungslos diktierte sie die Bedingungen ihrer Beziehung. Sie hatten selten Krach, es gab wenig Wortgefechte, keine Szenen und oberflächlich gesehen keine Reibungen. Diesbezügliche Erfahrungen ihrer Freundinnen und Nachbarinnen mit ihren Teenager-Töchtern waren ihr fremd, doch wenn sie über den Mangel an echter Kommunikation klagten, dann wußte sie, wovon die Rede war. Wer war schuld daran? Niemand. Es war ein Faktor des Erwachsenwerdens, den man zu akzeptieren hatte. Man durfte nicht darüber klagen oder es sich zu sehr zu Herzen nehmen – die Art und Weise, wie ihre Mutter vorgegangen war, führte ins Unglück, und das wollte Angela unbedingt verhindern. Die Angst würde vorübergehen.

»Oma ist am Telefon«, rief Sadie. Angela blickte erschrocken auf die Uhr. Halb neun, alles hastete hin und her und machte sich fertig für die Schule, sie selbst eingeschlossen. Es war nur knapp zehn Meter bis zum Telefon auf dem Schreibtisch, aber der kurze Weg reichte ihr, um sich den flach auf dem Boden ausgestreckten Vater und daneben die hysterische Mutter vorzustellen.

Und sie war tatsächlich hysterisch – Schluchzen und erstickte Laute noch und noch, während Angela sagte: »Mutter, Mutter, was ist denn – hörst du mich, Mutter?« Aber dann rief glücklicherweise der

Vater aus dem Hintergrund: »Du kriegst einen Anfall, wenn du so weitermachst.« Nein, der Vater war nicht zusammengebrochen. Mit unangebrachter Heiterkeit wiederholte Angela: »Mutter, was ist denn?«

»Sally«, krächzte die Mutter.

Sally war Mutters jüngste Schwester, das jüngste von sechs Kindern, lauter Mädchen. Angela hatte sie nie leiden können.

»Sie ist tot«, sagte die Mutter, bevor sie von einem neuerlichen Weinkrampf übermannt wurde. Angela gab beruhigende Laute von sich, während sie wartete, daß die Tränen verebbten. »Sidney hat sie heute morgen gefunden, auf dem Boden in der Küche.« Wieder Tränen, wieder mißbilligendes Geschrei vom Vater.

»Furchtbar«, murmelte Angela.

»Und – und«, wimmerte die Mutter, »und ich – in diesem Zustand – Vater läßt mich nicht – ich kann nicht –«

»Ich gehe zur Beerdigung«, sagte Angela.

»Oh.« Der langgezogene Seufzer der Erleichterung kam sogar für Angela, die jede Nuance in Mutters Äußerungen kannte, überraschend.

»Ich kann morgen fahren – kein Problem«, sagte Angela. »Ich rufe gleich Onkel Sidney an und laß mir alles genau sagen, und ich schicke in eurem Namen einen Kranz hin.«

»Du bist so lieb«, sagte die Mutter, nun ruhiger. »Ach, ich bin ja so erleichtert – so ein Schreck – es ist furchtbar für mich, daß ich nicht mal zur Beerdigung meiner eigenen Schwester gehen kann – ich kann's noch gar nicht glauben, daß sie als erste von uns gegangen ist.«

»War es ein Herzanfall?«

»Ja – genau wie bei unserer Mutter – und im gleichen Alter.« Mutters Stimme hatte einen neuen Klang. Sie war verbittert – Sally durfte als erste zu ihrer geliebten Mutter heimgehen, dabei hatte sie nicht einmal gelitten, im Gegensatz zu den anderen: Frances mit ihren Nieren, Maud mit ihren Krampfadern, Agnes mit einem Hexenschuß, Amy mit Diabetes und natürlich Mutter selbst mit ihrer Arthritis und den Schlaganfällen. Sally hatte nie etwas gefehlt, nie hatte sie Beschwerden gehabt, und nun war sie als erste heimgegangen.

»Sicher, es ist traurig«, sagte Angela, »aber das ist genau der Tod, den sie sich gewünscht hätte, findest du nicht?« Die Mutter gab keine Antwort. Schon die bloße Vermutung, daß Sally ein plötzlicher Tod erwünscht gewesen sein könnte, war in ihren Augen offensichtlich eine solche Kränkung, daß sie sich nicht darüber auslassen wollte.

»Was war denn das für ein Theater?« wollte Sadie wissen, die sich vor dem Spiegel im Flur die Haare bürstete.

»Omas Schwester ist gestorben.«

»Ach. Geht's ihr nahe?«

»Selbstverständlich geht es ihr nahe. Es geht den Menschen immer nahe, wenn ihre Verwandten sterben.«

Die Bürste wurde in den Militärsack gestopft, das Geld fürs Mittagessen vom Bord gegrapscht, die Haustür zugeknallt.

Endlich hatte sie Verwendung für das schwarze Kostüm, und es lag eine grimmige Befriedigung darin, Trauerkleidung parat zu haben. Bei der üblichen Panik, die jedesmal entstand, wenn sie die notwendigen Vorkehrungen traf für ihre Abwesenheit, und sei es nur für einen Tag, wäre auch gar keine Zeit geblieben, sich entsprechende Kleidung zu besorgen.

Mutters sämtliche Schwestern würden sich zum Begräbnis in Norwich einfinden, und darüber, daß sie diese Zusammenkunft verpaßte, würde die Mutter sich mehr grämen als über die versäumte Beerdigung. Für Angela war der Gedanke, dem vollzähligen Familienclan begegnen zu müssen, deprimierend. Die einzige von Mutters Schwestern, die sie mochte, war Frances, die Schneiderin, von der es hieß, daß sie, als sie einen Buchmacher heiratete, eine gute Partie gemacht hatte. Sie besaßen ein solides, häßliches, freistehendes Haus in Solihull, wo Angela in ihrer Jugend gern zu Besuch war, weil es ihr als das höchste an Luxus erschien. Frances würde ihr Kostüm bewundern und es der Mutter beschreiben, und Mutter würde sich freuen, nicht ahnend, daß das Kostüm für ihr eigenes Begräbnis gedacht war.

Die ganze Angelegenheit wurde trostloser, als Angela es sich vorgestellt hatte. Keiner kannte sich mit den Formalitäten aus. Keine der Tanten schien, ungeachtet ihrer Erfahrungen, zu wissen, was zu tun war. Als die Autos für den Trauerzug eintrafen, entstand ein wirres Gedränge. Niemand zeigte ein sichtbares Zeichen von Trauer. Die Mutter, allein zu Hause, würde auf die Uhr sehen und die Totenfeier in ihrem Gebetbuch verfolgen und dabei aus tiefster Seele weinen, während im Krematorium alle Augen trocken blieben. Angela betrachtete der Reihe nach die Gesichter und versuchte, inneres Leid darin zu entdecken. Würden sich, wenn Mutters Zeit gekommen war, alle Trewicks gleichmütig und scheinbar gefaßt um ihren Sarg versammeln? Würden sich dereinst alle Bradburys ohne das geringste Anzeichen einer Gemütsbewegung um ihren eigenen Sarg versammeln? Sie konnte es nicht glauben. Tod und Tod war nicht dasselbe.

Das anschließende Frühstück war deprimierend. Tee und Kekse im Stehen in der Diele, Sidney war betrunken und verkündete lauthals, daß das Leben weitergehe. Mutters sämtliche Schwestern blickten ihn verächtlich an. Alle wußten, daß er Sally als Achtzehnjährige geschwängert hatte, indem er sie ebenso betrunken machte, wie er es war. Er war ein Reinfall. Nun, da Sally tot war, wollte keine mehr etwas mit ihm zu tun haben. Nur Mutter würde ihm einen unter Schmerzen gekritzelten Brief voll teilnahmsvoller Worte schreiben. Mutters Stärke bestand darin, daß sie mit jedem Mitleid empfand, vor allem aber mit denen, die es nicht verdienten.

Als es Zeit wurde zu gehen – Angela war anstandshalber bis zum letzten Zug geblieben –, wurde sie von Frances und deren Mann in ihrem schnellen Wagen zum Bahnhof gebracht. Die beiden wirkten steif und verkrampft, gar nicht fröhlich wie sonst, und wiesen Angelas Versuch, mit ihnen zu plaudern, schroff zurück. Sie vermutete, daß sie wohl doch betroffener waren, als sie gedacht hatte. Kurz bevor sie am Bahnhof anlangten, drehte Frances sich um, blickte Angela mit kummervollem Ausdruck an, der in ihrem molligen, wabbeligen Gesicht geradezu absurd wirkte, und sagte: »Ach Angela, was ist nur los mit dir?«

»Wie meinst du das?« fragte Angela. Sie fühlte, daß sie errötete, und verspürte dasselbe Unbehagen, das sie jedesmal überkam, wenn die Mutter vorwurfsvoll und sentimental wurde.

»Warum kommst du uns nie mehr besuchen?« fragte Frances. »Wir haben dich immer gerngehabt, und jetzt kommst du nie mehr. Und deine Mutter besuchst du auch nur selten – außer wenn sie krank ist – dabei warst du so ein anhängliches kleines Mädchen. Wir hätten nie gedacht, daß du uns einmal so im Stich lassen würdest.«

»Ich habe vier Kinder, Tante Frances«, sagte Angela, »und ich unterrichte dreimal in der Woche.«

Frances wandte sich ab und starrte auf die Windschutzscheibe.

»Ihr versteht das eben nicht«, sagte Angela. Ihre Stimme zitterte. Vor Scham, würde Frances wohl annehmen, aber in Wirklichkeit war es Zorn. »Ihr habt ein ganz anderes Leben – ihr könnt euch nicht vorstellen, wie es bei mir zugeht.«

»Wir haben dich wie eine Tochter behandelt«, sagte Frances, »haben dich überallhin mitgenommen – wir haben dir alles gegeben, was deine Mutter sich nicht leisten konnte, und das ist nun der Dank.«

Die Heimfahrt im Zug war gräßlich. Sie brachte zwar einen ausführlichen Brief an die Mutter zustande, worin sie ihr die Blumenspenden aufzählte und die Versammlung in der Friedhofskapelle schilderte, doch Frances' kleinliche Vorwürfe gingen ihr nicht aus dem Kopf und trieben sie zum Wahnsinn. Überall erwartete man von ihr wahre Wunder an Toleranz und Verständnis – die Vergangenheit, *ihre* Vergangenheit, schien wie eine einzige ungeheure Schuld, die sie mit Verpflichtungen belud, die sie nie erstrebt hatte. Die Mutter brauchte sie, ihre Familie brauchte sie, und entfernte Verwandte wie Frances brauchten sie anscheinend auch. Sie höhlten sie aus. Alle wollten, daß Angela sich in ihre Lage versetzte – aber wer versetzte sich in Angelas Lage? Wer beschützte sie? Zu wem sagte sie, daß sie ihn brauchte? Sicher nicht zu Vater und Mutter. Es schien ihr eine Ewigkeit her, seit sie gelegentlich mit dem Gedanken gespielt hatte, bei ihren Eltern Hilfe oder Trost zu suchen. Und ihre Kinder? Die Vorstellung, sich an sie zu wenden, war geradezu lächerlich. Es mochte ja Mütter geben, die vor Erschöpfung und Verzweiflung weinten, Mütter, um deren Hälse sich winzige Ärmchen schlangen, um sie nach besten Kräften zu trösten, aber zu diesen Müttern gehörte sie nicht. Sie fand es empörend, sich vor den Kindern gehenzulassen. Einzig und allein ihr Mann kam als Vertrauter und Stütze in Frage, doch selbst Ben versagte oft, weil er fand, daß sie es mit ihren Pflichten übertrieb. Sie war der Angelpunkt, um den sich alles drehte, und die Nichterfüllung ihrer Lebensaufgabe war durch nichts zu entschuldigen.

Sie steckte den Brief in einen Umschlag, adressierte und frankierte ihn, um ihn am Bahnhof einzuwerfen. Von ihren wahren Gedanken stand nichts in dem Brief – sie belastete die Mutter nicht mit Zweifeln oder Sorgen; denn Mutter mußte aufgeheitert werden. Mutter konnte ohnehin nichts tun. Wenn Angela die Bürde zu schwer würde, müßte sie zusammenbrechen, bevor jemand etwas merkte. Frauen – Mütter – machten das unentwegt, und man trampelte auf ihnen herum und verachtete sie wegen ihrer Schwäche. Aber sie war nicht schwach. Sie war stark. Die Verwüstung, die sie mit einem Kollaps anrichten würde, wäre verheerend, und deshalb blieb ihr keine Wahl. Man rackerte sich weiter ab und hoffte, daß man eines Tages erlöst würde. Eines würde sie jedenfalls nie tun: Die Verantwortung von sich abwälzen.

Während der Zug pfeifend durch die dunkle Nacht brauste, hielt sie ihren müden, schmerzenden Körper kerzengerade und schwor sich, die Fessel zu zerreißen. Sadie sollte nicht fühlen, was sie fühlte. Sadie sollte so frei sein wie die Luft, unbehindert von Scham, Schuld oder Pflicht. Über Sadie sollte keine drohende Wolke aus mütterlichen Erwartungen schweben. Das gelobte sie sich hoch und heilig.

Es war dunkel und kalt im Haus, als sie endlich heimkam; kein Licht, keine Stimme hieß sie willkommen, sogar Ben schlief tief und fest. Sie wußte, daß es töricht war, nach Mitternacht etwas anderes zu erwarten, doch in ihrem erschöpften Zustand trieb ihr das Fehlen jeglichen Zeichens, daß man sich um sie sorgte, die Tränen in die Augen. Sie war zu müde, um sich eine Tasse Tee zu machen. Innerhalb kürzester Zeit würde sie wieder eingespannt sein in den morgendlichen Trubel, und alle würden sich aufführen, als sei sie soeben von einem fröhlichen Wochenende in Paris und nicht von einer trostlosen Beerdigung in Norwich zurückgekommen. Sie verreiste immer nur zu Anlässen, die nichts mit Vergnügen zu tun hatten, und doch betrachtete ihre Familie diese Fahrten beharrlich als Extravaganzen. Und morgen in der Schule hatte sie die dritte Klasse – unaufmerksame, ungezogene, lärmende Kinder, die von allen Klassen am schwierigsten zu interessieren und zu beaufsichtigen waren. Sie würde sie einen Aufsatz zum Thema »Das Begräbnis« schreiben lassen.

Im Flur stolperte sie über Max' Fußballausrüstung; seit er um vier Uhr heimgekommen war und sie dort hingeworfen hatte, war jeder über den Haufen aus Stiefeln, Shorts, Hemd, Socken und Ball gestiegen. Im Badezimmer hängte sie die nassen Handtücher auf den heizbaren Trockenständer, schraubte die Flasche mit dem roten Färbemittel zu, mit dem Sadie sehr verschwenderisch umging, um sich die Haare zu tönen, und rettete die Seife aus dem Abfluß. Nur Mütter taten dergleichen. Wenn sie nicht wäre, würde niemand etwas tun. Alles – der ganze Abfall der großen Familie – würde sich ansammeln und Fenster und Türen blockieren, ohne daß es jemandem auffiel, ohne daß es jemanden störte.

Sadie wahrte den Schein sieben oder acht Jahre lang. Jeden Abend legte Angela sorgsam Sadies Kleidung für den nächsten Tag heraus, ohne daß ihr das ungewöhnlich vorgekommen wäre. Sadie stand auf und zog die Sachen an. In einer Gegend, wo die Kinder in den merkwürdigsten Zusammenstellungen aus alten Kleidern herumliefen, fiel Sadie auf, wie aus dem Ei gepellt, die Farben aufeinander abgestimmt, mit blütenweißen Söckchen, auf Hochglanz polierten schwarzen Schuhen, mit x-mal gebürsteten, ordentlich zusammengebundenen Haaren. Die Leute machten sich darüber lustig, daß Angela ihre Tochter dermaßen herausputzte, aber das war ihr egal – es machte ihr Spaß, das Kind so zu kleiden. Doch als dann die Jungen geboren waren und Sadie immer mehr sich selbst überlassen war, ließ sie erkennen, daß sie die Trewicksche Tradition von Reinlichkeit und Eleganz nicht fortzusetzen gedachte. Sie zog mit Vorliebe schmutzige Unterhosen, stinkende Socken und fleckige Blusen an. Angela schimpfte mit ihr, und sie zog sich folgsam um, ohne daß ihr einleuchtete, was es an ihrem ursprünglichen Aufzug auszusetzen gab.

Mit der Zeit fügte sie sich Angelas Wünschen nicht mehr. »Ich mag schmutzige Socken«, sagte sie dann und »auf dem Spielplatz werden sie doch sowieso gleich dreckig«. Es nützte nichts, daß Angela ver-

suchte, sie zu belehren, daß es doch viel netter sei, sauber und ordentlich auszusehen. Sie sah es einfach nicht ein. Für frische oder neue Sachen hatte sie nichts übrig. Angela mußte sich überwinden, Sadie nicht alles das zu sagen, was ihre Mutter ihr so erfolgreich beigebracht hatte – »Ich hab's nicht gern, wenn du zerknittert aussiehst, Angela« –, und schließlich gestand sie Sadie das Recht zu, sich so anzuziehen, wie sie wollte. »Sadie ist eine kleine Schlampe«, sagte sie fröhlich zu den Leuten. Und zu Mutter und Vater, die über die Schluderigkeit ihrer Enkelin entsetzt waren, sagte sie: »Ich weiß wirklich nicht, warum das so wichtig ist.« Unglücklicherweise aber war es wichtig für sie, und es fiel ihr schwer, es Sadie nicht merken zu lassen.

»Als ich gestern weg war«, sagte Angela beim Frühstück, obwohl sie wußte, daß jetzt nicht die richtige Zeit für Vorhaltungen war, »hat kein Mensch was getan. Die Spülmaschine war nicht ausgeräumt, das ganze schmutzige Geschirr habt ihr stehenlassen, überall im Haus sind Apfelbutzen, Kleidungsstücke und Gott weiß was verstreut, und innerhalb von nicht ganz zwei Tagen sah es hier aus wie auf dem Müllplatz.«

»Ich trete ab«, sagte Sadie, den Mund mit Toast vollgestopft.

»Nein, du bleibst hier«, fuhr Angela sie an, »ich bin noch nicht fertig – setz dich.«

»Ich komm zu spät zur Schule.«

»Du hast noch Zeit genug.« Sadie setzte sich zwar nicht, aber sie blieb – die Hand auf der Hüfte, mit ausdrucksloser Miene, so provozierend wie möglich.

»Ich bin nicht euer Dienstmädchen«, sagte Angela. »Ich arbeite, ich schmeiße den ganzen Haushalt, und ich erwarte von euch, daß ihr mir dabei helft. Ihr seid alle schrecklich verwöhnt, und das muß aufhören.«

»Wieso bist du so wütend?« fragte Max. Tim fing an zu weinen.

»Weil ich hier einen Saustall vorgefunden habe«, sagte Angela, »weil ich total geschlaucht nach Hause gekommen bin und erst einmal aufräumen mußte.«

»Schon gut, schon gut«, sagte Max.

»Gar nichts ist gut. Alles ist verkehrt.«

»Und was willst du von uns?« fragte Max.

»Ihr sollt mir helfen.«

»Gut, ich helfe dir, aber hör endlich auf damit.«

»Jetzt komm ich aber wirklich zu spät«, sagte Sadie.

»Oh, dann geh nur. Aber ich hätte gedacht –«

Die Küche leerte sich im Nu. Angela trocknete Tims Tränen und versicherte ihm, daß er nicht gemeint war. Sie setzte ihn ins Auto und fuhr ihn zur Schule. Unterwegs holte sie ein paar Sachen aus der Reinigung ab. Ihre Gereiztheit darüber, daß sie eine solche Kleinigkeit zu erledigen hatte, bewies ihr, wie erbärmlich es um sie stand – wenn sie etwas für Ben tat, der so schwer und so viele Stunden arbeitete, war sie nie gereizt. Mutter schien überhaupt nie wegen irgendwas gereizt zu sein. Sie hatte alles still auf sich genommen, hatte es als ihr Schicksal betrachtet, für sie alle wie ein Sklave zu schuften.

Angela konnte sich nicht erinnern, daß ihre Mutter sie und ihre Geschwister auch nur ein einziges Mal so angebrüllt hatte, wie sie soeben ihre Kinder angebrüllt hatte. Mutter hatte für sie aufgeräumt, ohne daß es ihr je etwas auszumachen schien. Irgendwas war total falsch gelaufen. Mutter muß ein Geheimnis besitzen, dachte Angela, zu dem sie selbst keinen Zugang hatte. Oder aber sie war eine unnatürliche Mutter. Sie wußte nicht, wie sie herausfinden sollte, was davon stimmte, aber als sie mit starrer Miene und gestrafften Schultern zur Arbeit fuhr, schien ihr die Beantwortung dieser Frage das wichtigste auf der Welt zu sein.

4

Wohin fahrt ihr in den Ferien?« erkundigte sich der Vater beim montagabendlichen Telefongespräch.

»Das wissen wir noch nicht.«

»Wir auch nicht«, sagte der Vater betont. »Deine Mutter jammert schon die ganze Zeit. Mrs. Collins hat sie draufgebracht – sie ist für eine Woche nach Newquay – oh, wir gehen nirgends hin, für uns gibt's keinen Urlaub, sagt deine Mutter, und sie wünscht, sie könnte mal irgendwo Ferien machen, sie ist ja jahraus, jahrein hier eingesperrt. Gut, sage ich, fahr doch zu Angela. Hier, hier ist sie – sprich mal mit ihr – ihr gefällt anscheinend nicht, was ich sage, sie verzieht dauernd das Gesicht. Sag du ihr mal, wie du das siehst.«

»Hör nicht auf ihn«, flüsterte die Mutter. Sie räusperte sich. »Ich kann doch nirgends hin, in meinem Zustand, das weiß er doch. Er soll ruhig Urlaub machen – er hat's nötig. Er kann mich solange in ein Heim schicken und sich herumtreiben, wo er will. Mir macht es nichts aus.«

Im Hintergrund brüllte der Vater: »Ich brauch keinen Urlaub – du hast damit angefangen, Mädel, nicht ich.«

»Hör nicht auf ihn«, wiederholte die Mutter wieder flüsternd.

»Ich würde mich freuen, wenn du bei uns Urlaub machen würdest wie früher, Mutter«, sagte Angela und bemühte sich, Wärme und Echtheit in ihre Stimme zu legen, »aber ich nehme nicht an, daß du eine fünfhundert Kilometer weite Reise durchstehen kannst, oder?«

»Nein«, sagte die Mutter, »ich schaffe ja nicht mal die paar hundert Meter bis zur Kirche. Es ist aus mit mir, aus und vorbei.«

»Nein, das ist nicht wahr – es geht dir von Tag zu Tag besser – aber eine lange anstrengende Reise kannst du noch nicht bewältigen. Hör zu, wie wäre es, wenn ich eine Woche zu dir käme, und Vater könnte dann zu Valerie fahren – eine Trennung würde euch beiden guttun; das wäre doch die beste Lösung, dann hättet ihr zwei wenigstens ein bißchen Urlaub.«

»Dein Vater will nichts davon hören«, sagte die Mutter, »freiwillig geht er nicht weg, das würdest du doch nicht tun, oder?« Es folgte eine Minute der Ungewißheit, während der Vorschlag weitergegeben wurde, und dann ein Gebrüll, als der Vater entschieden ablehnte. »Da hast du's«, meldete sich die Mutter wieder, »hab ich dir's nicht gesagt, daß er nicht weggeht?« Angela konnte nicht erkennen, ob aus ihrer Stimme Zufriedenheit sprach oder nicht.

Sie konnte sich die Mutter gut vorstellen, wie sie in ihrem Sessel vor dem Kamin kauerte und mit bekümmerter Miene Mrs. Collins und den anderen Nachbarinnen zuhörte, die ein paar Wochen hier, ein paar Tage dort zu verbringen gedachten; es war eine alljährliche Tortur, welche die Mutter zusehends verbitterte. Die Sommersonne verbesserte nicht etwa ihre Stimmung; die Aussicht, daß sie sich statt in dem kleinen Zimmer im Garten würde aufhalten können, freute sie nicht, sondern der Sonnenschein machte sie wütend. Aus ihren hitzigen Worten hätte man schließen können, daß Mutter früher regelmäßig die herrlichsten Ferien gehabt und nicht bloß eine langweilige Woche bei einer ihrer Schwestern in Exeter oder Plymouth verbracht hatte. Aber irgendwas mußte geschehen, andernfalls würden die Bemerkungen ewig weitergehen, bis es schließlich im Oktober hieße: »Na ja, ich konnte jedenfalls nicht verreisen.«

»Ich denke«, sagte Angela an diesem Abend, »daß wir die Osterferien wohl doch alle zusammen in St. Erick verbringen müssen.« Ihre Erklärung ging in Protesten unter. Als alle wieder ruhig waren, ließ sie sich ausführlich über Großmutters Elend aus, aber keiner wollte sich erweichen lassen. Sogar Ben weigerte sich beharrlich. Sie übertreibe, sagte er. Ihre Mutter und ihr Vater seien eigentlich ganz zufrieden, und selbst wenn nicht, warum nahm sie auf die Bedürfnisse ihrer Eltern mehr Rücksicht als auf die eigene Familie?

Warum wog deren Abneigung gegen Ferien in St. Erick nicht ebensoviel wie der Wunsch der Eltern, sie bei sich zu haben?

»Sie sind alt und hinfällig«, sagte Angela, »und wir sind alle jung und kräftig. Wir können es uns leisten, großmütig zu sein – ist das wirklich zuviel verlangt?«

Sie ging zu Bett, und in ihrem Kopf spukte die Vorstellung, wie Mutter und Vater in diesem schäbigen Zimmer eingezwängt waren, die Mutter unglücklich, weil sie nie irgendwohin kam. Das angestrengte Bemühen, eine Lösung für das Unlösbare zu finden, ließ Angela nicht schlafen. Sie konnte nichts tun, um die Eltern wirklich glücklich zu machen, außer zu ihnen in das Haus nebenan zu ziehen. Der Fortgang von St. Erick war der endgültige Verrat, den sie lange schon hatten kommen sehen. Die Eltern waren überzeugt, daß ohne »dieses Gymnasium« alles gut geworden wäre. Die Schule habe ihr Flausen in den Kopf gesetzt, behaupteten sie. »Du warst so ein braves kleines Mädchen, bevor du auf dieses Gymnasium gingst«, pflegte die Mutter bekümmert zu sagen. Sie wüßten nicht, was in sie gefahren sei, sagten sie, und sie sähen schon, wohin das führen würde. »Da hat man nun Kinder«, sagte der Vater, »sorgt für sie und rackert sich für sie ab, und was machen sie – in der Minute, wo sie zu was taugen, lassen sie dich im Stich. Wir waren nicht so – aber du, du gehst einfach auf und davon, und damit aus.«

»So ist das Leben«, sagte Angela dann, »Kinder bleiben nun mal nicht zu Hause, wenn sie erwachsen sind, oder aber mit ihnen stimmt was nicht.«

»Als ob mit deiner Mutter und mir was nicht gestimmt hätte«, sagte der Vater darauf. »Wir wußten eben, was unsere Pflicht war.«

»Ihr hattet keine andere Wahl«, sagte Angela, wohl wissend, daß es lächerlich war, eine solche Auseinandersetzung auszuweiten. Gleichgültig, was sie danach noch äußerte, der Vater schloß jedesmal mit denselben Worten: »Elefanten bleiben zusammen und trennen sich nicht von der Herde.«

Sie sollten alle in der Nähe sein, Tom und Harry, Valerie und Angela, und sie jeden Tag besuchen, wie Mutter und Vater ihre Eltern zu deren Lebzeiten besucht hatten – eine glückliche, große Familie. Allerdings konnte sich Angela nicht an Glück erinnern, lediglich an Pflichterfüllung und die Befriedigung, die sich daraus ergab. Jeden Sonntag nach dem Gottesdienst spazierte der Vater mit allen vier Kindern zum Hause seiner Eltern, zu diesem düsteren, soliden Reihenhaus am Fluß; sie marschierten hinein in die dunkle Diele, in der es nach Moder und Verfall roch, dann in das Hinterzimmer, wo ein großer, rußiger Kessel an einem Haken über dem spärlich brennenden Feuer hing. Waren sie noch vor einer Minute ermahnt worden, sich ruhig zu verhalten, wurden sie in der nächsten Minute aufgefordert, die Großmutter zu unterhalten. Der Reihe nach wurden sie am Ärmel zu dem Bett in der Ecke gezogen, wo die Großmutter lag, so auf Kissen gestützt, daß sie durch die staubigen Gardinen in den Hof blicken konnte, wo es nichts zu sehen gab als eine Mülltonne, und der auf allen Seiten von einer hohen, oben mit Glasscherben gespickten Ziegelmauer umgeben war.

Die Großmutter war ein furchterregender Anblick. Die krummen arthritischen Finger ließen ihre Hände wie Klauen erscheinen, und ihr entsetzlich bleiches, abgezehrtes Gesicht war stets von Schmerz verzerrt. »Gib deiner Oma einen Kuß«, sagte der Großpapa, »einen schönen dicken Schmatz, wie sich's gehört«, und dann folgte ein Kampf zwischen der Furcht, die widerliche welke Haut von Großmamas Wange zu berühren, und der Furcht vor Großpapas Zorn, wenn sein Befehl nicht augenblicklich ausgeführt wurde.

Angela konnte sich nicht erinnern, Mitleid mit der Großmama empfunden zu haben oder nur eine Spur Mitgefühl für den Großpapa, ein Ungeheuer von einem Mann mit einer Vorliebe für Kopfrechnen. »Fünf mal neun«, rief er unvermittelt, indem er mit einem Stöckchen auf seine Opfer wies, und wer zuerst richtig antwortete, bekam einen Pfennig. Immer war es Angela. Dann tobte der Großpapa und brüllte die Jungen an, weil er wünschte, daß sie die klügeren seien. »Laßt euch von einem Mädchen ausstechen«, donnerte er, und wenn Tom vor Schreck in Tränen ausbrach, was oft vorkam, drängte ihn der Großpapa mit einem Stöckchen zur Hintertür und schob ihn nach draußen. Der Vater mischte sich niemals ein. Er beobachtete den Großpapa mit einem sonderbaren Lächeln im Gesicht und rührte keinen Finger, um den armen Tom zu beschützen.

Wenn sie sich, erschöpft von der ganzen Anspannung, wimmernd auf den Heimweg machten, sagte der Vater manchmal: »So, jetzt wißt ihr's.« Diese eindeutig unvollständige Bemerkung war so rätselhaft, daß Angela nichts damit anfangen konnte.

»Warum müssen wir da hingehen?« fragte sie. »Wo doch der Großpapa so schrecklich ist?« – »Sprich nicht so über deinen Großvater«, sagte der Vater. Bei der Mutter kam sie auch nicht weiter. »Es gibt Dinge, die ich deinem Großvater nie verzeihen werde«, sagte sie, wenn Angela sie um Aufklärung bat. »Dein Vater hat darunter gelitten. Du ahnst ja nicht einmal die Hälfte davon.« Und Angela, die diese Hälfte und jedes weitere eventuelle Bruchstück nur zu gern gekannt hätte, blieb unbefriedigt und neugierig.

Zweimal in der Woche begleitete sie die Mutter zur Großmama, um ihr den Tee zu kochen, und sie sah der Mutter zu, wie sie Großmama behutsam wusch und ihr geschickt das Bett machte, und sie hörte die Großmama sagen: »Du bist ein Segen, Mary, ein wahrer Segen bist du. Wenn ich dich nicht hätte, Liebes, ich weiß nicht, was aus mir würde.« Angela sah die Mutter Kuchen und Mandelpudding auspacken, sie hörte sie den Großvater mutig wegen der Kälte im Zimmer zur Rede stellen, sie spürte, wie sich die Atmosphäre in dem düsteren Haus aufhellte, wenn die Mutter da war.

Und es gab noch andere, ältere Tanten und leidende Cousinen, denen die Mutter auf ihrem Rundgang ihre Aufwartung machte, seltsame alte Leute, die in abgelegenen Zimmern lebten, versteckt am Ende schmaler Gassen oder in Rückgebäuden; Leute, von denen außer Mutter niemand etwas wußte, glaubte Angela. Die Mutter kümmerte sich ganz selbstverständlich um alle, und wenn Angela, als sie älter wurde, über diese Besuche klagte, sagte die Mutter nur: »Die armen alten Leutchen«, und Angela schwieg.

Dreimal jährlich fuhr sie mit der ganzen Familie nach St. Erick, nur dreimal, eine knappe Woche zu Ostern, zu Pfingsten und im August. Sie quetschten sich in ihr Elternhaus, und ihre guten Vorsätze hatten sich innerhalb von Stunden verflüchtigt. Von dem Augenblick an, als sie durch die Haustür trat, glaubte Angela, ersticken zu müssen, nicht nur wegen des beißenden Geruchs zu dick aufgetragener Lavendelpolitur und zu oft erneuerter Rosenduftkissen, sondern wegen der Erinnerungen an ihr Leben in diesem Haus. Wenn sie zuweilen bei Eisenbahnfahrten auf Reihen über Reihen eintöniger Häuser blickte, dachte sie, wie schrecklich es sein müsse, dort zu wohnen, und dann fiel ihr ein, daß sie selbst einst in einem solchen Haus gewohnt hatte, und ein Schauder durchlief sie.

Als der Großpapa starb – er hatte die Großmama nur um sechs Monate überlebt –, war die Rede davon gewesen, in das Haus der Großeltern zu ziehen, doch die Mutter hatte sich geweigert. Sie sagte, es sei ein schrecklicher Kasten mit großen zugigen Räumen, beschwerlichen Treppen und ohne Garten. Es sei zu Königin Victorias Zeiten gebaut worden und so sehe es auch aus. Nur Angela, zwölf Jahre alt, hätte gern dort gewohnt. Sie hatte es aufregend gefunden, durch das Haus zu streifen, während die Mutter sich in dem einzigen benutzten Zimmer um die Großmama kümmerte. Oben gab es vier geräumige Schlafzimmer mit breiten Fensternischen, wo man sich auf eine Bank setzen und ein Buch lesen konnte, wie es die Kinder in eben diesen Büchern taten. Hier hätte jeder ein eigenes Zimmer haben können, statt daß sie sich mit Valerie eines teilen mußte und Tom und Harry in eine winzige Rumpelkammer gezwängt waren. Aber Mutter blieb unerbittlich.

Sie verkauften das Haus und teilten das Geld mit Vaters Geschwistern. Also blieben sie in ihrem gemieteten Haus – »hier haben wir wenigstens modernen Komfort«, sagte die Mutter – und verwendeten ihren Anteil an dem Erlös darauf, es von oben bis unten mit geblümten Tapeten und einem cremefarbenen Anstrich auszustatten. Sie kauften eine neue Eßzimmereinrichtung, obwohl sie kein Eßzimmer hatten, und legten sich ein Treibhaus zu, und den Rest behielten sie als Notgroschen, obwohl es zu wenig war, um im Ernstfall Not zu lindern. Vater, der gern ein Auto gehabt hätte, war ein wenig verstimmt, als die ganze Sache erledigt war, aber Mutter hatte ein ausgiebiges, harmloses Vergnügen gehabt.

Das Haus war wie tausend andere, die vor dem Krieg in Massen aus dem Boden schossen und die Landschaft verschandelten. Mutter hatte ihr Haus selbst ausgesucht, und sie war stolz darauf. Ihr Onkel war der Schwager des städtischen Bauplanungsbeamten, und der sagte ihr, sie könne sich eins aussuchen. Mutter entschied sich für ein Haus mit zwei Schlafzimmern und Abstellkammer sowie angebauter Waschküche. Mehr konnten sie sich damals nicht leisten, sagte sie. Es gab kein Badezimmer, und die Toilette lag außerhalb des Hauses, aber mit Bad und Toilette wäre die Miete erheblich teurer gewesen.

Als Angela in der Schule die Grundzüge der Architektur durchnahm, lachte sie bei der Vorstellung, daß ihr Sozialhaus entworfen worden sei. Entworfen? Fenster, Türen, Baumaterial – wer dachte schon an etwas anderes als an die Kosten, wenn es um Sozialbauten ging? »Wir haben solches Glück gehabt«, sagte die Mutter und hatte Gewissensbisse, weil sie den Einfluß ihres Onkels ausgenutzt hatte. »Wir haben das beste Haus mit zwei Schlafzimmern von der ganzen Siedlung bekommen«, sagte sie. Angela war die einzige, deren Seele bei dem Leben in dieser unschönen Behausung verdorrte, und darum wich sie in ihrer Phantasie woanders hin aus.

Sie hätte den Eltern gern ein eigenes Haus gekauft, ein hübsches altes, aber sie wollten nichts davon wissen. Als sie durch die Heirat mit Ben wohlhabend wurde, bot sie ihnen mit Bens vollem Einverständnis ein bezauberndes Häuschen auf dem Hügel hinter der Stadt an, mit Blick auf den unten vorbeifließenden Strom und mit bequemen Verbindungen ins Umland. Sie wollten nicht. Sie dankten ihr, bewunderten das Häuschen und lehnten ab. Sie hatten ihre Nachbarn in der Siedlung, sie hatten immer dort gewohnt, sie wollten nicht wegziehen, nicht jetzt, bitte, nichts für ungut. Daraufhin ließ Angela auf eigene Kosten ein Bad einbauen und einen Telefonanschluß einrichten, und Mutter und Vater zeigten sich höchst zufrieden. Nur wenn Angela mit ihrer Familie kam, war das Haus auf einmal zu klein, aber es war undenkbar, das zuzugeben. »Platz genug«, sagte der Vater, selbst wenn er den unumstößlichen Beweis vor Augen hatte, daß dies eine Lüge war. Angela und Ben schliefen im Gästebett, neben ihnen Tim auf einer Campingliege. Sadie schlief, ebenfalls auf einer Campingliege, im Bad, das früher die Abstellkammer war. Max und Saul schliefen in Mutters und Vaters altem Schlafzimmer. »Platz genug«, sagte der Vater, und »für die Familie ist immer Platz«.

Vor Sadies Geburt brachte Ben einen putzigen bunten Spielzeugclown mit nach Hause, den er in einem Schaufenster gesehen hatte. Er war groß und dick, mit langen, spindeldürren Beinen und konnte mit dem Kopf wackeln. Der prall gestopfte Bauch war gelb, die Arme waren orange, das übrige braun. Angela stimmte das ganze zukünftige Kinderzimmer darauf ab. Sie strich alle Wände sonnengelb an, bis auf die eine über dem Kaminsims, die sie mit dunkelbraunem Kork bespannte, an dem sie später die Kinderzeichnungen anheften wollte; denn ihre Kinder würden natürlich Buntstifte bekommen, sobald ihre Hände sie halten konnten, und Angela wollte diese Kunstwerke in Ehren halten. Der Teppich auf dem glänzenden Holzfußboden und das Rouleau am Fenster waren orange.

Das Zimmer lag im obersten Stockwerk und blickte auf den langgestreckten Garten mit den vielen Bäumen. In den letzten Wochen ihrer Schwangerschaft hielt Angela sich häufig in dem Zimmer auf. Sie malte sich das Entzücken des Kindes aus, das es bewohnen würde. Sie saß in einem Schaukelstuhl am Fenster, und wenn sie daran zurückdachte, kamen ihr die Tränen. Es zeigte sich, daß Sadie sich nichts aus ihrem Zimmer machte. Sobald sie alt genug war, ließ sie es verwahrlosen. Der Kork blieb braun und kahl – keine Bilder wurden dafür gemalt, und wenn doch, so entfernte Sadie sie sogleich und brachte sie hinunter in die Küche, um sie dort an die Wand zu pinnen. Die vielen Regale enthielten ein unordentliches Sammelsurium von Dingen und wurden nie aufgeräumt. Der große Tisch klebte von hartgewordenen Plastilinresten und verstaubte immer mehr.

»Erst sagst du, es ist mein Zimmer«, sagte Sadie, als Angela es als Bruchbude bezeichnete, »und dann willst du, daß es so aussieht wie deins, als du so alt warst wie ich.« Angela war klug genug zu verschweigen, daß sie nie ein eigenes Zimmer besessen hatte, daß eben dies der springende Punkt, der Grund für ihren Kummer war. Sie hatte sich mit Valerie ein Bett geteilt in einem Zimmer, das so klein war, daß sie sich zur Seite drehen mußten, um zwischen den riesigen Kleiderschrank und das Bett zu gelangen. Sie hatte kein schönes geräumiges Zimmer gehabt, wo sie sich austoben, kein stilles Eckchen, wohin

sie sich zum Lesen zurückziehen konnte. Sadie las allerdings nie und hatte auch nicht das Bedürfnis, sich zurückzuziehen. Es war von Anfang an klar, daß Sadie keine Einsiedlernatur war, für die ein abgelegenes Zimmer das Höchste bedeutete. Schließlich zog sie um. Sie hatten den alten Kohlenkeller neben der Küche zu einem Zimmer umbauen lassen, um es als Arbeitszimmer zu benutzen, und Sadie bat, es für sich haben zu dürfen. Es hatte kaum Platz für ihr Bett und schon gar nicht für Kleider und Krimskrams. Alles, was sie besaß, wurde entweder in einem Überseekoffer verstaut oder auf Kleiderbügeln und Haken an den Wänden drapiert. Angela ging nie in Sadies Zimmer, außer wenn es sich nicht vermeiden ließ, und dann wurde sie von einer derartigen Platzangst befallen, daß sie geschrien hätte, wenn die Tür zufällig zugefallen wäre.

Ben gab nach, prophezeite jedoch Unheil, was bei ihm selten vorkam. Die Kinder waren erleichtert, daß sie nicht beim Großpapa wohnen und sich in flammenden Reden ihre Sünden vorhalten lassen mußten. Angela zählte die Tage der Freiheit, die ihr noch blieben, und machte sich unaufhörlich Gedanken. Sie kannte den Ort, sie kannte das Hotel, sie wußte, was vom Wetter zu erwarten war; sie hatte sich für diesen Ausweg entschieden, weil er ihr als lohnendes Experiment erschien. Auf neutralem Boden, sagte sie sich immer wieder, ließen sich vielleicht alle Probleme lösen. Sie würden sich öffentlich präsentieren, und das gefiel den Trewicks ausgesprochen gut.

Mutter und Vater hatten bereits drei Wochen der Vorfreude hinter sich; und wie die Sache auch ausging, es lagen noch weit mehr Wochen vor ihnen, in denen sie ihre unverhofften Ferien rückblickend genießen konnten. Dazu brauchte der Urlaub nicht einmal ein Erfolg zu werden. Angela konnte sich an etliche gemeinsame Ferien mit Mutter und Vater – in gemieteten Ferienhäusern an kalten Stränden – erinnern, die eine totale Katastrophe waren und von denen sie nun in sehnsüchtiger Erinnerung sprachen. Zusammen fortzugehen, das zählte. Daran erinnerten sie sich – an die öffentliche Zurschaustellung von Einigkeit – und vergaßen darüber die Streitigkeiten, vergaßen, wie grob und ungezogen die Enkelkinder waren, vergaßen ihr Mißfallen über Angelas und Bens Erziehungsmethoden. Sie erinnerten sich nur an das, woran sie sich erinnern wollten, und zwar in ihrer Version.

Vielleicht würde es wieder genauso werden. Doch diesmal galt es auch noch, das Hotel sorgfältig auszusuchen. Mutter und Vater hatten noch nie in einem Hotel gewohnt, nicht ein einziges Mal. Pensionen waren der Gipfel des Erschwinglichen gewesen, und selbst dazu mußten sie dreißig Jahre oder noch mehr zurückdenken, um sich zu erinnern, wann sie das letzte Mal ein solch exklusives Etablissement beehrt hatten. Angelas ganze Kindheit hindurch hatte die Mutter sich bei ausgewählten Pensionen, die von bessergestellten Leuten frequentiert und empfohlen worden waren, nach den Preisen erkundigt, aber sie waren immer zu teuer gewesen. Angela wohnte nie in einer Pension und beneidete diejenigen, die dort abstiegen, bis Tante Frances ihr erzählte, das seien lediglich eine Art billige Hotels, nicht wert, mit echten Hotels in einem Atemzug genannt zu werden.

Es war alles bedacht worden, um es Mutter und Vater bequem zu machen. Sie hatten ein Zimmer mit Bad, und mit Angela und ihrer Familie bildeten sie eine geschlossene Trewicksche Gruppe. Das Hotel lag an der Küste in der Nähe der Kleinstadt Port Point, Vaters liebstem Ort auf der ganzen Welt, in die er sich allerdings nie weit hinausgewagt hatte. Ungefähr fünfzig Jahre lang war er jeden Sonntag in Port Point gewesen, um zu angeln und an den Klippen entlangzuwandern. Von den Kindern hatte ihn nur Angela gern begleitet, aber mehr um der See als um Port Point willen. »Der König wäre gern hierhergekommen«, sagte der Vater immer, »aber leider war kein Hotel groß genug für ihn.« – »Welcher König?« fragte Angela dann skeptisch, aber das wußte der Vater nicht. Die Tatsache, daß der König – irgendein König – beinahe gekommen wäre, hatte ihr zu genügen. Der Vater sagte, der König wäre wegen der Luft beinahe gekommen, weil er zu Recht gehört hatte, daß sie in Port Point reiner war als anderswo; doch Angela dachte, er habe gewiß wegen der Ruhe kommen wollen.

Port Point war nicht hübsch, aber ruhig. Es besaß einen kleinen Park, ein paar Straßen mit eintönigen Reihenhäusern und eine Hauptstraße mit Kopfsteinpflaster, an der sich die Geschäfte und Hotels befanden. Der Ort lag sehr hoch und war, von ein paar schützenden Kiefergehölzen abgesehen, den atlantischen Winden völlig ausgeliefert, die den ganzen Winter und den halben Sommer über durch die Stadt wehten. »Das erfrischt«, sagte der Vater, »wenn dir das in die Lungen fährt, fühlst du dich gleich ganz anders.« Doch in der Regel fühlte man nichts als schneidende Kälte, die einen fast erstarren ließ.

Eineinhalb Kilometer hinter Port Point ragte eine Landzunge in den Atlantik. Dort standen ein Genesungsheim und zwei Hotels, sehr bewundert von Vater und Mutter, die in keinem von beiden je gewesen waren. Manchmal, wenn der Vater mit ihnen von Port Point aus die Klippen entlangmarschiert war, blickten sie sehnsüchtig auf die Hotels, besonders auf das größere, ehrwürdigere der beiden, und dann sagte der Vater schnell, daß gleich das Fischerboot käme. Von der einen Seite des Hotels war die offene See nur hundert Meter entfernt, und auf der anderen Seite führte eine schmale Straße zu dem Meeresarm. Bei gutem Wetter war dies der idealste Ferienort, den man sich vorstellen konnte. Bei schlechtem Wetter aber war es hoffnungslos für Mutter, um deretwillen dieser Urlaub einzig und allein geplant worden war. Der schlimmste Spielverderber wäre ein strenger, kalter Wind, wie er in dieser Küstenregion von Nordcornwall eigentlich immer zu erwarten war – kalte Winde und Nieselregen, eine so häufig vorkommende Verbindung, daß es hirnverbrannt war, nicht damit zu rechnen.

Und Angela rechnete damit. Ihr vorausschauendes Vorstellungsvermögen funktionierte ausgezeichnet. Der entscheidende Punkt war jedoch, daß Mutter und Vater mit sehr geringem eigenen Aufwand zu einem Tapetenwechsel kamen. Sie erlebten den Reiz, in einem Hotel zu wohnen. Alle Mahlzeiten wurden ihnen serviert, sie konnten zum erstenmal von einer Speisekarte wählen, und sie würden andere Leute um sich haben. Der Vater konnte jeden Tag nach Port Point marschieren. Die Kinder konnten sich austoben, ohne zu stören. Es war besser als nichts – und es würde Angela vor dem Koma der Depression bewahren, in die sie bei dem aufreibenden Bemühen geriet, jede Lage zu meistern, dem Bemühen, Mutter und Vater glücklich zu machen. Zwischen sie und der Angela, die sie sich wünschten, würde sich ein Nebelschleier schieben, hinter dem sie sich verstecken könnte.

Sie wurde immer stiller, je näher der Tag der Abreise nach St. Erick rückte. Sie hatte Alpträume, in denen Ben abberufen wurde und sie allein mit Mutter und Vater fertigwerden mußte. Das könnte sie nicht, nicht eine Woche lang, dazu noch mit den Kindern auf dem Hals. Ben war der ideale Schwiegersohn. Oft entschuldigte sich Angela für Mutter und Vater und für die Art und Weise, wie er in ihre Angelegenheiten mit hineingezogen wurde, doch er nahm es nicht übel. Er sagte, sie hätten jeder die Eltern des anderen angenommen – aber er hatte keine Eltern, ein fundamentaler Unterschied, auf den Angela immer wieder hinwies. Sie neidete ihm seinen elternlosen Zustand so glühend, daß sie selbst darüber erschrak. Wären Mutter und Vater Bens Eltern gewesen, könnte sie so tolerant sein, so lieb und rücksichtsvoll und um ihr Wohl besorgt; wie leicht würde es ihr dann fallen, ihren Schwierigkeiten unbefangen gegenüberzustehen. Wären ihre Eltern, wie Bens, bei einem Autounfall ums Leben gekommen, als sie zwanzig war, wie tief hätte sie um sie getrauert, wie aufrichtig wären ihre Tränen gewesen. Und doch hätte sie sich befreit gefühlt.

Aber Mutter und Vater waren alt und lebendig und erwarteten ungeduldig ihre Ankunft in St. Erick, warteten auf Angela, die alle ihre Probleme lösen würde. Sie würde hereinmarschieren und alles in die Hand nehmen. Angela würde sie aufmuntern, und wenigstens eine Woche lang würden sie sich nicht einsam und verlassen und nutzlos vorkommen.

»Du hilfst mir doch, Sadie, nicht wahr?« bat Angela. Sadie brummte.

»Du wirst doch mit ihnen sprechen und versuchen zu verstehen, warum sie so sind, wie sie sind?«

»Es ist grauenhaft«, sagte Sadie, »der Opa ist so blöde, und die Oma sitzt bloß rum, und wir müssen auch rumsitzen. Es ist unerträglich.«

»Ich weiß«, sagte Angela, »aber betrachte es doch mal aus ihrer Sicht.«

»Das tu ich ja, aber du redest und redest – ich meine, was erwartest du eigentlich von uns?«

»Ihr sollt nur nett zu ihnen sein. Und euch überlegen, wie ihr ihnen eine Freude machen könnt. Und ihnen das Gefühl geben, daß ihr sie gernhabt. Das ist alles. Und mach kein mürrisches Gesicht und streite dich nicht mit Max – versuch ein einziges Mal, nicht nur an dich selbst zu denken.«

»Die reine Heuchelei«, sagte Sadie.

Nach Tims Geburt erkrankte Angela. Sadie war neun, Max sieben, Saul sechs, und damit hatte die Familie eigentlich komplett sein sollen. Aber Angelas Arzt riet ihr, die Pille abzusetzen, »wenigstens für eine Weile«, und sie wurde trotz aller Vorsichtsmaßnahmen schwanger. Sie wollte Tim nicht als ›Fehler‹ ansehen. Sie hatte keinen Fehler begangen. Er war ein Zufallsprodukt, und das war etwas anderes. Sie hätte eine Abtreibung vornehmen lassen können, doch zu ihrer eigenen Verwunderung konnte sie sich nicht dazu entschließen. In einem Winkel ihres Herzens hatte sie mit Babys noch nicht ganz abgeschlossen, und obwohl es unvernünftig und töricht war, obwohl sie gerade wieder zu unterrichten begonnen hatte und es gern tat, behielt sie das Kind und brachte Tim zur Welt. Mutter und Vater waren schockiert. Weil sie diese Reaktion voraussah, erzählte sie es ihnen erst, als sie im sechsten Monat schwanger war, und erklärte ihnen ausführlich, daß sie das Baby gewollt hatte und daß sie es nicht als Katastrophe betrachten dürften. Es nützte nichts. In ihren Augen war das Baby ein Unglück – »als ob du nicht schon genug Kinder hättest« –, und alles, was sie über Angelas unvermutete Schwangerschaft äußerten, steckte voller anzüglicher Sticheleien, so daß Angela sich wie eine Verbrecherin vorkam. Sie prophezeiten Unheil, und sie hätten beinahe recht behalten. Angela lag fünf Tage in den Wehen, und dann wurde sie mit Kaiserschnitt entbunden. Tim war ein schwächliches, nicht einmal fünf Pfund schweres Baby und mußte einen Monat lang im Brutkasten liegen. Mutters und Vaters Sorge war tief und ehrlich – und bedrückend –, doch dieser »Wir haben's dir ja gleich gesagt«-Ton war kaum zu ertragen. Und sobald Angela wieder zu Hause war, bekam sie Drüsenentzündung. Es dauerte vier Monate, bis sie sich von der quälenden Lustlosigkeit und Ermattung, die auch noch den letzten Rest ihrer ohnehin erschöpften Kräfte verzehrten, erholt hatte. Niemand brauchte ihr zu sagen, daß sie Urlaub nötig hatte. Valerie – ganz die große Heldin – kam und kümmerte sich um die Kinder, und Angela, zu schwach, um sich zu sträuben, wurde kurzerhand in die Sonne geschickt. Da ihre Schwäche so offensichtlich war, hatte sie geglaubt, die Kinder – insbesondere Sadie – würden begreifen, warum sie fort mußte, aber sie zeigten nicht das geringste Verständnis. Vor allem Sadie nahm es ihr übel. »Das Baby schreit ganz bestimmt nach dir«, sagte sie vorwurfsvoll, »das kannst du dir doch denken. Es wird schreien und schreien.« Als das Flugzeug nach Griechenland startete, ging Angela Sadies Feindseligkeit nicht aus dem Sinn – sie sah das kalte, verkniffene kleine Gesicht ihrer Tochter vor sich, das sie, wie sie sich einbildete, haßerfüllt anstarrte. Während der zwei Wochen, die sie fort war, wachte sie jede Nacht schweißnaß vor Entsetzen auf, Sadies schrille Stimme im Ohr: »Aber was wird aus uns? Was wird aus uns?« Angenommen, das Flugzeug stürzte ab, angenommen, eines der Kinder kam während ihrer Abwesenheit ums Leben, angenommen, sie waren alle todunglücklich – es wäre ihre Schuld, weil sie sich selbst vorangestellt hatte. Mutter war nie nach einer Krankheit in Erholung gegangen. Mutter hatte unaufhörlich weitergemacht. Sie war immer dagewesen, sie hatte die Kinder vorangestellt. Obwohl Angela braun wurde und zunahm und sich zum erstenmal seit Tims Geburt wieder wie ein Mensch fühlte, war jeder Tag von Schuldbewußtsein getrübt. Als sie nach Hause kam und alles in bester Ordnung vorfand, war es Sadies Lächeln, das am meisten zählte. Ben meinte, sie sei ein kleiner Tyrann, doch Angela sah das anders: Sadie hatte Angst. Sadie hatte die Bedeutung ihrer Mutter in ihrem Leben richtig erkannt und war erzittert bei dem Gedanken, was geschähe, wenn sie ihr genommen würde. Sadie war noch lange nicht soweit, auf eigenen Füßen zu stehen, und bis dahin – bis zu diesem glückseligen Tag – mußte man ihre Angst akzeptieren.

»Kann ich nicht hierbleiben?« fragte Sadie einen Tag vor der Abreise.

»Nein.«

»Warum nicht?«

»Weil es ein Familienurlaub ist.«

»Aber ich mag keinen Familienurlaub. Ich bin kein Kind mehr – das predigst du mir doch andauernd – ich kann das ganze Getue in so 'nem Familienurlaub nicht ausstehen. Ich hasse Wanderungen. Ich hasse Rundfahrten.«

»Es tut dir aber gut.«

»Wie kann mir das guttun, wenn ich es hasse? Und was meinst du überhaupt damit – ›es tut mir gut‹?«

»Die viele frische Luft – «

» – o Gott! – «

» – und daß du mal rauskommst aus London, weg von dem Schmutz und dem Lärm, und daß du mal Zeit hast, dich richtig zu erholen.«

»Aber ich mag den Schmutz und den Lärm – ich liebe London – ich brauche keine Erholung – es ist so langweilig da unten, man kann nichts unternehmen und nirgends hingehen. Du hast mich ja nicht einmal gern dabei, gib's doch zu.«

»Wir können dich aber in diesem großen Haus nicht allein lassen.«

»Wieso nicht? Joanna und Sue könnten doch solange bei mir wohnen.«

»Nein. Du hast kein Verantwortungsgefühl. Als wir letzte Woche alle weg waren, hast du nicht mal gemerkt, daß unten das Spülbecken überlief. Wenn wir nicht rechtzeitig zurückgekommen wären, hätte es eine Überschwemmung gegeben.«

»Und wenn ich bei Sue wohne?«

»Nein. Immer nimmst du die Gastfreundschaft anderer Leute in Anspruch, und nie revanchierst du dich.«

»Ach Mami – wenn du solche Sachen sagst, bist du richtig lächerlich. Wenn man bei jemandem auf dem Fußboden pennt, das hat doch mit Gastfreundschaft nichts zu tun.«

»Und wenn du bei ihnen ißt?«

»Ich kann mir mein Essen selbst besorgen.«

»Das tust du doch hier auch nicht – du erscheinst zu jeder Mahlzeit mit hängender Zunge und bist tödlich beleidigt, wenn es kein dreigängiges Menü gibt.«

»Aber warum zwingst du mich mitzukommen?«

»Weil – weil ich es will – und weil ich keine annehmbare Alternative sehe – und weil Opa und Oma enttäuscht wären, wenn du nicht mitkämst.«

Der Vater hatte sie immer gezwungen, an Familienunternehmungen teilzunehmen. Jeden Sonntagabend zwang er sie alle zu einem Familienspaziergang. Sie hatten das gehaßt. Die ganze Woche bemühten sie sich, unumstößliche Ausreden zu erfinden, und wenn das mißlang, stellten sie sich alle mit finsteren Gesichtern auf, die Hände tief in die Taschen geschoben, die Füße zum Abmarsch bereit. Ihre Haltung war dem Vater anscheinend gleichgültig – einzig ihre Gegenwart zählte. Sie wanderten im Gänsemarsch hinter dem Vater drein, der allein das Ziel kannte. Falls ihre Verdrießlichkeit ihm die Freude verdarb, ließ er es sich nicht anmerken. Wenn sie wieder nach Hause kamen, sagte er: »War das aber schön.« Nicht ein einziges Mal versuchte er zu erklären, was er von diesem Manöver hatte.

Aus Ärger darüber, daß sie genötigt war, Zwang auszuüben, war sie am Telefon garstig zu Valerie, die nur anrief, um Angela ihre Bewunderung für ihr Vorhaben auszudrücken.

»Mutter ist ganz aus dem Häuschen«, sagte Valerie, »sie kann von nichts anderem mehr sprechen.«

»Ach hör auf«, sagte Angela, »ich kann's nicht ertragen. Du weißt so gut wie ich, daß die ganze Angelegenheit ein furchtbarer Reinfall wird.«

»Nicht unbedingt – es kann doch ganz schön werden – vielleicht scheint sogar die Sonne, man kann ja nie wissen.«

»Ich weiß es aber.«

»Ich finde es jedenfalls großartig, und Mutter und Vater sind begeistert. Und du hast ja die Kinder, die dir helfen.«

»Valerie, red keinen Unsinn. Kinder sind nie eine Hilfe.«

»Na wenn schon, Mutter hat sie jedenfalls gern um sich.«

»Ist ja nicht wahr. Innerhalb von Minuten treiben sie Mutter zum Wahnsinn, und ich habe die ganze Zeit zu tun, um sie ihr vom Hals zu schaffen.«

»Immerhin wird es eine Erholung.«

»Das ist sehr unwahrscheinlich.«

»Soll ich runterkommen und dir helfen?«

»Um Himmels willen, bloß nicht. Das würde die Situation nur verschlimmern.«

»Heißen Dank.«

»Sei nicht so empfindlich. Du weißt schon, wie ich das meine, so gut solltest du mich doch kennen. Es wäre jedenfalls vergebliche Liebesmüh' – spar dir das für ein andermal auf, wenn es mir zuviel wird. Sie können ja im Spätsommer zu dir kommen, wenn Mutter kräftiger ist.«

»Sie sind mir jederzeit willkommen«, sagte Valerie.

Angela blieb die Luft weg – das konnte Valerie tatsächlich sagen – Vater und Mutter seien ihr willkommen, sie freue sich, sie bei sich zu haben – und sie gab noch andere Platitüden von sich und wollte nicht zugeben, daß alles gelogen war. Selbst nachdem Vater und Mutter bei ihr waren, hielt sie den Schein aufrecht. »Sie hatten es herrlich hier«, sagte sie dann. »Vater ist fröhlich durch die Stadt gebummelt, und Mutter hat die Aussicht genossen.« Es trieb Angela zur Raserei. Der Vater hatte ihr erzählt, wie sehr er Manchester haßte, wo Valerie lebte. »Eine schmutzige Großstadt«, hatte er gesagt, »Dreck und Krach, ekelhaft. Ich weiß nicht, warum sie unbedingt da leben will – keine Ruhe, nichts.« Und über die Aussicht, die sie angeblich genoß, ließ Mutter lediglich verlauten, daß es sie schwindelig machte, so hoch oben zu wohnen. Sie gaben ein vages – rasch unterdrücktes – Gemurmel von sich, daß sie nicht genug zu essen bekamen, weil Valerie selbst so wenig aß, daß nicht einmal ein Spatz davon satt würde, und daß sie in der furchtbaren Hitze in Valeries Wohnung im sechsten Stock fast erstickten und daß sie Angst vor dem Aufzug hatten. Nichts von dem, was sie sagten, deutete darauf hin, daß sie es so schön hatten, wie Valerie behauptete. Angela fand nur eine Erklärung dafür, nämlich daß Valerie den Mythos aufrechterhalten mußte, weil die Wahrheit zu deprimierend war, oder daß Valerie die Wahrheit einfach nicht kannte. In diesem Fall wäre sie geradezu ein Glückspilz.

»Sadie«, sagte Angela, »setz dich bitte nach hinten.«

»Muß das sein?«

»Ja.«

»Mir wird schlecht, wenn ich hinten sitze.«

»Mir auch«, sagte Angela gefaßt, »und meine Kondition ist heute wichtiger als deine.«

»Hinten ist ja gar nicht genug Platz.«

»Weil du so 'nen fetten Arsch hast«, sagte Max.

»Selber Arsch«, sagte Sadie.

»Hört mit diesem ordinären Geschwätz auf«, schimpfte Angela. Die ganze Straße konnte sie hören. »Steigt ein und seid still. Es ist Platz genug.«

»Wann ist die erste Pause?« fragte Tim.

»O Gott – wir sind ja noch gar nicht unterwegs.«

»Ich hab' ja bloß mal gefragt.«

»In zwei Stunden.«

»Zwei Stunden? Aber sonst haben wir immer schon nach einer Stunde gehalten – sonst machen wir immer –«

»Ach halt den Mund – ich weiß nicht, wann wir Rast machen – wir halten an, wenn's nötig ist, basta. Wenn ihr euch doch bloß ein bißchen mehr wie Erwachsene benehmen würdet.«

»Hört, hört«, sagte Sadie.

»Jetzt hör mir mal zu«, sagte Angela. Sie drehte sich zu Sadie um und sah ihr ins Gesicht. »Ich bin müde und kaputt, und ich hab genauso wenig Lust zu dieser Reise wie du, da ist es kein Wunder, daß ich schlechte Laune habe –«

»Die brauchst du ja nicht unbedingt an uns auszulassen.«

»Ich wüßte nicht, daß ich irgendwas an irgendwem auslasse –«

»Tust du aber.«

» – ich bitte bloß um ein bißchen Rücksicht, weiter nichts – ein bißchen Verständnis – ein bißchen ganz normales Mitgefühl –«

»O Gott.«

»Danke. Vielen, vielen Dank.«

Sadie brach in Lachen aus, und Angela fühlte sich so gedemütigt, daß ihr die Tränen in die Augen traten.

Sie hatte sich in eine lächerliche Lage manövriert, genau wie der Vater – sie hatte es dermaßen auf die Spitze getrieben, daß ihre Tochter sich nur noch angewidert abwenden konnte. Sie hatte gewimmert und gewinselt und um Erbarmen gefleht, und das in einer salbungsvollen Tonart, die das, um was sie bat, ins Lächerliche zog. Das hatte Mutter nie getan. Mutters Gesicht mochte grau sein vor sichtlicher Erschöpfung, aber sie gab nicht ein einziges Stöhnen von sich. Sie trug alle Last der Welt auf ihren armen Schultern, ohne je zu versuchen, sie abzuladen. Immer war es Vater, der sie aufmerksam machte und dafür sorgte, daß sie der Mutter beisprangen, und sie haßten ihn wegen der Art und Weise, wie er das tat. »Eines Tages stirbt sie, bevor ihr was merkt«, schimpfte er, und »ihr werdet sie erst zu schätzen wissen, wenn sie nicht mehr ist.« Das hatte sie zur Panik getrieben, schleunigst hatten sie der Mutter alle Wege abgenommen, hatten sie genötigt, die Füße hochzulegen, und geschworen, sich zu bessern. Und sie hatte nur geseufzt und gesagt, sie komme schon zurecht, und das hatte ihnen das Herz gebrochen.

Sadie aber hatte gelacht, und das mit Recht. Auf der langen Fahrt nach St. Erick mußte sich Angela eingestehen, daß sie sich lächerlich aufgeführt hatte. Es war dämlich, wie ein Stier loszubrüllen, daß man müde sei – das konnte einem ja keiner glauben. Es war niederträchtig zu sagen, sie wolle nicht nach St. Erick, und sich zu brüsten, daß sie eben pflichtbewußt sei. Auf diese Weise durfte man nicht um Mitleid flehen. Sie wußte, daß Sadie ihre doppelte Moral verachtete und nicht sah, daß sie aus ehrenhaften Motiven handelte. Sie hatte immer gehofft, daß ihre Offenheit in bezug auf ihre Freuden und Sorgen ein tiefes Einvernehmen mit ihren Kindern schaffen würde, wie es ihre Mutter nie mit ihnen gehabt hatte, und daß diese Harmonie bestehen bliebe, wenn sie erwachsen wären. Aber sie hatte sich geirrt. Die Preisgabe ihrer Qual war der Verständigung nur im Weg.

Von dem Verkehr auf der Autobahn wie hypnotisiert, saß sie da und fragte sich, was passieren würde, wenn sie ihre sämtlichen Verpflichtungen einfach fallenließe. Angenommen, sie würde im Bett bleiben und alle sich selbst überlassen? Angenommen, sie würde nie mehr mit Mutter telefonieren oder ihr schreiben? Angenommen, sie würde nur noch tun, wozu sie Lust hätte, und sich nur um sich selbst scheren und zur Abwechslung mal erwarten, daß andere sich um sie kümmern – was würde dann passieren? Sie wollte nicht so wichtig sein. Sie wollte nicht ihrer aller Schicksal in der Hand halten. Sie wollte still im Hintergrund verschwinden, und niemand sollte auf sie angewiesen sein. Aber das ging nicht. Sie war eine Mutter, und Mütter standen fest und unbeweglich wie Felsen, während alles übrige um sie herumbrandete.

»Du zitterst ja«, sagte Ben.

»Ich weiß. Ich glaube, ich kriege eine Erkältung.«

»Das hat uns gerade noch gefehlt.«

Er hatte nicht lieblos sein wollen. Er war niemals lieblos. Aber in ihrem fragilen Zustand genügte seine Bemerkung, um sie wieder zum Weinen zu bringen, und sie mußte sich in einen vorgeschützten Niesanfall flüchten, bis es aufgehört hatte. Mütter weinten nicht in Gegenwart ihrer Kinder.

»Jetzt ist der Wagen auch noch voll Bazillen«, murmelte Sadie und kurbelte ein Fenster herunter. Ein eisiger Luftzug fegte Angela übers Genick, und sie bekam eine Gänsehaut.

5

Mutters Koffer war ein Gedicht. Er stand offen auf dem Bett, damit Angela ihn begutachten konnte. Sie bewunderte ihn ehrlich und sagte es auch, doch die Mutter war unsicher, ob das nicht als Hänselei gemeint war, und stand stirnrunzelnd daneben, als Angela auf ihr Drängen den Inhalt überprüfte. Alles war perfekt gepackt. Jedes Kleidungsstück war in Seidenpapier gehüllt, Ärmel und Rockfalten waren zusätzlich mit Papier ausgestopft, und sämtliche Pullover und Blusen waren sorgsam zusammengefaltet, um unnötiges Knittern zu vermeiden. Kein Wunder, daß Vater seit ihrer Ankunft schlecht gelaunt war. Ungeschickt, außer im Umgang mit Schrauben und Muttern, war er stundenlang gezwungen gewesen, mit Mutters geliebten Kleidern genau nach ihren Anweisungen zu verfahren. Da wurde sie plötzlich zum Tyrannen, überhörte seinen wütenden Protest und seine Versicherung, daß er sein möglichstes getan habe und es nicht besser könne – er *mußte* es besser machen. Mit ihrem gesunden Arm zeigte sie ihm, was er zu tun hatte, und schimpfend und fluchend versuchte er, ihren Anweisungen zu folgen. Die Schuhe wurden in Zeitungspapier eingerollt und mit Gummiband umschnürt und sodann rund um den Kofferrand ausgelegt, wodurch eine feste Kante entstand, in welche die weichen Gegenstände gepackt wurden. Die Toilettenartikel waren in zwei wasserdichten Beuteln verstaut – einer für Talcumpuder, Gesichtscreme und Salben, der andere für Seife, Waschlappen und Gebißreinigungspulver. Das Nähzeug, ohne das Mutter nie verreiste – so groß war ihre Furcht vor gerissenen Gummibändern und verlorenen Knöpfen –, steckte ordentlich in einer kleinen, einem Federmäppchen ähnlichen Reißverschlußtasche. In einer Ecke des Koffers lag eine Zellophantüte mit Haarbürste und Kamm, in einer anderen ein Beutel mit Lokkenwicklern und Haarnadeln.

»Wunderbar, alles komplett«, sagte Angela, »ein Zollbeamter hätte seine helle Freude daran.« Aber Mutter wollte nicht, daß sie Witze machte. Sie war weder glücklich über die Anzahl der Strümpfe, die sie eingepackt hatte, noch über ihren Entschluß, nur einen einzigen Mantel, einen schweren Tweedmantel, mitzunehmen. Angenommen, es würde warm, was dann? Angelas unbekümmerte Beschwichtigungsversuche beschwichtigten sie keineswegs. Vielleicht sollte sie noch einen leichten Mantel mitnehmen. Angela stimmte sogleich zu, aber die Mutter ärgerte sich, weil sie ihr nicht beipflichten wollte, daß es wichtig war, die richtige Kleidung mitzunehmen. Mutter hätte es lieber gesehen, wenn Angela ebenso besorgt und unsicher wäre wie sie selbst. »Es spielt wirklich keine Rolle«, sagte Angela immer wieder, »nimm mit, was du magst – du kannst alle deine Mäntel mitnehmen, wenn du willst.« – »Sei nicht albern«, fauchte die Mutter. Am Ende wurde eine Entscheidung getroffen, der Koffer wurde zugeklappt und abgeschlossen und mit einem festen Lederriemen umschnürt, obwohl er doch nur dreißig Kilometer im Auto befördert wurde.

Vater saß vorn neben Ben, angeblich, um ihm den Weg zu zeigen. Ben, der schon x-mal nach Port Point gefahren war, machte es nichts aus, Unkenntnis vorzutäuschen. »Links abbiegen, rechts abbiegen, geradeaus«, kommandierte der Vater begeistert, selbst wenn die angegebene Richtung ohnehin klar war. Er kannte Abkürzungen, die, wie Ben behauptete, jede Reise um hundertfünfzig Kilometer verlängerten, aber Vater liebte es eben, aus der einfachsten Fahrt eine Reise in die Vergangenheit zu machen. Es gab keine Straße, die er nicht mit seinem Rad befahren hatte, kein Dorf, wo er nicht zu einem Trunk eingekehrt war. Die gesamte Grafschaft Cornwall war ihm bestens vertraut, und Angela amüsierte sich köstlich über sein Besitzergehabe. Die Mutter aber ärgerte es. Sie saß zwischen Angela und Sadie auf dem Rücksitz, während die drei Jungen mit dem Gepäck auf die Ladefläche des Kombiwagens gequetscht waren.

»Um Himmels willen, sei still«, murmelte die Mutter, als der Vater in Erinnerungen schwelgte, »das haben sie schon tausendmal gehört.«

»Laß ihn doch«, sagte Angela, »ich finde die Geschichte gut.«

»Wirklich? Hm? Na gut, Verzeihung, dann will ich nichts gesagt haben«, sagte die Mutter eifersüchtig unter heftigem Zucken, »na gut, wenn du meinst.«

»Es hält ihn bei Laune«, flüsterte Angela verschwörerisch und drückte Mutters behandschuhte Hand.

»Ich erinnere mich noch genau an das Jahr, als der Teich da drüben im Juni zugefroren war«, sagte der Vater, indem er aus dem Fenster wies.

»Unsinn«, schimpfte die Mutter laut.

»Von wegen Unsinn«, sagte der Vater. »Es ist Tatsache – 1946 war es – nein, es muß 47 gewesen sein –«

»Da habt ihr's«, sagte die Mutter, »alles bringt er durcheinander«, und sie schmunzelte und gab Angela und Sadie einen Stups. Vater ließ sich ausnahmsweise nicht ins Bockshorn jagen, sondern fuhr fort, Ben und jedem, der es hören wollte, von dem starken Frost mitten in jenem Sommer zu erzählen, den er nicht richtig einordnen konnte. Mutters Überheblichkeit hatte ihr Ziel verfehlt, nämlich ihn vor allen Anwesenden zu demütigen und ihn anzustacheln, bis er sich lächerlich machte. Angela seufzte vor Erleichterung, weil die kleine Krise vorüber war, aber sie wußte, daß Sadie enttäuscht sein würde – sie betrachtete Oma und Opa als Komödienfiguren, deren Schlagabtausch sie genoß.

Sobald sie bei Camelford in die Hauptstraße eingebogen waren, begann es zu regnen, ein peitschender, mit Hagelkörnern vermischter Regen, über den sich nicht einfach hinwegsehen ließ. »Bloß ein Schauer«, murmelte Ben, doch die Scheibenwischer konnten den Ansturm kaum bewältigen. Der Anblick und das Geräusch ließen die

Mutter in sich zusammensinken, und sie warf Angela flehende Blicke zu. »Das bleibt nicht so«, sagte Angela zuversichtlich, »besser, es regnet sich jetzt aus, dann ist es nachher schön, wenn wir ankommen.« – »O nein, kein Grund zur Sorge«, bestätigte der Vater.

Er mußte es gehört haben, wie die Mutter unwirsch sagte: »Was verstehst du schon davon?«, aber er ging großmütig über die Schmähung hinweg. Er ließ sich durch nichts seine Freude trüben. Der Regen strömte nun noch heftiger, und sie mußten die Fahrtgeschwindigkeit bis zum Kriechtempo verlangsamen. Ein starres Lächeln im Gesicht, weilte Angela mit ihren Gedanken bei ihrer aller augenblicklichem Tod – dem plötzlichen, gnädigen Verschwinden vom Erdendasein, ehe auch nur einem von ihnen klar wurde, was geschah. Die grauenhafte Aussicht auf eine Woche bei Port Point im Regen trieb sie zur Hysterie, und sie mußte unaufhörlich schlucken, um nicht laut herauszuschreien.

»Was machen wir bloß, wenn es die ganze Woche so regnet?« rief Saul hinten im Wagen. »Was fangen wir dann an, Mami?«

»Oh, alles mögliche«, sagte Angela, »keine Sorge. Uns wird schon nicht langweilig, nicht eine Minute.« Ben lächelte sie im Rückspiegel an.

»Und was?« rief Max.

»Wir machen Spiele«, sagte Angela. »Ich habe jede Menge dabei –«

»Ich kann nicht spielen«, unterbrach die Mutter, »mit meinen Augen – und ich kann auch keine Karten halten.«

»Dann machen wir eben Spiele, bei denen man keine guten Augen braucht und keine Karten halten muß«, sagte Angela. »Ich sehe was, was du nicht siehst, und –«

»Himmel«, sagte Sadie ganz leise.

»Wir können uns dick einmummeln und uns auf den Klippen den Wind um die Nase wehen lassen«, sagte der Vater. »Den Regen merkt man gar nicht mehr, wenn man erst einmal unterwegs ist.«

»Ich kann nicht laufen«, sagte die Mutter, »bei dem Regen schon gar nicht; es geht schon schlecht genug bei schönem Wetter, aber so ist gar nicht dran zu denken.«

»Das muß ja vielleicht nicht sein«, sagte Angela. »Darüber wollen wir uns erst den Kopf zerbrechen, wenn es soweit ist.«

Aber die Trewicks zerbrachen sich schon immer den Kopf, bevor es soweit war. Oftmals stellten sie bekümmert fest, daß das, was sie im voraus erduldet hatten, in Wirklichkeit gar nicht eintrat. Bei dem geringsten Hinweis auf eine nahende Katastrophe versanken sie in Melancholie, die sich erst legte, wenn ihre schlimmsten Befürchtungen sich als gerechtfertigt erwiesen. Das heiterte sie auf. Bei Katastrophen und inmitten von Tragödien waren die Trewicks fabelhaft, aber nur, wenn sie das Unheil vorausgesagt hatten. Mehr als alles andere verachteten sie Leute, die freimütig bekannten, in der Gegenwart zu leben, die Brücken nicht schon überschritten, bevor sie dort angelangt waren, die glaubten, es werde niemals zum Schlimmsten kommen. Angela, die von Geburt an in dieser angstvollen Philosophie erzogen war und deshalb die Gedanken der Eltern kannte, spürte die tiefe Mißbilligung, die Mutter und Vater ihrer Einstellung entgegenbrachten. Sie verachteten ihren Optimismus, sogar der Vater, der doch selbst so fröhlich war. Der Unterschied war, daß er fröhlich war, *obwohl* er alles katastrophal fand, wogegen Angela nicht zugab, daß Unheil über sie hereingebrochen war. Mochten Mutter und Vater auch über die Auswirkungen des Regens anscheinend geteilter Meinung sein, so verachteten sie doch einmütig die Weigerung ihrer Tochter, den Tatsachen ins Auge zu sehen. Sie wünschten, daß sie beim Anblick des Regens in tiefe Schwermut versank. Sie wünschten, daß sie wie eine Trewick sprach und Dinge äußerte wie »So geht es uns immer« und »Hoffnungslos«.

Weil Angela wußte, wie ihnen zumute war, sagte sie auf der Fahrt an die See lange Zeit nichts mehr, aus Angst, noch mehr Konflikte heraufzubeschwören, als es ohnehin schon gab. Die Jungen hinten im Wagen waren unnatürlich still, als habe die Sintflut draußen sie eingeschüchtert. Die drückende Atmosphäre im Wagen, die langsame Fahrtgeschwindigkeit und Mutters rhythmisch pfeifender Atem lullten Angela fast in den Schlaf. Sie wischte ein Guckloch in die beschlagene Scheibe und sah hinaus auf die Felder, eines grüner als das andere, in mindestens einem Dutzend Schattierungen vom strahlenden Smaragd- bis zum zarten Salbeigrün. Sie überlegte, ob sie ihre Erinnerung laut äußern sollte, wie sie als Kind daran vorübergeradelt war, den Kopf gesenkt, unterwegs auf ihren einsamen Wallfahrten nach Port Point, insgesamt sechzig Kilometer hin und zurück, die Beine von Wind und Sonne verbrannt und geschwächt von der vielen Bergaufstrampelei auf ihrem Sportrad. Sie hatte diese Radtouren unternommen, um etwas zu leisten – oft war sie schon müde, bevor sie bis Westdowns gekommen war, und wollte eigentlich gar nicht mehr weiter nach Port Point, wo sie sich sowieso nur für kurze Zeit auf ihre Lenkstange lehnen konnte, ehe sie zurückfuhr, aber eine Trewick gab nicht auf. Sie hatte sich vorgenommen, nach Port Point zu radeln, also mußte sie es auch tun.

»Früher bin ich mit dem Rad hier entlanggefahren«, sagte sie schließlich, weil sie das Schweigen allmählich als tödlich empfand.

»Ja«, sagte der Vater, »und nicht nur einmal.«

»An diesem Hügel bin ich immer abgestiegen«, sagte Angela.

»Hochinteressant«, murmelte Sadie.

»– es war der einzige, den ich nicht geschafft habe. Und oben hatte man zum erstenmal die See im Blick, und von da an ging es nur noch bergab. Ich habe immer versucht, möglichst weit im Freilauf zu rollen.«

Sadie fing leise zu summen an, aber Vater und Mutter waren mit Angela zufrieden.

Sie näherten sich der Abzweigung nach Port Point, und die Stimmung im Auto wurde erheblich besser. Die Kinder setzten sich auf und zeigten auf dies und das, während sie der schmalen Straße folgten, die sich an den Klippen entlangwand. Sogar Sadie liebte es, an einem fremden Ort anzukommen, mochte sie ihn auch innerhalb kürzester Zeit aufs gröblichste verwünschen. Der Regen schien nachzulassen, die Wolken lockerten sich ein wenig, und am westlichen Himmel zeigte sich ein verheißungsvoller Glanz, der sich womöglich als die Sonne entpuppen konnte. Entgegen aller Vernunft und Trewickscher Gepflogenheit war Angela von Optimismus erfüllt.

Bevor Sadie zur Gesamtschule überwechselte, zeigte sich, daß sie Stolz hatte. Max kam oft nach Hause und jammerte, daß niemand ihn möge und keiner mit ihm spielen wolle und daß er während der ganzen Pause allein herumsitzen mußte. Nicht so Sadie. Angela dachte anfangs, der Gegensatz zwischen Sadie und Max beruhe auf der größeren Beliebtheit ihrer Tochter – vielleicht kam Sadie einfach deshalb nie mit Klagen aus der Schule, weil es nichts zu klagen gab, weil sie so viele Freundinnen hatte und deshalb nie einsam und traurig war. Doch eines Tages mußte Angela Sadies Klassenlehrerin sprechen, und als sie über den Schulhof ging und sich unter den Gruppen kreischender Mädchen nach ihrer Tochter umschaute, entdeckte sie Sadie: eine bedrückte kleine Gestalt, die ganz allein am äußersten Ende einer Bank saß. Es fiel Angela schwer, ihren Weg fortzusetzen, aber sie wußte instinktiv, daß Sadie nicht wünschen würde, daß sie bei ihr stehenblieb – und daß sie vor allem nicht gefragt werden wollte, was ihr fehle. Beim Tee fragte sie Sadie: »Hast du in der Pause immer jemanden zum Spielen?« – »Nein«, sagte Sadie. »Was machst du, wenn du niemanden zum Spielen hast?« fragte Angela. »Och«, sagte Sadie, »ich hab allerhand zu tun.« Damit war die Unterhaltung abgeschlossen. Angela wußte nicht, ob sie den Stolz ihrer Tochter begrüßen oder bedauern sollte, aber von nun an fiel er ihr immer wieder auf. Wenn Sadie ohne Beschäftigung war, machte sie sich unweigerlich daran, ihr Problem zu kaschieren – mit Erfolg. Nie ließ sie sich anmerken, daß sie sich langweilte oder daß sie unglücklich war. Sie verkroch sich nicht hinter einem Panzer, sondern sie trotzte der Welt. Sie schien ständig auf der Hut zu sein, bereit, jede Gelegenheit zu nutzen, ein Wesenszug, den sie nicht von Angela hatte. Und Angela bemerkte glücklich die Verweigerung der Trewickschen Tradition, die weitergegeben zu haben sie befürchtet hatte.

Der Wagen war kaum in dem kiesbestreuten Hof vor dem Hotel zum Stehen gekommen, als der Vater auch schon ausgestiegen war und vergeblich an der verriegelten Hintertür rüttelte. »Ich helf' ihr raus«, polterte er, »nur Geduld, Mutter, ich helf' dir gleich raus.«

»Warum hast du's denn so eilig?« fragte Angela aus dem Wageninnern.

»Sie hat lange genug gesessen.«

Angela öffnete die Tür, und sogleich packte er die Mutter unsanft am Arm und zerrte sie heraus wie einen Sack Kohlen. Er gab ihr widersprüchliche Anweisungen, was sie mit ihren Gliedmaßen anstellen sollte – »heb das Bein an – hoch damit – die Schultern hier rüber – hierher – jetzt runter mit dem Kopf« –, und klaglos bemühte sie sich zu gehorchen. Angela konnte nichts tun, als auf der anderen Seite auszusteigen und die zwei sich selbst zu überlassen. Einmischen war zwecklos – das ganze Brimborium, Mutter in und aus Autos zu hieven, mußte eben so und nicht anders durchgestanden werden.

Sie standen mitten in der Eingangshalle, eine unschlüssige und uneinheitliche Gruppe. Saul und Tim rissen aus, flitzten um die Ecke, neugierig, was es dort zu erkunden gab, und obwohl man ihrem Lärm eigentlich hätte Einhalt gebieten müssen, war Angela froh, daß jemand sich natürlich benahm. Ben machte sich auf die Suche nach einem Manager oder Empfangschef, und Angela mußte gegen eine aufwallende Panik ankämpfen, daß dieses Hotel vielleicht nicht ganz so war, wie sie es sich vorgestellt hatte. Sie hätten lieber im Hotel ›Port Point‹ absteigen sollen statt im ›Grun House‹, für das sie sich entschieden hatten, weil seine Architektur imposanter wirkte, weil es näher an der See lag und weil es ebenerdige Zimmer anbot, was für Mutter besonders wichtig war. Sie hatten es noch nie von innen gesehen – Angela hatte sich auf den Charme des Sandsteingebäudes mit dem Doppelgiebel und den freundlichen blumengeschmückten Fenstern verlassen. Seit sie jedoch durch die Tür getreten war, fühlte sie sich von einer morbiden Atmosphäre umgeben, auf die sie nicht gefaßt gewesen war.

»Setz dich doch, Mutter«, sagte sie, indem sie auf einen verstaubten Sessel in der Ecke wies.

»Ich habe die ganze letzte Stunde gesessen«, sagte die Mutter mit hocherhobenem Kopf. »Und überhaupt, der Sessel sieht nicht gerade sauber aus, und ich habe meinen guten Rock an – ich vertrete mir ein bißchen die Beine.«

»Aber nicht zuviel«, sagte der Vater, indem er sie kritisch musterte, »immer schön langsam.«

»Ach sei doch still«, sagte die Mutter und fing an, über den schwarzweißen Fliesenboden zu schlurfen, sechs Meter hin, sechs Meter zurück. Vater pfiff vor sich hin. Sadie stand an einem Fenster und blickte in den Garten hinaus. Max lümmelte, in ein Comic-Heft vertieft, in dem von Mutter verschmähten Sessel. Angela ergriff Mutters Arm, und zusammen traten sie vor ein großes Bild – ein Aquarell –, das die See darstellte. Mutter gab sich alle Mühe, es zu würdigen. »Hübsche Farben«, sagte sie. »Ja, sehr schön«, meinte Angela.

Als Ben mit dem lächelnden Manager erschien, faßten sie alle Mut, bis ihnen die schreckliche Nachricht eröffnet wurde, daß es keine ebenerdigen Zimmer gab.

»Im Erdgeschoß liegen die Aufenthaltsräume und der Speisesaal«, erklärte der Manager. »Früher hatten wir auch ein paar Gästezimmer im Parterre – da haben Sie ganz recht –, aber die haben wir letztes Jahr zu einem Spielzimmer umgebaut.« Er lächelte munter, gleichgültig gegenüber dem Verdruß, den er verursachte. Er gehörte zu der Sorte Menschen, fand Angela, denen fast alles gleichgültig war – es war sein Job, den Kunden zu Diensten zu sein, Menschen, an denen er nicht im mindesten interessiert war. Sein Lächeln war das Äußerste an Entgegenkommen.

»Ich kann keine Treppen steigen«, sagte die Mutter mit einem leisen Lachen, das Angela so weh tat, daß sie vor vermeintlichem körperlichen Schmerz zusammenzuckte. »Ich geh am besten gleich wieder heim. Für mich ist hier kein Platz.« Mit erstaunlicher Kraft zog sie Angela auf die Tür zu.

»Halt mal«, sagte Ben. Er vermied es, Angela in die Augen zu sehen. Seine beruhigende, gemächliche Art milderte die Spannung ein wenig, und der Manager blickte ihn hoffnungsvoll an. »Laßt uns doch die Treppe erst einmal anschauen – vielleicht ist sie gar nicht so schlimm. Es ist alles meine Schuld – ich habe meine Sekretärin beauftragt, Zimmer im Parterre zu buchen, und als es hieß, daß sie keine haben, muß ich ihr wohl ohne zu überlegen gesagt haben, sie soll nehmen, was sie bekommen kann. Tut mir leid.«

»Ich schaff das bestimmt nicht, ich brauche es gar nicht erst zu versuchen«, sagte die Mutter, und ihre Miene war so betrübt, daß Angela ihr umgehend verzieh. Es war demütigend für Mutter, hier am Fuß einer Treppenflucht stehen zu müssen, während alle sie erwartungsvoll anstarrten. Sie hatte sich vor fünf Jahren bei einem unglücklichen Sturz das linke Bein gebrochen; es war nicht richtig geheilt, und sie konnte es nicht ohne Beschwerden gebrauchen. Treppen, Stufen, Höhenunterschiede aller Art waren Hindernisse, denen sie aus dem Weg ging. Der Arzt hatte ihr zu einem Stock geraten, aber sie wollte keinen Stock. Vater war ebenfalls eisern dagegen – »da würde sie ja wie eine Invalidin aussehen«, sagte er, und damit war das Thema erledigt.

Ben legte der Mutter seinen Arm um die Taille und machte ihr mit kleinen Späßen Mut, zeigte ihr, daß die teuflischen Stufen extrem flach, daß es außerdem nur ganz wenige waren und ohne eine einzige Kurve – lediglich zehn gerade Stufen, die zum ersten Treppenabsatz führten und dazu noch mit Teppich belegt, so daß sie nicht befürchten mußte auszurutschen. Mutter reagierte so, wie sie weder auf Vater noch auf Angela reagiert hätte. Sie gestattete Ben, ihr zu helfen, ließ sich seine Schmeicheleien wohlwollend gefallen, und im Nu war die gefürchtete Treppe erklommen, ohne daß Mutters Gesicht die geringste Spur von Anstrengung aufwies. Oben blieb sie stehen, nur ein klein wenig atemlos, und Ben gratulierte ihr. Angela wurde es flau vor Erleichterung, und als sie selbst nach oben ging, mußte sie sich am Geländer festhalten, um ihren Schwächeanfall zu verbergen.

Die Zimmer waren enttäuschend, das ließ sich nicht leugnen. Angela merkte allerdings, daß die Mutter ihre Enttäuschung nicht teilte. Angela fand die Zimmer häßlich, doch Mutter nahm nur die bequemen Betten, den dicken Teppichboden und das geräumige Bad wahr. Sie schlurfte umher, befühlte die Steppdecken und Handtücher – »feine Qualität« –, während Angela ans Fenster trat und die Tüllgardine anhob, um die Aussicht zu sehen. Die war wenigstens zufriedenstellend – ein unbehinderter Blick auf Wiesen und die See, durch nichts von Menschenhand Geschaffenes verstellt. »Die Aussicht ist herrlich«, sagte sie, »schau doch nur.« Die Mutter kam ans Fenster, warf einen Blick hinaus und wandte sich ab. »Nicht viel zu sehen«, sagte sie, »aber ich sehe ja ohnehin nicht viel. An einem klaren Tag ist es gewiß sehr schön, nehme ich an.« Angela konnte die Jungen von Zimmer zu Zimmer rennen hören, sie sprangen auf die Betten und balgten sich darum, wer wo schlafen sollte. Sie ließ die Gardine fallen. »Häng sie gerade«, sagte die Mutter, »sie hat ordentlich und gerade gehangen, bevor du daran herumgefummelt hast.« – »Möchtest du dich nach den Strapazen nicht ein bißchen ausruhen?« fragte Angela, von Mutters plötzlicher hektischer Röte alarmiert.

»Ach, ich habe das ewige Ausruhen satt«, sagte die Mutter, »ich würde viel lieber etwas unternehmen.« Sie mochte sich nicht einmal hinsetzen. »Was fangen wir jetzt an?« fragte sie. »Was wollen wir hier überhaupt machen?« – »Ich dachte«, sagte Angela matt und ohne Überzeugung, »ich dachte, es wäre eine prima Idee, wenn wir uns vor dem Abendessen ein bißchen in Port Point umschauen.«

Vater war nirgends zu sehen. Als sie zu dritt die Treppe herabgestiegen waren, die Mutter zwischen Angela und Ben halb getragen, konnten sie den Vater nirgends finden. Keiner hatte ihn gesehen, seit Mutter nach oben gegangen war. Angela schickte die Jungen nach allen Seiten aus, um ihn zu suchen, während Mutter über seine Gedankenlosigkeit wetterte. »Das sieht ihm ähnlich, sich davonzumachen, wenn er gebraucht wird«, sagte sie, »typisch.«

»Laß uns draußen warten«, schlug Angela vor, »im Auto – vielleicht ist er hinausgegangen« – und just in diesem Augenblick kam Vater in die Halle, von Saul und Max flankiert wie von zwei Polizisten und vorwärtsgezerrt von Tim, der ausrief: »Er wollte sich bloß mal die Beine vertreten, sagt er.« Mutter wirkte in ihrer Empörung geradezu furchterregend. »Das hätte ich mir denken können«, sagte sie, und dann noch einmal, jedes einzelne Wort betonend: »Das-hätte-ich-mir-denken-können. Ausgerechnet jetzt – immer dasselbe Spiel.« Vater sagte nichts – kein Wort der Entschuldigung. Er sah ein wenig grau und mitgenommen aus, und Angela erinnerte sich, wie abrupt er sich abgewandt hatte, als Ben die Mutter zur Treppe führte. »Also dann, auf nach Port Point«, sagte sie schnell. »Wer will laufen, und wer will fahren?« – »Ich habe keine Wahl«, sagte die Mutter.

Angela ging mit Vater und Max zu Fuß, und die anderen stiegen lärmend ins Auto. Bei Ben war Mutter ohnehin am besten aufgehoben. Ihm gegenüber war sie charmant und würdevoll und gab sich mehr Mühe, vergnügt zu sein. Er hofierte sie galant auf altmodische Art, was ihr sehr gefiel, und heckte mit ihr kleine Verschwörungen aus, so daß sie sich um Jahre jünger fühlte. Sein Verhalten ihr gegenüber war gleichzeitig respektvoll und verschmitzt, eine Verbindung, die sie sichtlich genoß. Sie war der Meinung, daß sie selbst einen jungen Mann wie Ben hätte heiraten sollen – im gesellschaftlichen Rang nur eine Stufe über ihr, mit Geld und Verstand und einer gewissen Vornehmheit, die sie sehr anziehend fand. Er sah genauso aus, wie sie es bei jungen Männern gern hatte – glatt rasiert, groß, aufrecht, mit blonden Haaren, die soeben von einem Kindermädchen gebürstet und gekämmt worden zu sein schienen. Sie schätzte seine Zurückhaltung, seine Liebenswürdigkeit und Unaufdringlichkeit. Von seinem Beruf war sie ein wenig enttäuscht. Alles, was sie davon verstand, war, daß es »etwas mit Öl zu tun« hatte, und das war bedauerlich.

Mutters Fall waren Akademiker – Ärzte, Anwälte, Lehrer –, aber bei Ben sah sie ausnahmsweise über die Abweichung von ihrem Ideal hinweg. Sie tröstete sich damit, daß er immerhin in einem privaten Internat erzogen worden war, auch wenn er nun bestritt, wozu sich die Schule bekannt hatte. Er hatte ausgezeichnete Manieren und eine angenehme Stimme, und Mutter beneidete Angela um ihr Glück.

Sie wanderten in scharfem Tempo an den Klippen entlang. Die Wellen, die gegen die Felsen schlugen, und der Wind, der von der offenen See heranfegte, machten einen solchen Lärm, daß jede Unterhaltung unmöglich war. Angela wußte, daß der Vater gern seine Überzeugung, daß die Treppe die Mutter umbringen werde, oder seine Befürchtungen, daß die ganze Reise ein Fehler sei, zum Ausdruck gebracht hätte. Angela war den Elementen dankbar. Sie wanderte mit halbgeschlossenen Augen, das Gesicht aufwärts dem Regen entgegengestreckt, und genoß es, sich vom Wind durchrütteln zu lassen. Der Vater genoß es ebenfalls. Er wirkte stark und zuversichtlich, wie er, den Tweedmantel bis zum Hals zugeknöpft und die Mütze tief herabgezogen, in geringem Abstand voranmarschierte.

Lange bevor sie das Ende des Klippenpfades erreichten, ahnte Angela schon, wie beschwerlich es sein würde, die Mutter durch die Geschäfte zu schleppen. Hier gab es nicht die Art von Geschäften, in denen man viel Zeit verbringen konnte – ein paar kleine Lebensmittelläden, ein paar grell aufgemachte, billige Touristenläden –, aber für Mutter, die sonst auf jegliche Geschäfte verzichten mußte, war das immerhin etwas. Sie vermißte es, in Geschäfte zu gehen und sich darin umzusehen. Sie vermißte den simplen Tausch von Geld gegen Ware und die Befriedigung, die einer primitiven Liebe zum Handeln entsprang. Sie vermißte die kleinen Beobachtungen, die man beim Einkaufen machen konnte, das Gefühl dazuzugehören, den gelegentlichen Klatsch. Und die Geschäfte in Port Point, obgleich nur wenige an der Zahl und enttäuschend in ihrem Angebot, waren genau von der Art, wie Mutter sie in ihrer Jugend gekannt hatte. Sie waren winzig klein; höchstens zehn Kunden konnten sich gleichzeitig darin aufhalten, und in den blankgewienerten Schaufenstern waren die Waren in Reih und Glied ausgestellt. Mutter konnte stundenlang vor den Auslagen stehen und Aussehen und Preise sämtlicher Gegenstände miteinander vergleichen, und anschließend traf sie drinnen genüßlich ihre Entscheidung. Doch wenn dann der Vater sich zu ihr gesellte, glühend und strahlend, weil er sich inzwischen noch einmal gründlich hatte durchpusten lassen, und sie fragen würde, was sie gemacht hatte, so würde sie nur sagen »Nicht viel« und ein mürrisches Gesicht machen. Darauf würde er Angela fragen: »Bist du denn nicht mit ihr in den Geschäften gewesen?« – »Von Geschäften kann ja wohl kaum die Rede sein«, würde die Mutter hervorstoßen, und der Vater würde sagen: »Ich bitte dich, was denn sonst?«

Könnten sie doch ewig so weiterwandern, vorbei an Port Point, vorbei an den Docks, wo sie sich einst nach Tintagel eingeschifft und das Fischerboot beinahe zum Kentern gebracht hatten, über den Sand, wo sie im Sommer hinter dem Schilfrohr gehockt und durchgeweichte Brote gegessen hatten. Ihren einzigen Familienurlaub hatten sie in Port Point verbracht, und ach, wie stolz war sie gewesen! Angela erinnerte sich, wie sie in der Schule geprahlt hatte, daß sie die Ferien an der See verbringen werde, selig, daß sie endlich auf gleicher Stufe stand mit denen, die regelmäßig in die Ferien fuhren, daß sie nicht mehr gezwungen war, den Kopf zurückzuwerfen und zu verkünden, sie ziehe es vor, nur für ein paar Tage zu verreisen. Das Unglück bei der Entdeckung, daß der Wohnwagen nicht so war, wie sie ihn sich vorgestellt hatte – kein von einem Pferd gezogener Zigeunerwagen, sondern ein scheußliches modernes Monstrum –, war rasch überwunden. Das Gelände war damals menschenleer, und gab es auch keine Zigeunerromantik, so stand der Wohnwagen doch wenigstens auf einem richtigen Feld, und dieses Feld lag zehn Meter vom Strand entfernt. Die Sonne schien die ganze Woche – ein Glücksfall, sagte die Mutter –, und Angela lief über den Sand und bildete sich ein, sie reite auf einem Pferd namens Chestnut.

Sie verließen das Ufer beim Rummelplatz, durchquerten die Grünanlage und erspähten den Wagen, der vor der Kirche parkte. Der Regen hatte aufgehört, und abseits der See tobte der Wind bei weitem nicht so heftig. Angela entdeckte Sadie, die an der Mauer lehnte, die Arme über der Brust verschränkt, die Ärmel ihres Pullovers bis über die Hände heruntergezogen.

»Sie sieht ganz erfroren aus«, sagte der Vater, der sie aus der Entfernung kritisch beäugte. »Hat sie keinen Mantel?«

»Nein«, sagte Angela, »sie kann Mäntel nicht leiden.«

»Lächerlich«, sagte der Vater, »so was Unvernünftiges – du hattest jedenfalls immer Mäntel.«

»Sie ist selbst schuld«, meinte Angela, »sie muß noch allerhand lernen.«

»Kannst du denn nichts dagegen tun?«

»Ich wüßte nicht, was das für einen Sinn hätte.« Sie wollte die Diskussion rasch beenden, ehe sie bei Sadie angelangt waren.

»Du bist immerhin ihre Mutter«, sagte der Vater.

»Das heißt noch lange nicht, daß ich ihr Aufpasser bin. Hallo Sadie.«

»Wo ist deine Großmama?« wollte der Vater wissen.
»Papa bummelt mit ihr durch die Geschäfte.«
»Warum bist du nicht mit ihr gegangen?«
»Ich hatte keine Lust.«
»Oho«, sagte der Vater, »etepetete, hm.«
»Die Läden sind nicht gerade aufregend, Vater«, sagte Angela.
»Du fandest sie aber aufregend, als du in Sadies Alter warst.«
»In ihrem Alter«, sagte Angela, »war ich noch nie aus St. Erick herausgekommen. Da fand ich alles aufregend.«

Im Alter von zehn Jahren war Sadie in Amerika, Südafrika und Neuseeland, in jedem europäischen Land außer Dänemark und Norwegen und in jeder Region der Britischen Inseln gewesen. Durch das Leben in fremden Ländern, mal monatelang, bedingt durch die Arbeit ihres Vaters, mal in den Ferien, war sie mit Flugzeugen, Schiffen und Eisenbahnen und infolgedessen mit Flughäfen, Docks und Bahnhöfen vertraut. Sie vertrug das Reisen gut, wurde spielend mit Verzögerungen und Annullierungen fertig, paßte sich rasch den Klimaunterschieden und den fremden Gebräuchen an, und wenn sie wieder nach Hause kam, knüpfte sie dort an, wo sie aufgehört hatte. Es war, als sei sie routiniert auf die Welt gekommen, und ihr Lebensstil schien ihre angeborene Erfahrenheit zu bestätigen. Doch obwohl Angela ungeheuer stolz auf ihre tüchtige Tochter war, erkannte sie allmählich, daß Sadies Weltgewandtheit nicht mit entsprechender Selbstsicherheit gepaart war. Sadie erschien nur selbstsicher. Gleichgültig, wie oft sie schon geflogen war – Sadie wollte nicht allein fliegen. In Wahrheit besaß sie keinen Hang zur Unabhängigkeit, und mochte ihr Horizont auch noch so weit sein, so blieb sie doch beschränkt in ihrer Fähigkeit, selbständig etwas zu unternehmen. Angela konnte das nicht begreifen – es ergab keinen Sinn. Es leuchtete ihr nur schwer ein, daß Sadie sich nur in Begleitung ihrer Familie großspurig gab. Mit Schrecken stellte sie fest, daß Sadie als junges Mädchen ohne den Rückhalt von Freunden oder Eltern so schüchtern war wie ein Mädchen aus der Provinz, das nie aus seinem Dorf herausgekommen war. Obwohl sie Tausende von Kilometern gereist und einige Male von Kontinent zu Kontinent gewechselt war, konnte sie nicht ohne Begleitung im Bus zum städtischen Schwimmbad fahren. Richtungsangaben machten sie konfus. Ohne jegliche Scham gab sie zu, daß sie sich nicht zurechtfände, und sie trieb Angela zu Äußerungen wie: »Als ich so alt war wie du, habe ich überallhin gefunden – ich bin gern *auf eigene Faust losgegangen.« Natürlich war St. Erick etwas anderes als London, trotzdem war Angela verwundert. Sadie besaß keinen Hang zum Abenteuer. Sie war nur mutig, wenn jemand bei ihr war, und alles, was man ihr geboten hatte, schien verschwendet. Es sei denn, grübelte Angela, es ist alles meine Schuld – es sei denn, ich habe sie in Watte gepackt und sie nie dem Zufall überlassen, es sei denn, ich war zu stark und zu tüchtig und habe jeglichen Unternehmungsgeist in ihr unterdrückt, es sei denn, wir sind zuviel gereist und haben jeden natürlichen Forschungsdrang getötet.*

Das Abendessen im ›Grun House‹ wurde um 19 Uhr 30 serviert. Von fünf Uhr nachmittags an setzte Angela alles daran, die Mahlzeit zu einem Ereignis zu machen. Alle vier Kinder wurden mit den fürchterlichsten Strafen bedroht, wenn sie sich nicht so anzogen, wie es ihren Großeltern gefiel – saubere Hosen und frische weiße Hemden für die Jungen, Rock und Bluse für Sadie, die beide Kleidungsstücke für rückständig hielt. Ben zog einen Anzug an, und Angela trug das unauffälligste von ihren Folklorekleidern. Als alle fertig waren, stellten sie sich vor Mutters und Vaters Zimmertür auf und klopften an, wie es sich gehörte, worauf sie mit ebensolcher Höflichkeit hereingebeten wurden. Mutter hatte ihr bestes Kleid an, das Geburtstagsgeschenk von Angela, dazu Ohrringe und eine Halskette, die Valerie ihr geschenkt hatte, und ihre seit fünf Jahren ziemlich geschwollenen Füße hatte sie irgendwie in schwarze Lackpumps gezwängt. Ihr weißes Haar, eine Woche zuvor vom Friseur gewellt und gebändigt, wirkte nun wieder lebhaft, nachdem der Vater es nach bestem Können gebürstet hatte. Der Duft von Veilchenparfum erfüllte den Raum und haftete sogar an Vater, der in einem dunklen dreiteiligen Anzug glänzte, in weißem Hemd mit gestärktem Kragen und einer Regimentskrawatte, auf die er strenggenommen kein Anrecht besaß. Als Fünfzehnjähriger war er während des Ersten Weltkriegs ausgerissen, um sich als Freiwilliger zum Militärdienst zu melden, und da er ein großer, stämmiger Bursche war, hatte er einen Tag lang dem Infanterieregiment des Herzogs von Cornwall angehört. Am nächsten Tag kam sein Vater, schlug ihn auf der Stelle vor der Kaserne grün und blau und schleppte ihn nach Hause. Der Krieg endete an Vaters achtzehntem Geburtstag, und zu seinem unendlichen Bedauern war er bei Ausbruch des nächsten Krieges zu alt, um gleich eingezogen zu werden. Doch zu ganz besonderen Anlässen trug er die Krawatte zum Gedenken an das, was hätte sein können, und keiner, der Bescheid wußte, war so taktlos, jemals sein Anrecht darauf in Frage zu stellen.

»Du siehst fabelhaft aus«, sagte Angela zu ihrer Mutter, »ausgesprochen elegant. Das Kleid sitzt perfekt, und die Kette paßt hervorragend zu dem Blau.« Die Mutter blinzelte und lächelte und machte nicht eine einzige abfällige Bemerkung über sich selbst, was immer sie auch insgeheim denken mochte. Sie gingen alle hinunter in die Bar; Mutter nahm ohne großes Getue einen Fruchtsaft und ertrug es tapfer und ohne zusammenzuzucken, daß Vater sich ein Bier bestellte. Mutter hatte etwas gegen Alkohol, sie mochte weder den Geschmack noch die Wirkung. Alkohol machte ihr Angst. Vater betrank sich nie, aber nach etlichen Bieren und Schnäpsen am Samstagabend wurde er gehässig und unangenehm, und das war ihr zuwider. Die wohltuende Wirkung von Alkohol war ihr fremd. Wenn der Vater nach seinen bescheidenen Zechtouren nach Hause kam, rümpfte sie die Nase und wandte sich schaudernd ab. Aus Angela und Ben wurde sie nicht klug – sie tranken, wie sie sehen konnte, aber bei ihnen war es irgendwie anders. Dies war eine andere Art zu trinken, die zu einer anderen Art zu leben paßte, und die Mutter hatte das Gefühl, daß dies gerade noch tragbar sei.

»Ich möchte keine Vorspeise«, verkündete die Mutter, als sie alle um den großen runden Tisch in der Fensternische saßen. Sie schien erstaunt, daß niemand ihre Entscheidung beanstandete.

»Wie ist es mit dir, Vater?« fragte Angela.

»Krabbencocktail«, sagte der Vater. »Die Krabben sind bestimmt von hier.«

»*Du* und Krabbencocktail«, sagte die Mutter mit einem leisen, verächtlichen Lachen. »Weißt du überhaupt, was das ist?«

»Krabben«, sagte der Vater.

»Ja, aber in Mayonnaise«, sagte die Mutter. »Das magst du doch bestimmt nicht, oder? Du kannst es doch nicht leiden, wenn alles durcheinandergemanscht ist, nicht wahr?«

»Vielleicht mag er Mayonnaise«, meinte Angela.

»Die hat er noch nie angerührt«, sagte die Mutter, »er braucht sie bloß anzugucken, und schon wird ihm schlecht – ich kenne ihn.«

»Dann bestell ich sie eben ohne die Soße«, sagte der Vater. »Ich möchte die Krabben pur, ohne alles.«

»Das kannst du doch nicht machen«, sagte die Mutter, »soweit kommt es noch, daß du hier die Leute herumhetzt.«

»Klar kann er das«, sagte Angela, »er kann die Krabben so haben, wie er will. Wir sind hier in einem Hotel, Mutter – da verlangt man einfach, was man will.« Und weil sie zu schroff gesprochen und Mutter verletzt hatte, fügte sie hinzu: »Wie steht's mit dem Hauptgericht – sie haben eine leckere Lachsforelle auf der Karte, Mutter – wäre das nichts für dich?«

»Ich kann die Karte nicht lesen«, sagte die Mutter.

»Dann liest Sadie sie uns eben vor.«

Sadie las die Speisekarte langsam und deutlich vor. Sie war ausgesprochen willig – alles, was mit essen zu tun hatte, brachte ihre besten Seiten zum Vorschein. Als sie, nach häufigen Wiederholungen, fertig war, folgten fünf hektische Minuten der Beratung. Mutter und Vater waren entsetzt. Die Trewicks zögerten nicht – sie trafen augenblicklich ihre Entscheidung. Niemals würden sie erst ein Gericht aussuchen und dann doch ein anderes bestellen, wie es alle vier Enkelkinder taten. Die Kellnerin, an eingeschüchterte, von dem feierlichen Ereignis tief beeindruckte Kinder gewöhnt, war über all das Geschrei und Debattieren sichtlich verblüfft. Sie hatte eine ganze Seite voll durchgestrichener Bestellungen, bis sich endlich alle entschieden hatten. »Ist jetzt jeder zufrieden?« fragte sie schnippisch, und ihr Mißmut war Vater und Mutter peinlich. »Sitz schön gerade«, flüsterte Mutter Tim zu, der am Tisch lümmelte, »und fummele nicht mit dem Besteck herum.«

»Warum nicht? Ich mach's ja nicht kaputt.«

»Du könntest dich schneiden – und es ist frisch poliert – schau, jetzt glänzt es gar nicht mehr so schön.«

»Mir egal«, sagte Tim. »Mami, darf ich im Flur spielen, bis der erste Gang kommt?«

Angela erlaubte es ihm, und in demselben Moment sagte der Vater, das komme auf keinen Fall in Frage. Die Zwangslage löste sich durch die augenblickliche Ankunft des ersten Ganges, wodurch Tim exakt dort festgehalten wurde, wo Vater ihn haben wollte. Ben bestellte eine Flasche Wein, von dem jedoch nur er und Angela tranken. Während Angela ein zweites großes Glas leerte, bevor sie auch nur einen Bissen von ihrer geräucherten Makrele probiert hatte, spürte sie, daß sie Gefahr lief, beduselt zu werden, noch ehe die Mahlzeit richtig angefangen hatte. Schon wurde ihr schwindelig, und sie bekam kaum noch mit, was die anderen sagten. Sie wollte ihre Hand über ihr Glas legen, doch Ben schob sie entschlossen zur Seite, sah ihr gerade in die Augen und sagte: »Trink aus. Dies ist schließlich ein Fest.« Sie fing an zu kichern und spürte Mutters und Vaters Blicke auf sich. »Schwiegerpapa«, sagte Ben, »wie wär's mit einem Gläschen?« – »O nein«, sagte der Vater, »o nein, nein, nein«, und schüttelte den Kopf.

6

Der Rest des Abends wurde niederschmetternd. »Wie spät ist es?« hatte die Mutter gefragt, als die Dessertteller abgeräumt waren. »Halb acht«, erwiderte der Vater, indem er seine Uhr ans Licht hielt, um ganz sicherzugehen.

»Erst?« hatte die Mutter gefragt. Das Lächeln verschwand aus ihrem Gesicht, als habe es dort nie etwas zu suchen gehabt. »So früh noch. Was fangen wir jetzt an, wo wir hier festsitzen?«

Sie saßen noch an dem großen runden Tisch in der Fensternische, etwas abseits von den anderen Gästen, die sie interessiert und ein wenig neidvoll beobachteten. Angela wußte, daß sie nach außen hin ein Musterbeispiel an Familienzusammengehörigkeit darstellten. Sie hatten beim Essen gelacht, und die Kinder betrugen sich erfreulich gut; sie hatten nicht nur jeden Bissen auf ihren Tellern aufgegessen, sondern sich klug und vernünftig mit ihren Großeltern unterhalten; keiner hatte geschimpft, keiner hatte sich aufgespielt, keiner hatte gemurrt. Angela konnte sich nicht erinnern, daß in jüngster Zeit eine Familienzusammenkunft dermaßen erfolgreich verlaufen war. Nun aber verlangte Mutter mit der Miene eines ungeduldigen Kindes nach dem nächsten Genuß, und was konnte man ihr bieten? Angela hatte keine Ahnung. Die angenehme Wirkung des Weins verflog augenblicklich, als sämtliche Augenpaare erwartungsvoll auf ihr ruhten.

»Wie wär's mit einem kleinen Rundgang?« schlug Ben vor.

»Gute Idee«, sagte Angela dankbar.

»Ich kann nicht herumlaufen«, sagte die Mutter, »ich war heute lange genug auf den Beinen. Und wohin denn auch? Man kann nirgends hingehen, wir sitzen hier fest. Es ist stockdunkel. Die Wege sind nicht gepflastert. Außerdem ist es kalt, und jetzt kommt auch noch Wind auf.«

»Dann mache ich mit den Jungen einen kurzen Dauerlauf zum Strand und zurück«, sagte Ben.

»Ich komme mit«, sagte der Vater.

»Du?« sagte die Mutter, »du holst dir den Tod, wenn du um diese Zeit rausgehst, in deinem Alter und bei diesem Wetter.«

»Ich ziehe mich warm an«, sagte der Vater. »Bleib ja nicht lange weg.«

»Die Damen ziehen sich zum Kaffee zurück«, sagte Angela munter. »Wir trinken ihn im Salon und machen's uns gemütlich, bevor die anderen dort einfallen – wir belagern den Kamin und stopfen uns voll mit Schokolade.«

Aber es gab keinen Kamin. Der einzige Aufenthaltsraum war klein und trostlos, ohne Möbel, mit Ausnahme eines zweisitzigen, stark abgenutzten Sofas und ein paar neuer, häßlicher, wenig einladender moderner Sessel, die mit einem aufdringlichen lindgrünen Plüsch bezogen waren. Mitten an der Decke hing eine Lampe mit einer hellen Glühbirne, und es gab keine andere Beleuchtung, die man statt des unnötig grellen Lichts hätte anzünden können. Die auffallend gemusterten Vorhänge ließen sich nicht richtig zuziehen. »Hier sollen wir uns hinsetzen?« fragte die Mutter. »Gott, ist das 'ne miese Bude«, sagte Sadie. Angela schob die beiden Sessel zusammen und zog eine schwarzlederne Fußbank über den schäbigen Teppich heran. »Ich setze mich in diesen Sessel«, sagte sie, »und du setzt dich hierhin und legst deine Füße hoch, Mutter.« Sadie blieb stehen. »Hat jemand was dagegen, wenn ich fernsehen gehe?« fragte sie und sah Angela an. Angela erwiderte ihren Blick ganz ruhig. Mochte Sadie das interpretieren, wie sie wollte. »Kommst du mit, Oma?« fragte Sadie. »Nein, Liebes«, sagte Mutter, »ich bin nicht in Urlaub gefahren, um fernzusehen. Das kann ich zu Hause zur Genüge, immer hocke ich vorm Fernsehen, und meistens bringen sie nur Mist.«

Sadie ging, und Angela und ihre Mutter saßen regungslos und warteten auf den bestellten Kaffee. Angela wußte, daß nur der Gedanke, daß in jedem Augenblick eine Kellnerin erscheinen konnte, die Mutter davon abhielt, ihrer herben Enttäuschung über diesen Raum, über den Mangel an Abwechslung und über das Leben im allgemeinen Luft zu machen. Angela wünschte, daß der Kaffee gebracht würde, sie ersehnte die damit verbundene Ablenkung, und doch fürchtete sie den Moment, da jemand mit dem Tablett in der Tür erschien, weil dies das Ende von Mutters Zurückhaltung bedeutete. »O fein«, sagte sie viel zu laut, als der Kaffee endlich kam. »Hm, köstlich – sogar Kekse – wie nett – vielen Dank. Was für hübsche Tassen, Mutter – sieh nur – wie die mit dem Rosenmuster, die Großmama in ihrer Porzellanvitrine hatte – erinnerst du dich? – und Gebäckschale und Milchkännchen, alles passend.« Sie goß den Kaffee ein, schrie auf, weil die Kanne so heiß war, und machte unendliche Umstände, das auf einmal so kostbare Getränk mit Milch und Zucker zu versehen. Sie ließ sich über die Dekoration des Tabletts aus – so hübsche gestickte Tablettdeckchen sieht man selten heutzutage, nicht wahr, Mutter? –, über die Kaffeepreise im allgemeinen und darüber, daß ihr persönlich brauner Zucker lieber sei als weißer. Mutter antwortete einsilbig, und Angela wußte, daß sie nur den geeigneten Augenblick abwartete. Sie ließ Angela schwatzen, bis sie den Zeitpunkt für ihre Tiraden gekommen hielt, und obwohl Angela trank und trank, wurde ihr Mund vor banger Vorahnung ganz trocken. Sie betete, die Jungen mögen in das Zimmer stürmen, aber sie kamen nicht. Sie sehnte sich danach, daß es Sadie wieder hierhertrieb, aber Sadie erschien nicht. Ich muß es durchstehen, dachte Angela, es bleibt mir nicht erspart.

»Ich kann bestimmt nicht schlafen«, sagte die Mutter schließlich, als sie ihre zweite Tasse Kaffee mit extrem viel Milch geleert hatte, »wenn ich abends Kaffee trinke.«

»Das kannst du doch kaum Kaffee nennen«, meinte Angela.

»Es *war* aber Kaffee«, sagte die Mutter, »und der regt an, das habe ich gelesen. Er hält mich wach – dabei schlafe ich ohnehin kaum. Dein Vater behauptet, daß ich schlafe – aber das stimmt nicht – ich liege stundenlang wach, manchmal die ganze Nacht.«

»Du brauchst nicht mehr so viel Schlaf«, tröstete Angela. »Wenn man älter wird, verbraucht man nicht mehr so viel Energie. Und du kannst tagsüber jederzeit einnicken, wenn du willst, oder nicht?«

Sie hatte die Mutter trösten wollen, erkannte jedoch gleich, daß sie sie nur erzürnt hatte und daß die ganze aufgestaute, durch die Zeremonie des – ungewünschten – Kaffeetrinkens in Schach gehaltene Erregung nun entfesselt werden würde.

»Ich will aber nicht einnicken«, sagte die Mutter und schlug mit der kranken Hand auf die Armlehne, »ich tu ja den ganzen Tag nichts anderes – herumsitzen und dösen, weiter nichts. Was hat man denn davon, frage ich dich – ich bin für niemanden mehr nütze – bin bloß alt und lästig – ich kann überhaupt nichts mehr tun – ist das nicht furchtbar – findest du das denn nicht schrecklich?«

Es war sehr still im Raum. Ganz schwach konnte Angela den Wind draußen in den Bäumen hören. »Du hast recht gehabt«, sagte sie zur Mutter, die sich vorgebeugt hatte und mit puterrotem Gesicht auf eine Antwort wartete, »es kommt tatsächlich Wind auf. Ich kann ihn hören.« Aber Mutter ließ sich nicht ablenken. Sie rappelte sich auf und begann zwischen Tür und Fenster hin und her zu schlurfen, den linken Arm schützend an sich gedrückt, den Oberkörper starr vor Zorn. »Ich habe es satt«, sagte sie, »tagein, tagaus. Ich habe versucht, an die zu denken, die noch schlimmer dran sind, ich habe versucht, an die vielen jungen behinderten Menschen zu denken und an alle, die etwas tun, obwohl sie verkrüppelt sind – aber für mich ändert das nichts. Ich bin bloß ein Klotz in einem Sessel.«

»Bitte nicht«, sagte Angela, »du regst dich nur auf.«

»Natürlich rege ich mich auf«, schimpfte die Mutter. »Du bist schlimmer als dein Vater – würdest mich wohl am liebsten in Watte packen.«

»Ich meine ja nur«, sagte Angela, »du mußt dich mit den Tatsachen abfinden. Es hat keinen Sinn, sich zu beklagen.«

Sie war selbst erschrocken über ihren kalten Ton. Die Mutter blieb abrupt stehen. Sie starrte Angela an, dann setzte sie sich. Angela hätte jetzt eigentlich zu ihr gehen und sie umarmen und ein Weilchen mit ihr zusammen weinen müssen. »Du könntest bettlägerig sein, unfähig, dich zu rühren«, sagte Angela mit klarer, fester Stimme, »du könntest blind und taub und obendrein noch in einem Heim sein. Du hast eine Familie um dich, die dich liebt, und du hast jede Bequemlichkeit, die du dir nur wünschen kannst. Was du wirklich willst, kannst du nicht haben – keinen neuen Körper und kein neues Leben. Ich kann dir nicht helfen.«

»Ich war immer unnütz«, sagte die Mutter, »ich habe nie zu was getaugt.«

»Es hat keinen Sinn, zurück oder vorwärts zu blicken«, sagte Angela schroff. »Du mußt einfach in der Gegenwart leben. Du mußt von einem Tag zum anderen leben oder, wenn es ganz schlimm kommt, von einer Stunde zur anderen.«

Sie schwitzte – der Schweiß rann ihr den Nacken hinab und innen an ihrem Kleid entlang. Sie blickte an sich hinunter und wunderte sich, daß keine dunklen Flecken zu sehen waren. Ihr Herz klopfte, und ihr Kopf hämmerte, und doch brachte sie diese barschen, gefühllosen Worte hervor, vor denen die Mutter zurückwich. Mutter saß zusammengesackt mit gekrümmten Schultern in ihrem Sessel, und ihr Gesicht nahm einen neuen, argwöhnischen Ausdruck an. »Du sprichst sehr philosophisch«, war alles, was sie sagte; sie schien jegliches Interesse an einer Unterhaltung verloren zu haben. Sie schloß die Augen. Angela auch. Die Tränen zwängten sich hervor, aber sie ließ sie ungehindert fließen. Mutter merkte nichts mehr. Die Zeit der Tränen war vorüber.

Nach Tims schwieriger Geburt sehnte sich Angela im Krankenhaus nach ihren anderen Kindern, und doch fürchtete sie sich, sie zu sehen. Sie wollte nicht, daß die Kinder sie schwach und mit bleichem Gesicht sahen, kaum fähig, sich allein von ihren Kissen zu erheben. Sie glaubte, das würde sie zu sehr erschrecken. Deshalb unterdrückte sie den Drang, Ben in dem Augenblick, als sie aus der langen Narkose erwachte, zu bitten, er möge sie jetzt gleich, auf der Stelle zu ihr bringen. Sie wartete drei ganze Tage. Sie wartete, bis sie kräftig genug war, sich die Haare zu bürsten und die Lippen zu schminken. Sie legte sich sorgfältig im Bett zurecht, die Hände locker gefaltet auf der glattgestrichenen Decke, die Beine flach ausgestreckt darunter. Lange vor dem Erscheinen der Kinder lächelte sie zu der Tür hin, durch die Ben sie hereinbringen würde. Sie malte sich aus, wie Sadie zu ihr gelaufen käme und sie unter Freudenschreien umarmte, während ihre Brüder verlegen zögerten. Doch Max und Saul kamen schnurstracks zu ihr. Sie strahlten selig und küßten sie und sprudelten sogleich hervor, was sie alles unternommen hatten. Sadie war es, die zögerte, die starr und abweisend dreinblickte. Sadie zupfte an der Bettdecke, gab einsilbige Antworten und wich Angelas Blick aus. »Tut mir leid, daß es kein Schwesterchen geworden ist, Sadie«, sagte Angela, »wir haben uns die größte Mühe gegeben.« – »Ach, das ist mir schnuppe«, sagte Sadie. »Wann kommst du nach Hause?« – »Nicht so bald.« – »Warum nicht?« – »Ich fühle mich noch nicht wohl.« – »Ich finde, du siehst richtig gesund aus.« Das hatte geschmerzt, auch wenn sie es durch allerlei Erklärungen zu übertünchen suchte. Den ganzen Abend dachte Angela an Sadies Gleichgültigkeit gegenüber ihrem Leiden. Keine Zärtlichkeit, kein Bedauern, nur dieses feindselige Gesichtchen und der ungeduldig tippende Fuß. Für eine kranke Mutter war in Sadies Vorstellungsvermögen kein Platz. Angela vertraute Ben ihren Kummer an. »Sie wollte nicht einmal wissen, wie es mir geht«, sagte sie. »Sogar Saul hat mich danach gefragt.« Aber Ben sagte nur, Sadie sei die ganze Woche schweigsam gewesen. Er habe sie mitten am Tag auf dem Bett liegend angetroffen, bei zugezogenen Vorhängen und ohne Licht, und er hatte sie gefragt, was ihr fehle. »Nichts«, hatte sie gesagt, »ich denke bloß an Mami.« So war das also. Danach fühlte Angela sich noch miserabler als vorher.

Angela erwachte lange vor der Zeit und horchte gespannt, als lausche sie auf ein Baby. Leise schlurfende Geräusche drangen von nebenan herüber, wo Mutter und Vater die erste Hotelnacht ihres Lebens verbracht hatten. Am Licht erkannte sie, daß die Dämmerung noch nicht angebrochen war, und doch war sie hellwach und auf dem Sprung. Sie hatte den Eltern gesagt, sie sollten klopfen, wenn sie etwas brauchten; sie wußte zwar, daß die Trewicks immer zurechtkamen, ob sie etwas brauchten oder nicht, und trotzdem hatte sie sich bemüht, ihnen jeden Wunsch im voraus zu erfüllen. Sie hatte für zusätzliche Kissen gesorgt, hatte sich vergewissert, daß die Nachttischlampen funktionierten, und als letzten Geniestreich hatte sie in der Küche eine Thermosflasche mit Tee füllen lassen, damit Mutter, falls sie nachts aufwachte, ihren gewohnten Beruhigungstrunk hatte. Tasse und Untertasse, Milch, Zucker und ein Keks standen in Reichweite auf einem Tablett.

Angela vernahm ein gedämpftes Poltern. Im Nu war sie auf den

Beinen und schnappte ihren Morgenmantel vom Fußende des Bettes. Als sie die Tür zum Zimmer der Eltern vorsichtig aufzustoßen versuchte, stellte sie fest, daß sie abgeschlossen war. Sie klopfte leise, erhielt aber keine Antwort. Langsam drehte sie den Türknauf hin und her in der Hoffnung, dadurch auf sich aufmerksam zu machen, doch plötzlich war da wieder diese tödliche Stille, die sie beim Aufwachen gespürt hatte – diese absolute Ruhe, die lautlose Stunde vor der Dämmerung, in der es so leicht war, sich dahinscheidende Seelen vorzustellen. Es brannte kein Licht. Sie drückte das Ohr ans Schlüsselloch, konnte aber nichts hören. Sie blieb noch eine Weile so stehen, leicht zitternd vor vermeintlicher Kälte, dann ging sie wieder zu Bett. Als sie die Decke über die Schultern zog, sang der erste Vogel.

»Das verflixte Fenster hat geklemmt«, sagte der Vater am Morgen, als Angela hereinkam – »ließ sich einfach nicht schließen. Wäre fast durch die Scheibe gekracht.«

»Warum wolltest du es denn zumachen?« fragte Angela. »Es ist drückend heiß hier im Zimmer – die Heizung war die ganze Nacht an, weißt du, hier ist es nicht wie zu Hause.«

»Deine Mutter hat im Durchzug gelegen.«

»Ich nicht«, sagte die Mutter vom Bett her, »bei dir hat's gezogen.«

»Schon gut, Mary«, sagte der Vater, »hab ich also wieder mal was falsch gemacht. Schon gut, Mädchen.«

Er wirkte müde und bedrückt, die Mutter dagegen strahlte.

»Warum hast du abgeschlossen?« fragte Angela. »Ich hätte hereinkommen und dir helfen können – und ihr sollt euch nicht einschließen.«

»Man kann nie wissen, wer sich da alles rumtreibt«, sagte der Vater. Er trat vor den Spiegel und band zur Vervollständigung seiner Garderobe den Schlips um. Von der Kommode aus konnte er die See sehen, und das schien ihm neuen Auftrieb zu geben. »Ein herrlicher Tag«, sagte er.

»Wir könnten jetzt eigentlich frühstücken«, meinte Angela.

»Deine Mutter kann jetzt noch nicht – sie muß ganz langsam aufstehen, seit sie krank war.«

»Ich weiß – sie braucht überhaupt nicht aufzustehen, ich habe ihr das Frühstück aufs Zimmer bestellt.«

»Sie kann unmöglich hier in der Fremde allein bleiben, wenn wir alle unten sind.«

»Ich habe nicht vor, sie allein zu lassen – mein Frühstück kommt auch herauf, mach dir also keine Sorgen.«

»Aber das war doch nicht nötig«, sagte die Mutter, »geh du nur mit den Kindern hinunter. Ich komme schon allein zurecht.«

»Nein, nein«, sagte der Vater. »Wenn einer hierbleibt, dann ich.«

»*Ich* bleibe hier«, sagte Angela.

»Keiner von euch soll hierbleiben«, sagte die Mutter. »Ich stehe auf – ich muß ja sowieso aufstehen.«

»Ich habe unser Frühstück für halb neun hierherbestellt«, murrte Angela gereizt, »und es ist gleich soweit – ich kann es nicht mehr rückgängig machen – und außerdem will ich hier frühstücken.«

Vater verschwand mit Ben und den Kindern; er war tadellos angezogen, seine *Daily Express* lugte aus der Tasche, und zufrieden, daß die Mutter gut versorgt war, freute er sich auf ein reichhaltiges Frühstück – Speck, Eier, Wurst und Tomaten, alles aus der Pfanne, und zwischen den Bissen kreuzte er in der Zeitung die voraussichtlichen Sieger an. Sein Frühstück war ihm äußerst wichtig, und er versäumte es niemals. Selbst wenn er allein war, arbeitete er sich täglich durch das gesamte Ritual; er füllte das Haus mit fettigen Schwaden, und erst danach wurde das Küchenfenster einen Spalt geöffnet, um Luft hereinzulassen, dabei wäre schon ein Sturm nötig gewesen, um den Geruch zu vertreiben. Mutter mit ihrem matschigen Frühstücksbrei war ihm immer ein Greuel, und Angela mit ihren Unmengen von schwarzem Kaffee war einfach lächerlich. Es hatte keinen Sinn, ihm Vorträge über Ernährung zu halten – er lebte von der Bratpfanne und betrachtete sich als Paradebeispiel für gesundes Essen.

Das Frühstück, das man hinaufgebracht hatte, sah einladend aus, wenn auch der Schein die Wirklichkeit überwog – blanke Silberschüsseln und hübsches Porzellan übertünchten die Tatsache, daß das Tablett nur sehr wenig Eßbares enthielt. Für Mutter gab es Kleie, ein gekochtes Ei und eine Scheibe Toast mit Orangenmarmelade, die sie nur probierte, weil sie nun einmal da war – sie mochte keine Orangenmarmelade, hütete sich jedoch, es zu sagen. Für Angela gab es eine halbe Grapefruit, etwas Toast und eine ganze Kanne Kaffee für sie allein. Sie zog sich einen Stuhl ans Bett, dazwischen stand auf einem Beistelltisch das Tablett, das sie und Mutter sich teilten. Es hatte etwas Vertrauliches, gemeinsam schweigend vor sich hin zu kauen, wobei beide das Tablett beäugten, als würde hinterher ihre Fähigkeit getestet, sich die Gegenstände darauf zu merken.

Als sie die Mutter so zufrieden auf ihr Essen konzentriert sah, ausnahmsweise gelöst und ausgeruht, kam es Angela in den Sinn, daß sich die Mutter im Bett viel wohler fühlte, als sie zugeben – oder der Vater erlauben – wollte. Sie machte den Eindruck, als würde sie am liebsten immer so liegen bleiben. Ihr Teint sah frischer aus, wenn sie im Bett war, und auf Kissen gestützt wirkte ihr Körper kräftiger. Sie war von einer Aura des Friedens umgeben, die verflog, sobald sie angezogen war und sich so aufrecht hielt, wie sie konnte. Dann wurde die ganze Anstrengung, die sie jede Bewegung kostete, sichtbar. Das Bemühen, die noch funktionierenden Muskeln zu koordinieren und die noch intakten Gliedmaßen zu bewegen, verzerrte ihr Gesicht und zerstörte die Harmonie, die sie jetzt ausstrahlte. Mutter, sich abmühend, sich auf den Beinen zu halten, wie es von ihr verlangt wurde, bot einen mitleiderregenden Anblick. Der Rücken wehrte sich, der Hals wollte nicht, die Beine versagten häufig den Dienst. Mutter im Bett – dieser Anblick zerriß Angela nicht das Herz.

»Ist das nicht himmlisch«, sagte Angela. Sie wollte die Mutter spüren lassen, daß dies für sie keine Selbstaufopferung bedeutete. Ein schwacher Sonnenstrahl kämpfte sich durch die Wolken, drang durch die Gardine, fiel auf die rosa Nylonsteppdecke und tauchte die beiden Frauen in einen rosigen Schimmer.

»Findest du?« fragte die Mutter, die von unausgesprochener Vertrautheit überquellenden Augen wie üblich auf Angelas Gesicht geheftet – doch an diesem Morgen las Angela noch etwas anderes darin, etwas Strengeres, einen Rest von Mutters Bitterkeit am gestrigen Abend. Ihr bangte jetzt weniger davor, einfach weil es Morgen war.

»Ja«, sagte Angela, »ich finde es herrlich – so ruhig und friedlich, und daß man mir das Frühstück gebracht hat, auch wenn es nicht viel ist. Keiner schreit nach mir, weil er Schuhe oder Bücher vermißt, und ich muß hinterher nicht das ganze Durcheinander aufräumen. Es ist schön, so ganz ohne Lärm.«

»Eines Tages wirst du dich noch nach dem Lärm sehnen«, sagte die Mutter, »wenn die Kinder alle aus dem Haus sind, und du hörst den ganzen Tag keinen Laut und hast niemanden, der mit dir spricht. Wenn du alt bist, will keiner mehr was von dir wissen.«

»Nein«, sagte Angela. Sie bestritt Mutters erste Behauptung, obwohl sie wußte, daß sie eigentlich auf die zweite eingehen sollte, »nein, ich werde mich bestimmt nicht nach dem Lärm sehnen. Ich hasse Lärm. Ich hasse diese Seite der Mutterschaft – ich genieße es nicht, im Mittelpunkt von all dem Trubel zu stehen, und trauere ihm bestimmt nicht nach, wenn das alles vorbei ist. Ich freue mich aufs Alleinsein.«

»Ist das wahr?«

»Dann kann ich endlich tun und lassen, was ich will.«

»Wenn du's dann noch kannst«, sagte die Mutter, »wenn du gesund bist und keine Beschwerden hast. Ich hab's ja nie zu was gebracht, hab mich immer nur um euch alle gekümmert. Zu mehr war ich nicht nütze, auch nicht, als ich gesund war. Ich hatte kein Talent und keine Interessen, ich war nicht wie du.«

»Doch«, sagte Angela, »du konntest singen und Klavier spielen. Das kann ich beides nicht.«

»Ach das«, sagte die Mutter.

»Und du konntest sticken und Spitzen klöppeln – du hast so wundervolle Handarbeiten gemacht – denk doch bloß an die Patchworkdecke –«

»Das zählt nicht«, sagte die Mutter. »Ich war immer nutzlos. Ich habe mein Leben verschwendet.«

»Schau«, sagte Angela unwirsch, während sie geräuschvoll das Frühstücksgeschirr zusammenstellte, damit es abgeholt werden konnte; ihre Stimme überschlug sich, weil ein stechender Schmerz in ihrem Kopf flirrte, »du hast ein erfülltes Leben gehabt – du hast vier Kinder tadellos großgezogen, du warst unentbehrlich für die Kirche und die Gemeinde – du hast dein Leben keineswegs verschwendet, also rede nicht solchen Unsinn.«

Aber das war kein Unsinn. Mutter hatte es ernst gemeint, und die Unehrlichkeit, mit der Angela es als angeblichen Unsinn hinstellte, hatte sie gekränkt. Mutter hatte recht. Sie hatte sich verschwendet. Sie war klug und begabt und hätte ihr Leben nicht mit dem Saubermachen von Öfen und dem Umherschleppen riesiger Wäschekörbe verbringen müssen. Sie hatte ihre Energien beim Fußbodenschrubben und Kleidernähen verschwendet. Nichts in ihr war jemals erblüht. Und man konnte es auch nicht damit abtun, indem man sagte, es spiele keine Rolle, weil sie bei der häuslichen Knechtarbeit glücklich war – sie war nicht glücklich gewesen. Sie war in eine Falle getappt, die sie hätte erkennen und vermeiden müssen. Sie besaß ein großartiges Organisationstalent, aber was hatte sie organisiert? Daß sie flink und tüchtig zu arbeiten verstand, konnte jeder sehen, aber wer hatte es außerhalb der Familie gemerkt? Sie hatte geglaubt, daß ihr Los von Anfang an vorgezeichnet und es ihre Pflicht sei, es zu ertragen und das Beste daraus zu machen, weil sie sonst nichts tun konnte. Für Angela war die Mutter ein seltener Vogel, wenn auch dazu verdammt, nirgends hinzufliegen. Außer der Bibel gab es kein Buch im Haus, aber der Umfang von Mutters Wissen war erstaunlich. Ihr großer Fehler war es gewesen, den Vater zu heiraten, und das war eine tiefe Wunde, die noch immer blutete.

»Schau dich an«, sagte die Mutter, »was du aus dir gemacht hast.« Angela lachte laut auf.

»Nein, du brauchst gar nicht zu lachen, du hast was aus dir gemacht, du führst kein Hundeleben.«

»Quatsch«, sagte Angela.

»Nein«, sagte die Mutter, »das ist kein Quatsch. Du warst auf der

Universität, du hast Bücher gelesen, und du bist Lehrerin und kennst dich aus.«

»Nein«, sagte Angela.

»Was heißt nein?« fragte die Mutter, jederzeit bereit, ihre Entrüstung kundzutun.

»Ich kenne mich nicht aus«, sagte Angela. »Ich kenne mich nicht besser aus als du. Ich stehe genauso vor einem Rätsel.«

»Rede nicht so dumm daher«, sagte die Mutter, aber sie lachte dabei, und als der Vater hereinmarschiert kam, um nach ihnen zu sehen, bot sich ihm eine Szenerie, die sein Herz erwärmte.

Angela war immer da, wenn die Kinder aus der Schule kamen – immer. Sie lehnte eisern jede Arbeit ab, die es ihr nicht ermöglichte, um halb vier am Kindergarten beziehungsweise kurze Zeit später zu Hause zu sein. Sie begnügte sich mit der weniger interessanten Teilzeitarbeit als Englischlehrerin an einer Gesamtschule und schlug den weitaus attraktiveren Posten als Direktorin einer Schauspielschule aus, weil sie so jeden Nachmittag frei hatte. Sie fand, daß sie keine andere Wahl hatte. Sie mußte dasein, wenn alle mit ihrem Kummer oder ihren Freuden nach Hause kamen – eine Stunde später wäre zu spät, dann wäre der richtige Augenblick, Freud und Leid mit den Kindern zu teilen, verpaßt. Vor allem was Sadie betraf. Sadie kam um vier Uhr heim, mit roten Wangen und hungrig von der Radfahrt. Tee? bot Angela an. Orangensaft? Käsecracker? Und Sadie, nach Wunsch versorgt, setzte sich an den Tisch und sprudelte die Ereignisse des Tages hervor. Angela hörte aufmerksam zu und interessierte sich für jede Bagatelle. Sie hob Sadies Mantel auf, den sie irgendwohin geworfen hatte, holte ihre Schuhe unter dem Tisch hervor, stellte ihr Fahrrad in den Schuppen. Ihre eigenen Belange wurden strikt hintangestellt. Sadie wollte nichts davon hören. Wenn Sadie wußte, daß Angela an diesem Tag etwas Besonderes vorgehabt hatte, erkundigte sie sich nicht, wie es ihr ergangen war. Eine Mutter, dachte Angela, hat dazusein, wenn du nach Hause kommst, sie muß trösten und erklären und helfen. Das ist die wichtigste Funktion, die es gibt. Doch oft war sie von bösen Vorahnungen befallen. Was zog sie da heran, indem sie einen solchen Dienst versah? Sie war ein weiches Kissen, köstlich, um sich hineinsinken zu lassen – aber denkbar schädlich für das Rückgrat, wenn man zu lange darauf saß.

Mutter langweilte sich viel eher als die Kinder. Am zweiten Tag wich der Regen einer trüben Witterung mit gelegentlichen Aufheiterungen, aber es war bei weitem nicht warm genug, daß Mutter draußen sitzen oder umherhumpeln konnte. Es war unerträglich mitanzusehen, wie sie sich bemühte, kein Spielverderber zu sein. Sie spielten Cricket am Strand, und Mutter beteuerte tapfer, sie sei restlos glücklich auf einem Segeltuchstuhl, wo sie in Decken gehüllt und von Windschirmen geschützt saß, aber Angela mußte nicht erst durch den Vater auf Mutters Qual aufmerksam gemacht werden. Selbst er warf den Ball und schwang den Schläger und rannte beinahe, doch Mutter saß nur da und starrte auf die See; ihr Haar thronte als weißer Wulst über einem Berg von Decken. Ständig ging jemand zu ihr, eifrig bemüht, sie über den Spielstand auf dem laufenden zu halten, doch ihr Lächeln wurde immer verzweifelter, die Augen fielen ihr zu, und der Vater schüttelte den Kopf.

Zweimal fuhren sie die Küstenstrecke ab – im Schneckentempo von Strand zu Strand, die Fenster heruntergekurbelt; sie bedrängten die Mutter, die Seeluft zu schnuppern und die Wellen zu bewundern. Sie parkten den Wagen mit der Frontseite zum Wasser hin und staunten über die unendliche Weite des Sandes, über welchen Pferde galoppierten, als gelte es, mit den Brechern um die Wette zu rennen. Aber Mutter sah die Pferde nur als verschwommene Flecke und die See als nebelhaften Klecks. Sie spazierte eine kurze Strecke zum Dorf hin, doch die Kiesel drangen in ihre Schuhe, und schon bei der leichtesten Brise tränten ihr die Augen. »Laßt mich allein«, sagte sie, »geht nur und amüsiert euch – ich halte euch bloß auf«, und sie blieben erst recht bei ihr, umschmeichelten sie aus Angst, sie könnte merken, daß es stimmte.

Jeden Nachmittag fuhren sie nach Port Point; sie parkten bei der Grünanlage, und die Jungen liefen mit Vater zum Rummelplatz, während Mutter sich auf einem Stuhl vor der Kirche niederließ. Sogleich klagte sie über Kälte und, schlimmer noch, über Langeweile. »Könnte ebensogut im Wagen sitzen bleiben«, sagte sie zu Angela.

»Aber hier hast du bessere Luft.«

»Ach, ich brauche mehr als Luft«, sagte die Mutter, und als Angela nichts erwiderte, »*ich* brauche ganz was anderes als Luft.«

Angela schloß die Augen und schob ihre Hände noch tiefer in die Taschen. Hätte Saul sich beklagt, so hätte sie ihn schelten können, er solle sich nicht so anstellen. Hätte Max sich beklagt, so hätte sie ihm sagen können, er solle um Himmels willen mit seinem Fußball nach draußen verschwinden. Wäre es Tim gewesen, so hätte sie mit ihm schmusen können. Aber es war Mutter, und ihre Langeweile war echt. Für sie gab es nichts zu tun. Ihr Urlaub war nichts weiter als eine Fortsetzung dessen, was sie ohnehin tat – sitzen, vor sich hin starren, leiden.

»Schau«, sagte Angela und dachte dabei, wie oft sie doch zur Mutter sprach wie zu ihren weitaus anstrengenderen Schulkindern, »hier sitzt du wenigstens in einer anderen Umgebung und hast Gesellschaft – ist das nicht besser, als zu Hause ans Zimmer gefesselt zu sein wie letzte Woche?«

»Und nächste Woche«, sagte die Mutter.

Darauf saßen sie eine halbe Stunde in völligem Schweigen. Die Kirchturmuhr schlug vier. Mutter seufzte und rutschte unruhig auf ihrem Stuhl herum. Angela rührte keinen Muskel. Ihre Gedanken eilten voraus zum Rest der Woche: ein kaleidoskopisches Durcheinander von Ausflügen und Unternehmungen, bei denen Mutter und sie auf zahllosen Bänken saßen und auf ein Wunder warteten. Als eine Stimme »Guten Tag, Mrs. Trewick« sagte, fuhr Angela jäher hoch als die Mutter, die mit einemmal die Liebenswürdigkeit in Person wurde. Ja, sie sei in Urlaub hier – nur für ein paar Tage – mit Angela und der ganzen Familie – ja, sehr nett, das Wetter sei ganz gut, ausgezeichnetes Hotel – ja, das ›Grun House‹ außerhalb von Port Point, gute Verpflegung. Mutter floß über vor Charme, als sie mit der Dame aus ihrer Kirchengemeinde angeregt über alltägliche Themen plauderte, und als die Dame sich entfernte, hörte Angela sie zu ihrer Freundin sagen: »Eine großartige Frau – war ja so krank – nie ein Wort der Klage ...«

Das war es, was Mutter brauchte. Sie sprachen immer noch nicht miteinander, aber Mutters Verhalten hatte sich auffällig verändert. Sie war lebhafter geworden, wirkte aufmerksam und erwartungsvoll. Nur ein wenig Gesellschaft, und schon war sie beschwingt und zeigte sich von ihrer besten Seite. Mutter hatte immer behauptet, sie sei am liebsten zu Hause, aber das war gelogen. Mutter ging gerne aus. In Gesellschaft blühte sie auf, und sie war beliebt. Die Leute fühlten sich zu ihr hingezogen, gefesselt von ihrem klugen, liebenswerten Gesicht, das so unsicher zu ihnen hinsah, und sie erwiderte das Interesse, das sie ihr entgegenbrachten, anmutig und würdevoll. Hinterher war sie von einer Lebhaftigkeit, die ihr ansonsten fehlte, und alle, die in ihren Gesichtskreis kamen, profitierten davon, bis der Glanz verblaßte. Allein zu Hause, verfiel Mutter rasch wieder in Trübsinn. In sich gekehrt grübelte sie über ihre Charakterschwächen und ihr Mißgeschick. Jetzt, da sie alt und krank war, war ihre sture Behauptung, daß sie Gesellschaft hasse, ihr Verderben. Die Gemeindehelfer erboten sich, sie im Wagen zum Mütterverein zu bringen, aber sie wollte nicht. Sie sei zu Hause ganz zufrieden, sagte sie. Ihre Freundinnen schlugen ihr vor, sie zu dieser oder jener Veranstaltung abzuholen, aber sie lehnte dankend ab.

Angela spähte mit hoffnungsvollem Blick in der Grünanlage umher, aber es tauchten keine weiteren Mitglieder der Kirchengemeinde mehr auf. Mitte April, dazu noch mitten in der Woche, waren nur wenige Menschen in Port Point unterwegs. Diejenigen, die sich hergewagt hatten, streiften ziellos umher und sahen ständig auf die Uhr. Dies war der am wenigsten geeignete Ort, an den sie Mutter hatte bringen können. Der anfängliche Reiz des Hotellebens war schnell verblaßt, und es gab weiter nichts, worauf man sich freuen konnte. Sie mußten dringend etwas unternehmen, das Mutter das Gefühl gab, daß sie daran teilhatte. »Wir fühlen uns alle ganz wohl hier«, sagte Ben. »Außer Mutter.« – »Aber sie fühlt sich nirgends wohl.« – »Wir müssen uns mehr Mühe geben.«

Als Sadie noch klein war, verbrachte Angela viel Zeit am Strand. Wenn Ben beruflich im Ausland zu tun hatte, nahm er sie oft mit. Sie wohnten im Hotel, und wenn er morgens fortging, zog Angela mit Sadie und mit Max in einer Babytragetasche an den Strand. Sie haßte Strände. In der Sonne zu liegen war ihr ein Greuel. Blaßhäutig und rothaarig, bekam sie nie eine attraktive Bräune. Sadie dagegen war schon nach wenigen Tagen tiefbraun. Sadie liebte den Strand – sie baute gern Sandburgen (Angela haßte es, Sand anzufassen), sie sammelte gern Muscheln (Angela fand Muscheln langweilig, sie wußte nichts darüber und konnte keine von Sadies Fragen beantworten), und sie suchte gern in Felstümpeln nach Krebsen (Angela fürchtete sich vor Krebsen). Angela tat Sadie jeden Willen und freute sich, weil Sadie so glücklich und so gesund war, aber insgeheim wünschte sie, nichts von alledem tun zu müssen. Sie wollte, sie wäre zu Hause, doch das erwähnte sie Ben gegenüber nie. Es würde ihn betrüben und erschrecken. Sie sah sein strahlendes Gesicht, wenn er sie jeden Tag mit Handtüchern, Schaufel, Eimer und Picknickkorb absetzte – es war sein Wunsch, daß seine Familie so den Tag verbrachte, ein idyllisches Bild, das sich seinem Gedächtnis für immer einprägte. Und Angela nahm sich vor, sich mehr Mühe zu geben, mit beiden Händen zu greifen, was ihr Kind ihr bot, und das Beste daraus zu machen. Sie durfte nicht egoistisch sein. Sie durfte kein Spielverderber sein. Sie durfte sich nicht sträuben.

Am dritten Tag machten sie einen ganztägigen Ausflug ins Heidegebiet Bodmin Moor. Angela verkündete den Plan beim Frühstück, und Mutter reckte sogleich den Kopf. Es sei lange her, meinte sie leicht vorwurfsvoll, seit sie zuletzt in der Heide war. Es wäre schön, die Hügel wiederzusehen. Sie brachen bei blauem Himmel auf – »zu blau«, sagte der Vater skeptisch – mit guter Laune und mit einem Picknickkorb hinten im Wagen, obgleich Mutter und Vater entsetzt waren bei der Vorstellung, zu dieser Jahreszeit im Freien zu essen; die Erde sei noch feucht, und überall sei es noch naß vom Regen – das sei doch unsinnig. Aber sie freuten sich auf die Heide, die der Vater innig liebte. Er folgte vergnügt der Route; kerzengerade saß er im Wagen, um besser nach rechts und links sehen zu können.

»Hier sind wir vom Motorrad geflogen, was, Mama?« sagte er kurz hinter St. Breward, und er drehte sich um und strahlte sie an. »Hier, an dieser Ecke – das hat vielleicht geklatscht – bin da drüben in dem Graben in einer Wasserpfütze gelandet, und kopfüber ging's über die Lenkstange, bevor an Bremsen zu denken war. Das war ein Schlamassel, was, Mama?«

Mutter sagte nichts. Sie wandte sich ostentativ ab und schnitt eine Grimasse zu Sadie, die neben ihr saß. Sadie gab sich nicht die geringste Mühe, ihr Kichern zu unterdrücken. Max war neugierig geworden. »Und was dann, Opa?«

»Oh, da mußt du deine Großmutter fragen – sie hat ein besseres Gedächtnis.«

»Was ist dann passiert, Oma?«

»Nichts. Wir sind gestürzt, weiter nichts.«

»War das ein richtiges Motorrad, Opa?«

»Und ob das 'n richtiges war – eine Sunbeam 500er, große Maschine, hab' mit ihr mal bei 'nem Rennen auf der Insel Man mitgemacht, bin Zwanzigster von hundertdreißig geworden – Zwanzigster, das stimmt doch, Mama?«

»Ich weiß es nicht mehr genau«, sagte die Mutter mürrisch, aber der Vater ließ sich nicht beirren.

»Jawohl, Zwanzigster war ich«, sagte er, »aber nach diesem Schlamassel da an der Ecke hab ich's verkauft. Ein schlimmer Unfall war das, und deine Oma hat sich am Knie verletzt – meilenweit von jeder Ortschaft entfernt, und kein Mensch in Sicht.«

»Und was habt ihr da gemacht, Opa?«

»Ach, ich weiß nicht – was haben wir gemacht, Mama?«

»Nichts, wie gewöhnlich«, sagte die Mutter.

Alle lachten, obwohl unsicher, ob das als Witz gemeint war. Vater war es gleichgültig, ob das Lachen ihm galt oder nicht, er war einfach glücklich, daß seine Geschichte ankam, und er feixte, als hätte er einen Punkt in einem komplizierten Spiel gewonnen. »Nichts, hm?« sagte er. »Komisch, daß wir dann nicht immer noch auf der Straße liegen.«

»Wenn's nach dir gegangen wäre, lägen wir bestimmt noch da«, stieß die Mutter hervor. »Du warst zu nichts zu gebrauchen – weiß der Himmel, was aus mir geworden wäre, wenn der nette Anwalt nicht gekommen wäre und mich zum Arzt gebracht hätte.«

»Ach, ein Anwalt war das, sieh mal an«, sagte der Vater und zwinkerte Angela zu, die sich bemühte, nicht hinzusehen.

»Ein richtiger Gentleman«, sagte die Mutter, »feine Manieren und so aufmerksam. Ich habe ihm geschrieben und mich bedankt.«

»Da sieht man's mal wieder«, sagte der Vater, »ich hab's ja gewußt, daß es dir am Ende wieder einfällt.«

»Ich habe nicht gesagt, daß ich es vergessen habe«, fuhr die Mutter ihn an, »ich habe gesagt, du hast nichts getan, wie gewöhnlich.«

»Konnte ja wohl kaum was tun, wo ich doch mit 'ner Gehirnerschütterung auf der Straße lag.«

»Du hattest keine Gehirnerschütterung«, sagte die Mutter, und sie spuckte das Wort mit solcher Verachtung aus, daß es Angela den Atem nahm. »Gehirnerschütterung! Eine Beule am Kopf und einen Kratzer am Auge. Ich war es, die wirklich verletzt war – drei Monate das Bein in Gips, und danach ist es nie wieder ganz gesund geworden – und das alles, weil du nicht sehen konntest, wo du hinfuhrst.«

»Nein, nein«, sagte der Vater. Der hänselnde Ton war aus seiner Stimme verschwunden. »Nein, Mädchen, nein – ich habe genau gesehen, wo ich hinfuhr, so wahr ich hier sitze – keiner hätte in der Nacht das Wasser in dem Graben sehen können.«

»Und du bist zu schnell gefahren.«

»Ich habe mich an die Geschwindigkeitsbegrenzung gehalten – wenn nicht, wärst du vielleicht abgekratzt.«

»Na wenn schon«, sagte die Mutter.

»Seht mal«, sagte Angela, »schaut mal da, die Schäfchen – Tim, sieh mal, sind die nicht süß? Ben, halt an – laß uns aussteigen und sie anschauen.«

Mutter hatte rote Flecken im Gesicht, und ihr Mund war aufgeplustert, als puste sie ihn von innen voll Luft und weigere sich, sie herauszulassen. Sie wollte nicht aussteigen, um die Schäfchen anzuschauen, sie wollte sie nicht einmal durch die Scheibe betrachten. Aber Vater stieg aus und schritt mit Tim das ganze Feld ab, und weil Angela so aufgewühlt war, entfernte sie sich ein paar Meter vom Wagen und beging die unverzeihliche Sünde, Mutter allein zu lassen.

»Warum ist Oma so böse?« wollte Sadie wissen. Sie lehnten auf einem Gatter. »Was war denn los?« Angela überlegte sich mühsam mehrere Erklärungen, aber die Geschichte von Vaters und Mutters Feindseligkeit und gleichzeitiger Ergebenheit war schwierig darzustellen. Sie konnte Sadie unmöglich begreiflich machen, warum sie sich so benahmen, und sie konnte ihrer Tochter erst recht nicht klarmachen, warum es noch viel schlimmer war, wenn sie, Angela, zugegen war. Mutters Unglück und Unzufriedenheit ergossen sich wie ein vergifteter Strom über das unschuldige Feld von Vaters geliebten Erinnerungen und überfluteten sie mit häßlichem, bitteren Zynismus, der seine Nostalgie besudelte.

»Es ist schwierig«, begann Angela schließlich, »Oma gibt nicht gerne zu, daß –«

»Schau«, sagte Sadie, »ein schwarzes Schaf.«

»War das eine absichtliche Unterbrechung?«

»Wie meinst du das – ich hab's bloß entdeckt, weiter nichts – bist du aber empfindlich.«

»Ich denke, du willst über Omas Ärger sprechen.«

»Ach so – ist nicht so wichtig – ulkig, nicht?«

»Ulkig?«

»Ach Gott – vergiß es.«

Sadie kletterte über das Gatter und schlenderte zu den anderen. Angela starrte ihr nach. Dann drehte sie sich um. Hinter ihr ragte Mutters weißes Haupt über dem Rücksitz des Wagens hervor. Angela wünschte, sie könnte den ganzen Tag so bleiben, auf das Gatter im Sonnenschein gelehnt.

7

Sie parkten vor dem nächsten Café und labten sich an Kaffee und Kuchen. Mutter wollte nicht mit hereinkommen, doch Angela versicherte ihr, daß es ein ausgesprochen geschmackvolles Café sei – mit hübschem Geschirr –, keine gräßlichen Kunststofftische oder ungemütlichen Stühle, auf denen man unmöglich sitzen könne. Und Mutter stimmte ihr zu. Sie setzten sich an einen Fenstertisch und schmausten, und Mutter sagte »sehr lecker«, nachdem sie ihr Blätterteiggebäck vertilgt hatte, das Angela ihr in mundgerechte Happen schnitt, damit sie sich nicht vollkrümelte, wenn sie ein zu großes Stück abbiß. Vater kam nicht mit. Er sagte, er habe etwas zu erledigen, und marschierte mit bedeutungsvoller Miene davon. Mutter sagte: »Gottlob, den wären wir los«, doch er war noch keine fünf Minuten fort, als sie unruhig zur Tür blickte und fragte: »Was meint ihr, wo könnte er hingegangen sein?« – »Ich weiß, wo er ist«, sagte Ben, »es ist eine Überraschung.«

Vater wollte sich erkundigen, ob man immer noch Pferde mieten konnte, um über die Heide zu reiten. Es wäre nicht nötig gewesen, hinzugehen und zu fragen, doch das erhöhte seinen Genuß. Er liebte es, in den Stallungen herumzulungern und daraus Schlüsse zu ziehen, obwohl er dasselbe hätte durch eine einfache direkte Frage erfahren können. Das verwirrte Angelas Kinder, die nicht zu Unterwürfigkeit erzogen waren und nicht zu erkennen vermochten, daß in ihrem barschen, ruppigen, despotischen Großvater auch ein Körnchen Zaghaftigkeit steckte. »Warum fragen wir den Mann nicht?« hörte Angela sie häufig sagen, und prompt erhielten sie zur Antwort:

»Nicht nötig – wir gucken einfach zu, und dann wissen wir Bescheid.«

Just als sie aus dem Café traten, kam er zurück. »Jede Menge Pferde«, verkündete er strahlend. Die Jungen zogen erwartungsvoll mit ihm, und Ben fuhr mit den anderen im Wagen. Als sie zum Stall kamen, hatte Vater bereits ein Pferd für sich ausgesucht, und die drei Jungen stritten sich, wer auf welchem Pony reiten sollte.

»Magst du auch reiten, Mama?« fragte der Vater mit demselben unerträglichen Augenzwinkern, das er an diesem Morgen bereits überreichlich strapaziert hatte. Mutter wandte sich angewidert ab, zupfte Angela am Ärmel, doch Angela nötigte sie, zu bleiben und sich auf eine Bank zu setzen, um den anderen beim Aufbruch zuzusehen. Ben und Max ritten mit Vater voran, die übrigen hinterher. Alle lachten und protestierten gegen Bens Kommandos, kaum daß er sie ausgesprochen hatte. »Alberne Gesellschaft«, murmelte die Mutter.

Mühsam schlenderten sie zusammen den Reitweg entlang. Angela blieb alle fünf Meter stehen, um irgendwas zu bewundern und so der Mutter Gelegenheit zum Ausruhen zu geben. Die Mutter fürchtete, ihre Schuhe zu beschmutzen, doch Angela wies sie auf den vollkommen trockenen Boden hin. »Du hat gut reden«, sagte die Mutter, »aber wenn man alt ist, muß man aufpassen.« – »Ich besorge dir Gummistiefel«, witzelte Angela. »Ich kann keine Gummistiefel anziehen«, sagte die Mutter, »mit meinen Füßen.« Die Bank am Wegesrand war besetzt. Als sie näherkamen, sagte die Mutter: »Auf der Bank sitzt schon wer – sinnlos, noch weiter zu latschen – nirgends kann man sich hinsetzen.«

»Es sind doch nur zwei Leute«, sagte Angela, »auf der Bank ist Platz genug.«

»Wir können uns doch nicht einfach aufdrängen«, sagte die Mutter zögernd, »und ich mag nicht mit fremden Leuten auf einer Bank sitzen – komm schon, laß uns umkehren – ich wollte mich ja gar nicht hinsetzen – das war deine Idee.«

»Jawohl«, sagte Angela, »und ich bleibe dabei, wir setzen uns jetzt hier auf die Bank«, und sie zog die Mutter mit sich. Die beiden Damen, die bereits dort saßen, waren überaus reizend und boten Mutter an, sich zu ihnen auf die Schaumgummimatte zu setzen, die sie vorsorglich auf der Bank ausgebreitet hatten, und die Mutter unterhielt sich liebenswürdig mit ihnen über Feuchtigkeit und Rheumatismus, und Angela hatte zehn Minuten für sich, um sich umzuschauen und zu verschnaufen.

In dem Augenblick, als sie sich gerade wieder auf der Bank im Stall niederlassen wollten, kehrte die Reitergesellschaft zurück. Sie veranstalteten ein Riesenspektakel, als Ben versuchte, sein Pferd an seinen Standplatz zu manövrieren. »Hör sie dir an«, sagte die Mutter, »so ein Radau.«

»Sie haben ihren Spaß.«

»Den können sie auch haben, ohne einen solchen Lärm zu machen – sie stören ja die Leute.«

»Sie stören keinen Menschen, Mutter.«

»Sie fallen runter, wenn sie nicht aufpassen. Und dein Vater sollte überhaupt nicht auf ein Pferd steigen, in seinem Alter. Benimmt sich wie ein Kind.«

»Er hat Pferde gern«, sagte Angela. Sie hatte den Vater lange nicht so vergnügt gesehen.

»*Ich* habe Pferde gern«, sagte die Mutter. »Ich habe Pferde immer gerngehabt, viel lieber als er. Aber ich weiß, wann man Schluß machen muß. Und wenn er runterfällt, was dann?«

»Mutter«, sagte Angela, »niemand fällt runter.«

Nein, niemand fiel hinunter. Unter Beifallsrufen band Ben sein Pferd fest und half Großpapa und den Kindern absteigen. Alle hatten rote Gesichter und prahlten, sie seien »fast« durch die ganze Heide geritten, und jedes Kind verkündete lauthals, es sei am weitesten und am besten geritten. Sogar Sadie machte mit, und der Großpapa brüskierte die anderen, weil er behauptete, Sadie sei die beste von der ganzen Truppe gewesen.

»Ihr wart aber lange weg«, sagte die Mutter, »wir sind halb erfroren.«

»Schade, daß du nicht dabei warst, Oma«, sagte Tim.

»Oma kann nicht reiten, Liebling.«

»Warum nicht? Opa ist doch auch mitgekommen.«

»Oma kann nicht mehr auf Pferde steigen.« Tim nahm die Antwort teilnahmslos hin. Falls Mutter gehofft hatte, ein »arme Oma« zu ernten, war sie enttäuscht. Er wußte nicht, daß Mutter immer Ausreden gefunden hatte, um Abenteuern aus dem Weg zu gehen.

»Ich kann nicht«, war Mutters stereotype Antwort auf jede Einladung zu aufregenden Erlebnissen gewesen. »Ich kann nicht, ich mag nicht, ich will nicht.« Wie Vater sie jemals dazu bewogen hatte, auf ein Motorrad zu steigen, war ein unergründliches Geheimnis.

Sie fuhren hinüber zur anderen Seite der Heide in Richtung des Kilmar-Tor-Felsens und hielten nach einem Platz zum Picknicken Ausschau. Angela war wählerisch. Ein Parkstreifen kam nicht in Frage, ebensowenig ein öffentlicher Parkplatz, wo andere Leute bereits Tische und Stühle aufgestellt hatten und eifrig Teewasser kochten. Sie hielten fünfmal an, Angela stieg aus, inspizierte das Gelände und befand es jedesmal für ungeeignet. Die Kinder stöhnten laut. »Ist es nicht schnuppe, wo wir essen?« quengelte Sadie. »Ich sterbe vor Hunger.« – »Ich auch«, sagte die Mutter ein wenig trotzig. »Oma hat Hunger«, sagte Sadie vorwurfsvoll.

»Der Platz muß einwandfrei sein«, sagte Angela unbeirrt, »geschützt und warm und abgelegen und mit einer schönen Aussicht.«

»So einen findest du nie«, sagte die Mutter, »und wenn du bis zum Jüngsten Tag suchst.«

»Laß sie doch«, sagte der Vater, der am liebsten immer weiter durch die Landschaft gefahren wäre, an der er sich nicht satt sehen konnte.

»Ach, fahren wir doch noch ein Stückchen weiter«, sagte Angela seufzend.

Sie fuhren sehr viel weiter. Sie verließen die Hauptstraße und fuhren hinten um den Kilmar Tor herum, verzichteten auf einen Blick auf den Brown Gelly und fanden schließlich eine Lichtung nicht weit von der Straße entfernt, die Angelas strengen Anforderungen genügte. Sie breiteten Unterlegplanen aus, schleppten Stühle und Decken für Mutter und Vater heran, und zuletzt wurde der Picknickkorb feierlich hinübergetragen. Dreimal begutachtete Angela Mutters mit Automatten verkleideten Stuhl, bis sie fand, er sei behaglich genug für ein neugeborenes Kind, und Mutter nahm Platz (wie auf einem Thron), wobei sie unentwegt beteuerte, sie könne ebensogut im Auto essen, und dann wurde das Mahl ausgepackt. Angela brauchte zwanzig Minuten, um alles auf einem rotkarierten Tischtuch zu arrangieren, und als sie fertig war, waren sich alle einig, daß sich das Warten gelohnt hatte.

Die Sonne schien, der Wind war nur als leises Säuseln zu vernehmen, und keine Fliegen oder Wespen störten die Idylle.

»Du hättest dir nicht soviel Mühe machen sollen«, sagte die Mutter, den Mund voll Hähnchenfleisch, »ein paar belegte Brote hätten es auch getan.«

»Es war keine Mühe«, sagte Angela. »Es hat mir Spaß gemacht.«

»Die Unkosten«, sagte die Mutter, »Hühnchen und Garnelen, das ist doch schrecklich teuer.«

»Wir machen so was ja nicht jeden Tag«, sagte Angela. »Es soll doch ein Festschmaus sein.«

»Prima«, sagte der Vater und spülte den letzten Happen Kalbspastete mit einem Schluck Bier hinunter. »Ganz, ganz prima. Ich glaube, so ein Picknick hatten wir schon lange nicht mehr, was, Mama?«

»Red keinen Unsinn«, sagte die Mutter, »so ein Picknick haben wir noch *nie* gehabt, als ob du das nicht wüßtest. Wann haben wir überhaupt schon mal Picknick gemacht?«

»Oh, sehr oft«, sagte Angela schnell, bevor der Vater lospoltern konnte. »Ich weiß noch, wie wir mit einer Tragetasche voll Proviant im Zug nach Port Point gefahren sind – und dann haben wir am Wasser gesessen und uns vollgestopft.«

»Mit Biscuits und Käse«, sagte die Mutter, »und hartgekochten Eiern.«

»Köstlich«, sagte Angela. »Hauptsache, man ißt im Freien.«

»Dann hättest du es heute ja auch so machen können«, sagte die Mutter, »statt dich abzuhetzen, um all diese feinen Sachen zu besorgen.«

»Ich habe mich nicht abgehetzt«, sagte Angela. »Tee? Kaffee? Es ist beides da – im Hotel haben sie mir zwei große Thermosflaschen mitgegeben.«

»Mama möchte Tee«, sagte der Vater.

»Nein, ich will gar nichts. Wenn ich was trinke, muß ich aufs Klo.«

»Wir halten im nächsten Dorf an«, sagte Angela, »da gibt's bestimmt was, wo du hingehen kannst.«

Aber sie wollte nicht. Sie schloß die Augen und lehnte den Kopf an das Kissen. Vater machte ein Gesicht, das schwer zu deuten war. Angela, bedrückt, weil sie Mutter irgendwie verstimmt hatte, packte die Picknicksachen zusammen.

Wenn Sadie ihre Freundinnen zum Tee da hatte, setzte Angela sich zu ihnen und beteiligte sich an ihren Gesprächen. Sie wollte keine unauffällige Gestalt im Hintergrund sein, die für Essen und Trinken sorgte und schuld war, daß sich alle verkrampften und nicht aus sich herausgingen. Sadie sagte, so was mache keine andere Mutter. Die anderen Mütter überließen einfach alle sich selbst, und sie sagte das in einem so vorwurfsvollen Ton, daß für Angela kein Zweifel bestand, was sie zu tun hatte. Aber sie tat es nicht. Sie setzte sich dazu und unterhielt sich angeregt mit Sadies Freundinnen, und das machte ihr wirklich Spaß.

Sie wollte die Mädchen unbedingt näher kennenlernen. Sie sprach mit Jane über deren Hund, mit Laura über ihr Jahr in Amerika und mit Kate und Emily über ihre Familien. Sadie versuchte sie ständig zu unterbrechen und sich aufzuspielen. Bei jeder Übertreibung widersprach Angela. »Wirklich, Sadie«, sagte sie etwa, »als ob du jemals Lust zum Äpfelpflücken gehabt hättest. Du hast es langweilig gefunden und hast den ganzen Tag gestöhnt, weil du nicht wußtest, was du im Obstgarten anstellen solltest.« Oder, wenn Sadie über einen Ausflug schimpfte, der ihr sichtlich Spaß gemacht hatte, rückte Angela die Sache ins richtige Licht. Hinterher brach Sadie in Tränen aus und sagte, ihre Freundinnen würden sie auslachen. »Du hättest zu mir halten müssen«, stieß sie hervor, »mußtest du mir denn unbedingt in die Quere kommen und mich als dumme Gans hinstellen.« – »Du hättest eben nicht schwindeln sollen«, sagte Angela darauf. »Aber du hättest zu mir halten müssen«, jammerte Sadie. »Nie hältst du zu mir – immer bist du gegen mich. Andere Mütter halten zu ihren Kindern.« Und Angela gab es auf, mit Sadie und ihren Freundinnen Tee zu trinken. Einerseits ertrug sie es nicht, zu den Überspanntheiten ihrer Tochter beizutragen, andererseits war sie nicht bereit, den Preis für deren Zerstörung zu zahlen. Sadie hatte ihre Loyalität herausgefordert, und nun war sie verwirrt und wußte nicht, wo sie stand.

Oben auf dem Kilmar Tor ließen sich alle erschöpft auf die Erde sinken, keuchend und stöhnend von der Anstrengung, die Kletterei so schnell wie möglich zu bewältigen. Die Kinder waren ungeheuer stolz auf sich, aber Angela bagatellisierte ihre Leistung, indem sie sämtliche Anhöhen herunterrasselte, die sie hinaufgeklettert war, als sie noch nicht zwölf war, und zwar alle mit Großpapa. Das fanden die Kinder lustig – sie konnten sich nicht vorstellen, daß der Großvater jemals geklettert war. Angela sagte, wenn die Großmutter nicht gewesen wäre, so hätte er heute mit ihnen auf den Kilmar Tor steigen können.

So war es immer: Wäre der Vater nicht gewesen, so hätte die Mutter dies oder jenes getan, und wäre die Mutter nicht gewesen, so hätte der Vater das eine oder das andere getan. Aber sie hatten geheiratet, nicht nach einer stürmischen Zeit der Verliebtheit, sondern nach vierjähriger Verlobung, und zwar im ansehnlichen Alter von dreißig und vierunddreißig Jahren. Mit dreißig hatte die Mutter den Vater geehelicht, weil sie fürchtete, sonst nie zu Heim und Kindern zu kommen. Das behauptete sie jedenfalls, als die kleine Angela sie mit schriller Stimme in die Enge trieb: »Warum hast du ihn geheiratet?« Nicht aus Liebe. Sie sagte nie, daß sie ihn liebte. Sie sagte, sie wollte

Kinder haben, und um Kinder zu bekommen, mußte man heiraten, und Vater hatte ihr einen Antrag gemacht. Kein anderer hatte ihr einen Antrag gemacht. Mit sieben war Angela zu jung, um die Pein eines Bekenntnisses zu spüren, das die Mutter ihrer kleinen Tochter nicht hätte machen dürfen, das sie jedoch dringend ablegen wollte. Angela wußte nicht einmal, ob es wahr war – o nein, sie bezweifelte nicht, daß kein anderer Mutter einen Heiratsantrag gemacht hatte, aber fühlte sie denn wirklich gar nichts für Vater? Eine so ehrbare Frau, eine Christin, die so flehentlich um Beistand betete? Angela hatte innerlich getobt vor Wut – sie verspürte einen entsetzlichen Drang, das Haus krachend zu zerschmettern, die Mutter zu geißeln, zu schlagen und anzubrüllen für diese Demütigung, für diese Anspruchslosigkeit, diese Bereitschaft, sich mit dem Zweitbesten zu begnügen, weil nichts anderes verfügbar war. Es war unerträglich, sich auszumalen, was sie dem Vater gesagt, welche Abmachungen sie mit ihm getroffen haben mochte. Falls dem Vater klar war, worauf er sich einließ, hätte er die Bedingungen nicht akzeptieren dürfen. Er hätte sich der Mutter widersetzen müssen, die nur eine Mutter sein wollte und sonst nichts.

Als sie den Pfad, den sie erklommen hatten, wieder hinabstiegen, sahen sie Mutter und Vater schon von weitem auf dem kleinen ebenen Gelände hin und her wandern. Vater hatte die Klappstühle zusammengefaltet und an einen riesigen Findling gelehnt, wo sie sich als greller künstlicher Farbfleck vor dem Grün und Braun abhoben. Vater blickte auf und winkte. Er machte Mutter auf die anderen aufmerksam, und Angela wußte, was Mutter sagen würde: »Ich kann sie nicht sehen, ich kann ja überhaupt nichts sehen mit meinen Augen, hat keinen Zweck, daß du mir was zeigst.« Doch sie blieb stehen, auf Vaters Arm gestützt, reckte den Hals, hob dann zögernd die Hand und winkte mit einem Taschentuch. Alle riefen und johlten und winkten zurück, hüpften auf und ab, um besser gesehen zu werden. »Ich konnte euch nicht sehen«, sagte die Mutter, als sie unten waren, »aber ich habe euch gehört.«

»Also«, sagte der Vater auf der Rückfahrt, kaum daß sie alle im Auto saßen, »das war's. Ein herrlicher Tag. Habt vielen Dank, es war sehr schön. Bald sind wir wieder in St. Erick. Wie viele Tage haben wir noch?«

Keiner erwiderte etwas. Angela gähnte. Die Trewicks waren immer schon mitten in den Ferien in Gedanken wieder zu Hause, genauso wie sie am Strand im August an Weihnachten und beim Schneeschaufeln im Januar an Ostern dachten. Das Schweigen schien dem Vater zu mißfallen. »Heimwärts geht's, heimwärts geht's, juppheidi, juppheida«, sang er laut, und dann sagte er: »Na, war das ein schöner Urlaub, Mama?«

»Ja sehr, vielen Dank«, sagte die Mutter automatisch, fast ohne die Lippen zu bewegen. Sie hatte sich in sich selbst zurückgezogen. Angela sah, daß sie milde und duldsam gestimmt war – sie würde nicht reagieren, und wenn der Vater ihr noch so zusetzte.

»Was hat dir am besten gefallen?« fuhr der Vater unbeirrt fort.

»Ach, alles.«

»Das ist aber keine richtige Antwort«, sagte der Vater. Sein spaßhafter Tonfall verhieß nichts Gutes. »Damit gebe ich mich nicht zufrieden.« Aber Mutter blieb stumm. »So«, sagte er, »und wohin gehen wir nächstes Jahr, hm? Die ganze Welt steht uns offen.«

Da Mutter hartnäckig schwieg und auch sonst niemand auf ihn einging, wurde er unruhig. Er spielte mit seinem Sicherheitsgurt und fummelte am Fenster herum. »Wir können hier links abbiegen und hinten herumfahren«, sagte er zu Ben. »Ich denke, ich fahre besser auf direktem Weg zurück«, erwiderte Ben. »Na gut, wie du meinst. Du bist der Fahrer, du bist der Boss.« Er schwieg eine Weile, und dann fing er an, »It's a long way to Tipperary« vor sich hinzupfeifen.

»Kennt ihr das Lied – hm? – Max? Saul? Kennt ihr das?«

»Ja«, sagte Max.

»Dann sing mit.«

»Keine Lust.«

»Hier hat anscheinend keiner zu irgendwas Lust«, sagte der Vater, »heute ist aber auch gar nichts los mit euch. Was ist, habt ihr die Sprache verloren?« Als niemand antwortete, meinte er: »Das ist ja wie 'ne Fahrt in 'nem beschissenen Leichenwagen.«

Vater fluchte sehr selten, schon gar nicht in Gegenwart von Kindern. Das war eindeutig Mutters Einfluß zu verdanken. Als Angela ein Kind war, hatte sie den Vater immer als aufbrausend empfunden; er hatte getobt und geschimpft, so daß Angela ganz verblüfft war, als sie später entdeckte, daß seine angeblich unflätige Sprache ein Produkt von Mutters Phantasie war. Mutter hatte ›verdammt‹ und ›verflucht‹ und ›beschissen‹ lediglich als unflätig erscheinen lassen. Jedes dieser Worte ließ sie in Tränen der Empörung ausbrechen, und ihre Erschütterung und ihr Kummer darüber waren Angela unvergeßlich. Das hatte sich bis heute nicht geändert. In dem Augenblick, als der Vater sein »beschissen« hervorstieß, erschauerte die Mutter, zog die Brauen zusammen und hielt eine Hand vor den Mund gepreßt, wie sie es immer machte, wenn sie fassungslos war und Angst hatte, es zu zeigen. Aber sie sagte nichts.

»Ich weiß nicht«, fuhr der Vater fort, »aber wir hatten ein bißchen mehr Mumm in uns, als wir jung waren, das steht fest. Wir sind nicht wie lahme Enten rumgehockt.«

»Wir sind müde«, sagte Angela. »Die Kinder sind völlig geschafft.«

»Geschafft? In ihrem Alter? Großer Gott, wovon denn? Vom Rumsitzen im Auto? Weil sie einen kleinen Hügel raufgelaufen sind? Die haben doch keine Ahnung, was müde sein heißt. Daß ich nicht lache.«

Aber ihm war keineswegs nach Lachen zumute. Er war ehrlich wütend. Seine Gereiztheit war ohne Übergang in Zorn umgeschlagen. Angela ließ geschwind den Tag Revue passieren – vielleicht ein hastiges Glas auf dem Weg zu den Stallungen? Aber das war so lange her, daß es nicht zählte, ebensowenig wie das eine Bier beim Picknick. Wenn Vater gehässig wurde, lag es immer am Alkohol. Freitags und samstags abends sowie sonntags zur Essenszeit kam er heim, nicht im mindesten betrunken – er betrank sich nie –, und verlangte unvermittelt, von seiner Familie unterhalten zu werden. Jeder versuchte, sich zu drücken. Angela wollte sich still nach oben verziehen, doch gerade auf ihre Anwesenheit legte er den größten Wert. »Setz dich«, befahl er, »gib was zum Besten.« – »Weiß nichts«, sagte sie dann störrisch und ein wenig ängstlich. »Dann denk dir was aus«, sagte er, während Mutter ihm einen vollbeladenen Teller vorsetzte. »Wo bist du heute gewesen? Wen hast du getroffen?« zischte er zwischen den Bissen hervor. »Hm? Nun red schon – hast du die Sprache verloren?« Sie vermied es, ihn anzusehen. Sorgsam bedacht, sich ihren Abscheu nicht anmerken zu lassen, saß sie brav am Tisch, die Augen auf das Tischtuch geheftet, und wartete, daß die Mutter ihn ablenkte, auf daß sie hinauf ins Bett gehen konnte.

Aber Vater hatte nichts getrunken. Es war einfach das Alter, das seinen Zorn dermaßen herausforderte. Sein Ausflug war zu Ende, und sein Bedauern, daß das Vergnügen nicht endlos währte, schürte seine Aggressivität. Er brauchte Trost, aber niemand war bereit, ihm diesen Trost zu schenken.

Sadie haßte Max, das behauptete sie jedenfalls, und sie benahm sich auch so. Sie war geduldig mit Saul, und Tim hatte sie einigermaßen gern, aber Max haßte sie. Er stand ihr altersmäßig am nächsten und war ihr ständiger Feind. Es schmerzte Angela, das Ausmaß ihres Hasses zu sehen. Was der arme tolpatschige Max auch tat, Sadie machte sich darüber lustig – was er auch sagte, sie äffte ihn nach. Sie unterdrückte ihn bei jeder Gelegenheit, und im normalen Verlauf des Familienlebens ergaben sich derartige Gelegenheiten sehr oft. Manch-

mal geschah es Max ganz recht. Er konnte aufreizend langsam und schwer von Begriff sein und verbissen an einer Einzelheit festhalten, die längst erledigt war. Doch andererseits konnte er ausgesprochen lieb sein. Er drückte sich sehr zurückhaltend aus, wenn er Gefühl und Verständnis zeigte, und gerade dann ging Sadie auf ihn los. »Warum tust du das?« fragte Angela hinterher. »Warum bist du so gemein zu ihm?« Doch Sadie gab nur ein gereiztes Murren von sich und stolzierte hinaus. So wurde Angela automatisch Max' Beschützerin. Als er klein war, breitete sie die Arme aus, damit er hineinflüchten konnte, und als er größer war, zahlte sie es Sadie an seiner Stelle heim. Sie lernte erkennen, wann Sadie ihm am schlimmsten zusetzte – sie hatte immer diesen boshaften und verschlagenen Blick, wenn Max, umständlich und mit vor Anstrengung krausem Gesicht, sich in seinen weitschweifigen Schilderungen erging. Und wenn Angela ihn verteidigt hatte, fing sie einen anderen Blick von Sadie auf – sie erwischte gerade noch einen Zipfel von Eifersucht und Verwirrung, bevor Sadie nach ihrer Niederlage davonrannte. Angela wußte, daß Sadie diejenige war, die am dringendsten Hilfe brauchte, doch sie war unfähig, sie ihr zu geben.

Am Abend vor dem vorletzten Tag begannen Mutter und Vater für die Heimreise zu packen.

»Wenn wir's jetzt tun«, sagte Mutter, »haben wir's hinter uns.«

»Hat keinen Sinn, es rauszuschieben«, meinte der Vater, »wir wollen lieber zeitig anfangen, dann brauchen wir uns nicht zu hetzen.«

»Die Woche ist noch nicht rum«, sagte Angela verstimmt, und damit reagierte sie exakt so, wie der Vater es wollte. »Wir haben noch zwei ganze Tage. Müßt ihr euch die unbedingt mit Packen verderben?«

»Damit verderben wir sie doch nicht«, sagte der Vater.

»Doch, und ob – immer dieses Vorausdenken, statt die Gegenwart zu genießen.«

»Oh, man muß aber vorausdenken«, sagte der Vater, »damit alles rechtzeitig fertig wird, und überhaupt. Sonst kämen wir schön ins Gedränge, was, Mama?«

»Meinst du?« sagte die Mutter, aber sie war genauso schlimm wie er, immer einen Schritt vorauseilend, ständig über Hindernisse setzend, die keine waren.

»Der Koffer ist doch in fünf Minuten gepackt«, sagte Angela, »ihr braucht wirklich nicht schon jetzt damit anzufangen.«

»Wir sind nicht so flink wie du, Angela«, sagte die Mutter, »wir brauchen länger. Wir sind alt und langsam.«

»Ach, mach dich doch nicht lächerlich«, erboste sich Angela, »das hat nichts mit älter oder langsam sein zu tun. Das ist eine Lebensanschauung.«

Keiner von beiden sagte etwas. Vater verzog den Mund zu einem kaum merklichen, eigentümlichen Lächeln. Der verstohlene Blick, den die Mutter ihm zuwarf, war ebensowenig mißzuverstehen wie die Geste, mit der Vater Mutters Hand drückte, als er ihr ein Paar Socken reichte, die in den Koffer sollten. Er wünschte, daß Mutter deutlich machte, daß sie sich manchmal mit ihm gegen die Kinder verbündete. Angela hatte Ideen, mit denen sie beide nichts anfangen konnten, und er wollte unbedingt, daß dies klar wurde. Aber Mutter ließ sich nicht dazu verleiten. »Um welche Zeit fahren wir Samstag ab?« fragte er.

»Warum willst du das wissen?« sagte Angela. »Ist das so wichtig? Du mußt ja keinen Zug erwischen.«

»Natürlich ist es wichtig«, sagte der Vater, »wir müssen schließlich alles organisieren, fürs Wochenende einkaufen. Was soll's Sonntag mittag zu essen geben, Mama? Wie wär's mit 'nem Stück Schinken?«

»Aber nicht so einen wie letztes Mal«, sagte die Mutter. »So ein ekliges fettiges knorpeliges Zeug.«

»Da siehst du's«, sagte der Vater munter, »immer hat sie was auszusetzen. Bald gibt's keine Speisekarte mehr, zurück in die Küche, marsch, marsch. Wann fahrt ihr weiter nach London, wenn ihr uns abgesetzt habt?«

»O Gott«, sagte Angela, »Ich weiß es nicht, und es ist mir auch egal.«

»Ich habe keine einzige Postkarte verschickt«, sagte die Mutter unvermittelt.

»Wem willst du denn Postkarten schicken?« fragte der Vater.

»Niemand. Damit kann ich mich nicht abgeben. Aber sie erwarten es von mir – Mrs. Collins und die anderen. Sie schickt mir immer eine Karte.«

»Wir gehen heute vormittag welche kaufen«, sagte Angela.

»Du bist aber reichlich spät dran«, sagte der Vater und schürzte die Lippen.

»Ich weiß.«

»Es ist immer noch früh genug«, sagte Angela.

Sie kauften in Port Point sechs Farbpostkarten, während die anderen zum Minigolfplatz gingen. Mutter behauptete, ihr sei es gleichgültig, wie die Karten aussähen – Angela solle die aussuchen, die ihr gefielen –, aber dann zeigte sie sich doch höchst wählerisch. Sie überlegte angestrengt, wer welche Karte bekommen sollte, und dann diktierte sie widersprüchliche Mitteilungen, bis Angela hoffnungslos verwirrt war. Sie bemühte sich jedoch, ihr Befremden zu verbergen. »Schreib, ›verbrachte eine nette‹ – nein, ›angenehme – Woche in der Nähe von Port Point – Wetter nicht schlecht‹ – nein, schreib ›Wetter unterschiedlich – bin viel herumgekommen und habe ein paar schöne Ausflüge gemacht‹ – nein, das ist zu harmlos – schreib, ›habe eine interessante Exkursion unternommen‹ – nein, dann denkt sie, das war eine Busfahrt – schreib, ›gestern sind wir in die Bodmin Heide gefahren und hatten ein köstliches Picknick bei herrlichem Sonnenschein.‹ Das wär's. Und was könnte ich Mrs. Collins schreiben?«

»Dasselbe«, schlug Angela vor.

»O nein«, sagte die Mutter, »das geht nicht. Ach, mir fällt nichts ein, was ich ihr schreiben könnte.«

»Ist das so wichtig?«

»Das sagst du immer – natürlich ist es wichtig –« Mutters Gesicht färbte sich dunkelrot, und ihr Auge zuckte heftig, »dir ist ja nichts wichtig – immer sagst du ›ist das so wichtig‹, wenn's natürlich wichtig ist.«

»Ich meinte ja nur, du sollst dich nicht so aufregen, wenn's bloß um eine Postkarte geht. Wenn du eine Karte bekommst, suchst du doch auch nicht nach einem versteckten Sinn, oder? Du beurteilst sie nicht nach literarischen Qualitäten. Du guckst, von wem sie ist, und basta. Mach's dir doch deswegen nicht so schwer.«

»Es ist aber schwer«, sagte die Mutter. Der Ausbruch war vorüber. »Ich kann mich nicht mit Nachdenken abplagen, das ist so mühsam.«

»Dann laß doch den ganzen Aufwand und verschick keine Karten.«

»Aber die Leute erwarten es von mir, und es zeigt ihnen, daß ich in Urlaub war.«

»Ach Mutter«, sagte Angela, und sie brachte es zustande, sie zu umarmen. Sie war den Tränen nahe wegen des Theaters, das sie um so eine Kleinigkeit machte. Sie lachten ein wenig und nahmen den Kampf wieder auf, und diesmal ging es leichter.

Nach dem Mittagessen im Hotel schrieben sie den kleinen Stoß Karten fertig, und anschließend gestaltete Angela den Gang zum Postamt zu einem Ausflug. Vater wünschte, daß sie die Mutter im Auto hinführe, aber Mutter behauptete, sie könne durchaus zu Fuß gehen. Sie klammerte sich fest an Angelas Arm, schritt aber recht forsch aus. Ausnahmsweise regnete es nicht, und es wehte nur ein leichter Wind, überdies waren sie durch die dichten Hecken geschützt, die zu beiden Seiten der schmalen Straße wuchsen. Angela wies auf die zahlreichen dazwischen versteckten Blumen hin – pur-

purrote Winden und weiße Wicken, und zwischen dem feuchten Moos am Boden blühten sogar ein paar Schlüsselblumen. Mutter zeigte Interesse und bemühte sich, etwas zu sehen. Doch als sie bei dem winzigen, in einem Krämerladen untergebrachten Postamt anlangten, schnappte Mutter keuchend nach Luft und blickte Angela angsterfüllt an.

»Ich glaube, den Rückweg schaffe ich nicht mehr«, sagte sie, »dein Vater wird bestimmt böse.«

»Ach was.«

»Hätte ich nur auf ihn gehört. Nicht einmal einen kurzen Spaziergang bringe ich zustande.«

»Wir setzen uns ein Weilchen hin«, sagte Angela.

»Wohin denn? Wo? Ich sehe nirgends eine Bank.« Mutter stöhnte leise und sah sich verzweifelt um.

»Ich hole einen Stuhl aus dem Laden«, sagte Angela.

»Aber das geht doch nicht –«

»Klar geht das« – und ehe Mutter neue Einwendungen machen konnte, hatte sie die Frau, die in dem Laden bediente, gefragt, ob sie wohl einen Stuhl herausbringen könne, und er wurde sogleich bereitwillig gebracht. Mutter ließ sich darauf fallen, und Angela rief Ben an, er möge mit dem Wagen kommen. »Ich bin ja so lästig«, sagte Mutter unter Tränen.

Als sie zum Hotel kamen, wartete der Vater schon. Er stand mit finsterem Gesicht, die Arme verschränkt, auf der Treppe. Angela gab ihm mit einem Blick zu verstehen, er möge den Mund halten, aber er sagte: »Du hättest sie nicht so weit laufen lassen dürfen. Das hättest du dir doch denken können.«

»Sie wollte aber laufen«, sagte Angela.

»Ob sie's wollte oder nicht«, sagte der Vater, »du hättest es nicht zulassen dürfen – sie kann nicht tun, was sie will, in ihrem Zustand.«

»Ich dachte, es würde ihr guttun.«

»Es bekommt ihr aber nicht.«

»Sie kann nicht ihr Leben lang im Sessel sitzen – sie muß manchmal was tun, sie muß auch mal was wagen.«

»Soso, du hast gut reden – und wer muß dafür zahlen? Wer kümmert sich um sie, wenn sie krank ist? Der alte Trottel, jawohl. Du hast ja keine Ahnung.«

Ihre Stimmen waren laut geworden, als sie sich über Mutter stritten wie über einen leblosen Gegenstand, während sie hinter ihnen im Auto wartete. »Paß um Himmels willen auf, daß Mutter sich nicht noch Vorwürfe macht«, sagte Angela, »sie hat sowieso schon Angst davor, was du sagen wirst.«

»Das will ich meinen«, sagte der Vater in bedrohlichem Tonfall, doch als er die Wagentür öffnete, lauteten seine ersten Worte: »Nur keine Sorge, Mädchen, immer schön langsam.«

»Mir fehlt nichts«, sagte die Mutter, »kein Grund zur Aufregung.«

»Kein Mensch regt sich auf«, sagte er und bewies das Gegenteil, indem er sie mit noch übertriebenerer Fürsorge behandelte. »Je eher ich dich wieder zu Hause habe, desto besser«, sagte er. »Muß dich im Auge behalten. Du bist dieses dauernde Rumreisen nicht gewöhnt, das kommt davon, zuviel Abwechslung.« Mutters Stöhnen verschlimmerte sein Getue nur noch.

Noch einmal fuhren sie zu den Klippen hinauf. Noch einmal saß Mutter an einer geschützten Stelle in Decken gehüllt auf einem Stuhl. Der quer zum Wasser geparkte Wagen diente als Windschirm, obgleich es windstill war. Noch einmal machten sie Spiele, und die Mutter saß, in sich zusammengesunken, mit geschlossenen Augen dabei. Schuldbewußtsein lauerte in der Luft, schwebte dort oben mit den Möwen, deren Kreischen eine melancholische Begleitmusik bildete zu der Unruhe, die alle erfüllte. Vater beteiligte sich eine lange Weile nicht an den sportlichen Aktivitäten. Er stand vor dem Haufen Dekken, in denen die Mutter steckte, sah mit verschränkten Armen auf sie herab, musterte sie kritisch, stopfte eine Decke fester um ihre Schultern. Mit keinem Wort, mit keiner Geste verriet sie, daß sie seine Anwesenheit wahrnahm. Als eines der Kinder laut »Opa!« rief, legte er einen Finger an die Lippen und bedeutete ihnen wegzugehen. Doch Angela winkte er heran, und sie ging zögernd zu ihm.

»Na, was meinst du, wie sieht sie aus?« fragte er.

»Sie ist müde«, sagte Angela, »weiter nichts.«

»Ihr Aussehen gefällt mir nicht«, sagte der Vater. Angela wandte sich abrupt ab und starrte auf die See hinaus. Die Flut hatte eingesetzt, und das Wasser schoß in die schmalen Schlickbuchten, wo kleine Boote auf dem Trockenen lagen.

»Ihr Aussehen gefällt mir ganz und gar nicht«, wiederholte der Vater, »'türlich, sie ist selbst schuld – sie kennt ihre Grenzen, sie wußte, daß ich recht hatte, sie wußte von vornherein, daß es zuviel für sie war, aber dann kriegt sie so komische Ideen und denkt, sie verdirbt alles, und jetzt stehen wir da. Und sie macht sich Sorgen, was aus ihr wird – als ob ihr das weiterhelfen würde – ich sage ihr immer, es kommt eben, wie's kommen muß, aber es ist zwecklos. Sicher, sie ist überanstrengt, hat's ja auch nicht leichtgehabt, das steht nun mal fest, mit ihrem Arm und dem Bein, und der Rücken macht ihr auch zu schaffen, aber zu dir sagt sie natürlich kein Wort davon, und dann ist sie deprimiert und spricht vom Sterben, dabei rede ich ihr das jedesmal sofort aus – und sie vermißt die Familie, das ist das Schlimmste –«

»Ich muß Tim aus dem Loch rausholen«, sagte Angela und lief unnötig schnell zu Tim, der ganz fröhlich bis zu den Knien im Schlamm steckte und einen Ball suchte. Ben, von ihren simulierten Angstschreien aufgeschreckt, drehte sich um, das Cricketspiel wurde unterbrochen. Angela zerrte Tim unsanft hoch, sie konzentrierte sich dermaßen auf ihr Tun, als ginge es um sein Leben. »Spielt weiter«, rief sie den anderen zu, »macht nur weiter – macht weiter, könnt ihr denn nicht – um Himmels willen – ich kümmere mich schon um Tim.« Sie schimpfte über seine schmutzigen Schuhe; sie kauerte sich neben ihn und rieb vergebens mit einer Handvoll kratzigem Seegras seine Beine ab. »Ist doch bloß Schlamm«, sagte Tim. »Ich weiß, daß es bloß Schlamm ist«, sagte Angela. »Warum hast du dann so geschrien? Ich hab doch gar nichts Schlimmes gemacht.« – »Das weiß ich doch. Psst.«

Langsam gingen sie zum Vater, so langsam, wie Angela sich traute. Sie preßte eine Hand an ihre hämmernde Schläfe. Sie versuchte, tief durchzuatmen, bemühte sich, ihre Gedanken von Mutters eingesunkener Gestalt und dem wie ein Wächter davorstehenden Vater wegzulenken. Doch sosehr sie sich auch auf die Wolken über ihr oder die See weit vor ihr konzentrierte, ihr Blick wurde zu den beiden einsamen Gestalten hingezogen. Bald würden sie Mutter nach Hause bringen, wo sie Schritt für Schritt verfiel; ihrem jämmerlichen Tageslauf preisgegeben, Vaters alles verschlingender Obhut ausgeliefert, würde sie tiefer und tiefer in Verwirrung und Qual versinken. Sie war ihre Tochter, ihre über alles geliebte Tochter, die sie einst mit unerschöpflicher Fürsorge überschüttet hatte, und nun, da sie gebraucht wurde, rannte sie einfach davon. Sie dachte nur an Flucht.

»Was war denn da los?« fragte Sadie, die des kindlichen Spiels überdrüssig war und ihr entgegenkam. Sie hatte die anderen im Stich gelassen und ihnen das Spiel verdorben.

»Nichts.«

»Man hätte meinen können, er war kurz vorm Ertrinken.«

»Stimmt ja gar nicht«, sagte Tim.

»Ich weiß. Entschuldige.«

»Du hast Oma einen Schreck eingejagt. Sie hat die Augen aufgemacht und sich gerade hingesetzt. Was ist denn passiert?«

»Es war mir einfach zuviel.«

»Was war dir zuviel?« Sadie zog die Stirn kraus und blieb stehen. »Ich weiß nicht, wovon du redest«, sagte sie.

Angela war versucht zu sagen »Das wirst du bald wissen«. Derartige finstere Drohungen pflegten die Trewicks gewöhnlich vor sich hin zu brummen. »Du wirst es wissen, wenn es zu spät ist«, sagte der Vater immer, wenn Angela ihn bat, ihm ein bestimmtes Verhalten der Erwachsenen zu erklären, das sie nicht verstand. Mit »wenn es zu spät ist« war stets der Tod gemeint, und fast immer Mutters Tod. Sie alle würden Mutter erst schätzen, wenn es zu spät wäre, oder ihr helfen, wenn es zu spät wäre, oder, wie es am häufigsten hieß, es würde ihnen leid tun, wenn es zu spät wäre. Sadie aber sollte niemals empfinden, was Angela jetzt empfand. Sie und Ben würden nie so werden wie Vater und Mutter, die sie mit allen Fasern des Herzens unlösbar an sich geknüpft hatten. Angela würde aus Sadies Leben gehen, wenn die Zeit käme, und Sadie würde es nicht nötig haben, zu Ausflüchten zu greifen. Und deshalb sagte sie jetzt zu Sadie: »Ach laß nur – es ist nichts – vergiß es.«

In Port Point kauften sie Eis als Abschiedsschleckerei, große Hörnchen Softeis, in dem Schokoladewaffeln steckten. Mutter liebte Eis über alles. Sie verschlang die ganze Portion doppelt so schnell wie die Kinder die ihre. »Das war fein«, sagte sie, »das einzige, das meinem Mund wohltut.« – »Was ist mit deinem Mund?« fragte Angela. »Ach nichts – wund ist er – das ist alles – meine Zähne sitzen nicht richtig – sie verrutschen, und dann setzt sich das Essen darunter fest und scheuert – ach, das ist ein einziger Murks, genau wie ich selbst.«

Mutter und Vater hatten keinen Zahnarzt. Vater besaß noch seine eigenen Zähne, jedenfalls die Hälfte, gelbliche oder schwärzliche Stummel, aber immerhin Zähne. Mutter hatte überhaupt keine eigenen Zähne mehr. Sie waren ihr sämtlich gezogen worden, als sie dreizehn Jahre alt war – sie erinnerte sich nicht mehr, warum. Sie saß auf einem hohen Stuhl im Sprechzimmer, und ihr Vater hielt ihre Hand. Sie hatten ihr einen schwarzen Latz umgebunden und ihren Schoß mit einer Gummischürze bedeckt, dann hatten sie ihr einen Schluck Whisky eingeflößt, worauf sie Brechreiz bekam und würgen mußte. Dann stemmten sie ihren hübschen, weichen kleinen Mund auf und zogen ihr sämtliche Zähne. Sie sagte, sie könne sich nicht mehr an alles erinnern, nur an die große warme Hand ihres Vaters, welche die ihre umklammert hielt, und an seine rauhe Stimme, die sie lobte, sie sei ein braves Mädchen. Drei Monate lang lief sie mit einem Schal vor dem Gesicht herum und war verlegen, wenn jemand sie ohne sah. Sie aß nur süße Mandelspeise und in Milch getunktes Brot und zog sich noch mehr als sonst vor Fremden zurück. Man verpaßte ihr ein künstliches Gebiß, plump und grob, das wie ein Schraubstock an ihrem Gaumen klemmte. Sie hatte seitdem zweimal ein neues bekommen, jedes schlechter als das vorige.

»Das lassen wir auf der Stelle untersuchen«, sagte Angela.

»Ach was«, sagte die Mutter, indem sie mit der Hand über ihr müdes Gesicht fuhr, »das ist wirklich nicht nötig. Ich bin daran gewöhnt. Ich hätte nicht davon sprechen sollen.«

»Aber natürlich sollst du davon sprechen«, rief Angela, »das ist doch selbstverständlich – immer dieses stillschweigende Leiden – ich kann's nicht ertragen – das ist so dumm, so –«

»Jetzt reicht's aber«, sagte der Vater und hielt warnend den Finger in die Höhe.

Angela war eine gute Krankenpflegerin. Sie verstand es, es kranken Menschen behaglich zu machen, und, was noch wichtiger war, sie flößte Vertrauen ein. Ihre Kinder fühlten sich besser, sobald sie ihr gesagt hatten, daß ihnen nicht gut sei. Doch sie hatte ein scharfes Auge für Simulanten, und niemand konnte besser simulieren als Sadie. Angela hatte kein Verständnis für die Feigheit ihrer Tochter. Wenn Sadie erkältet war, blieb sie aus der Schule, obwohl sie gern zur Schule ging. Wenn sie erhöhte Temperatur hatte, verlangte sie Aspirin, und bei jeder Art von Ausschlag legte sie sich ins Bett. Medikamente begeisterten sie. »Ich habe meine Medizin noch nicht genommen«, ermahnte sie Angela. »Der Doktor hat gesagt, alle vier Stunden.« – »Ach, das mußt du nicht so ernstnehmen«, sagte Angela dann, brachte ihr jedoch beflissen die Medizin und etwas zu trinken, strich das Bett glatt, und Sadie sonnte sich in ihrer Fürsorge. Angela konnte sich nicht enthalten, hin und wieder zu sagen: »Ich habe mich in die Schule geschleppt, wenn es mir viel schlechter ging, als es dir je ergangen ist. Ich habe es meiner Mutter nicht einmal gesagt, wenn ich mich nicht wohl fühlte.« – »So was Dummes«, erwiderte Sadie schnippisch, und Angela sah ein, daß sie recht hatte.

8

Angela warf sämtliche Pläne um. Ben hielt ihr vor, sie nehme sich die Sache zu sehr zu Herzen, aber sie war fest entschlossen, Mutter in dieser Angelegenheit nicht im Stich zu lassen. Anstatt Mutter und Vater Samstag morgen abzusetzen und gleich nach London weiterzufahren, blieben sie bis zum Abend, wodurch ausgerechnet der Abschnitt der Ferien, den sie am meisten gefürchtet hatte, qualvoll ausgedehnt wurde. Sie ließen Mutter und Vater nicht auf der Türschwelle stehen. Sie stürzten nicht hastig eine Tasse Kaffee hinunter und verschwanden. Sie wurden Zeuge des ganzen deprimierenden Rituals einer Trewickschen Heimkehr.

In der Sekunde, als sie ins Haus traten, durchquerte Mutter mit erstaunlicher Schnelligkeit das Wohnzimmer und riß die Blätter von dem Kalender ab, der über dem Kamin hing – sechs energische Risse an dem perforierten Rand entlang, und nichts blieb übrig als ein Pakken zerknüllter Papierschnipsel in ihrer Hand.

»So, das wäre erledigt«, sagte sie zu Angela, indem sie drohend die Hand mit den Kalenderblättern erhob, »meinen Urlaub habe ich hinter mir. Nun werde ich wohl wieder ein volles Jahr in diesem Zimmer festsitzen.«

»Nein«, widersprach Angela, »bald ist es Sommer, dann kannst du in den Garten hinaus.«

»Da wird's mir zu heiß«, sagte die Mutter, »zu heiß oder zu kalt – das liegt an mir, nicht am Wetter. Ich fühle mich nie richtig wohl.«

Im Hintergrund rief der Vater: »Ich hab den Koffer ausgepackt – wohin damit – auf den Kleiderschrank oder unters Bett? Hm?« – und darauf setzte die endlose Aufzählung all der Kleinigkeiten ein, über die seiner Meinung nach unverzüglich entschieden werden mußte.

»Die Milch muß bestellt werden – wieviel? – und das Gemeindeblatt muß abgeholt werden, und soll Mrs. Collins morgen vorbeikommen wie gewöhnlich?«

»Mir egal«, sagte die Mutter.

»Aber so geht's nicht«, sagte der Vater, »sie will's wissen – Sonntag ist Sonntag – du kannst mit den Leuten nicht so umspringen, bloß weil du in Urlaub warst – also ja oder nein?«

»Meinetwegen, wenn sie vorbeikommen will, aber eigentlich hab ich ihr nichts zu sagen, und sie redet 'ne Menge dummes Zeug.«

»Kann schon sein«, sagte der Vater, »aber wir müssen uns mit dem begnügen, was wir kriegen können, und das ist nicht viel, wenn Angela erst weg ist. Auf Mrs. Collins ist Verlaß – sie ist eine gute Nachbarin.«

»Langweilig ist sie«, sagte die Mutter.

Die Kinder fingen Streit an, lärmend und in vollem Ernst. Keines war mit der Fahrtunterbrechung einverstanden – die Ferien waren zu Ende, und nun zog es sie nach Hause. Vor dem Hintergrund ihres Gezeters und von Vaters Geschimpfe, sie sollten den Mund halten oder sie würden seine Handschrift zu spüren bekommen, rief Angela beim Zahnarzt an, zu dem sie früher immer gegangen war, und machte für den Nachmittag einen Termin aus. Es war ein einmaliges Entgegenkommen, das sie nur ihrer raffinierten Einschüchterungsmethode verdankte, die sie sich im Laufe der letzten zehn Jahre angeeignet hatte. »Du warst ziemlich unverschämt«, sagte die Mutter, sobald sie aufgelegt hatte. »Die haben es nicht anders verdient«, sagte Angela. »Dabei bin ich gar kein Notfall«, sagte die Mutter, »also wirklich, so ein Schwindel.« – »Und ob du ein Notfall bist. Seit mehr als fünfzig Jahren bist du ein Notfall, du mußt ja Höllenqualen ausgestanden haben mit diesen beschissenen Zähnen.« – »Nicht fluchen«, sagte die Mutter, »und du solltest dafür sorgen, daß deine Kinder was zu essen kriegen, sie machen solchen Lärm.« – »Ich hab nicht die Absicht, sie abzufüttern«, sagte Angela, »sie haben sich so lange vollgestopft, und jetzt sollen sie meinetwegen fasten. Das tut ihnen gut.«

Aber sie schickte sie mit Ben los, um in der Stadt irgendwas aufzutreiben. Mutter und Vater bekamen eine bläßlich orangefarbene, ekelerregende Tomatensuppe aus der Dose vorgesetzt, die sie jedoch gierig verspeisten. Dann sagte der Vater: »Es ist zehn vor«, und Mutter machte sich fertig. Sie ging dabei mit äußerster Sorgfalt vor, sie wusch sich, zog frische Sachen an und ihr bestes Kleid. Sie legte sogar ein wenig Makeup auf, tupfte mit ihrer gesunden Hand oberhalb der Wangenknochen etwas Puder aufs Gesicht und trug einen Klecks Lippenstift auf den eingefallenen Mund auf. Vater blickte zufrieden drein, als sie wieder erschien. Er hatte es immer gern gesehen, wenn sie sich sorgfältig zurechtmachte, sich mit soviel Schick kleidete, wie es ihr möglich war, und als die elegante Dame auftrat, die er in ihr sah. »Der Hut sitzt nicht richtig«, sagte er, als sie fertig war. »Wie ein besoffener Seemann siehst du aus – komm, ein bißchen mehr auf den Hinterkopf, so, so ist es besser. Ich weiß nicht, wie du rumliefest, wenn ich nicht aufpassen würde.«

Wie Mutter da so vor ihm stand, blinzelnd und demütig, forderte sie solche Bemerkungen geradezu heraus.

Angela half ihrer Mutter behutsam aus dem Wagen und kanzelte das Mädchen beim Zahnarzt, das sich beim Türöffnen viel Zeit ließ, unsanft ab. »Du hättest sie nicht so anfahren sollen«, sagte die Mutter. Sie saßen zwanzig Minuten im Wartezimmer. Angela holte einen Stoß Zeitschriften und hielt sie der Mutter hin, doch sie lehnte ab. »Ich kann ja doch nichts sehen«, flüsterte sie, »ich bleibe einfach so sitzen.« – »Ich kann dir was vorlesen«, sagte Angela. »Nein danke, es geht schon.« Mit den anderen Leuten im Zimmer wollte die Mutter auf keinen Fall reden. Sie musterte die Anwesenden verstohlen und bemühte sich, sehr aufrecht zu sitzen, kerzengerade, indem sie die Stuhllehne ganz fest umklammerte. Angela schritt nervös in dem schäbigen Zimmer auf und ab, fand etliches auszusetzen und äußerte ihre Kritik laut, um allen zu beweisen, daß sie sich von der Atmosphäre und der Situation nicht einschüchtern ließ. »Du lieber Gott«, rief sie aus, »die könnten doch wirklich mal die Aschenbecher ausleeren – igitt.« – »Setz dich hin, die Sachen gehen dich nichts an«, sagte die Mutter mit erschrockener Miene. »Ist dir kalt?« fragte Angela. »Soll ich den Gasofen anzünden?« »Nein, nein«, sagte die Mutter, »mir ist warm genug – faß die Sachen nicht an.«

Schließlich setzte sich Angela neben die Mutter, tappte jedoch unentwegt ungeduldig mit dem Fuß, gewillt, alles zu kritisieren, was ihr auffiel. Jahr um Jahr dasselbe Theater – Wartezimmer mit Mutter, die sie wie Heiligtümer behandelte. Jahre der Scheu und Demut, die schließlich in großer Ehrfurcht vor allem, was einen weißen Kittel trug, gipfelte. »Du mußt ganz brav sein«, sagte Mutter, als sie Angela mit ihrem eitrigen Finger ins Krankenhaus brachte. »Du mußt ganz ruhig sitzen und tun, was man dir sagt.« Der antiseptische Geruch verursachte ihr Übelkeit, doch sie preßte die Lippen fest zusammen und befolgte gehorsam Mutters Anweisungen. Die Ärztin war eine große und stämmige Frau mit kurzen eisgrauen Haaren und einer männlichen Stimme. »Den müssen wir aufstechen«, brummte sie, »der sieht ja übel aus. Halt jetzt still, Kind, nicht zappeln. Du bist doch hoffentlich tapfer, was? Machst kein Theater, wenn die Nadel piekst?« Angela wurde ohnmächtig. Mutter wurde verlegen und entschuldigte sich in einem fort. Die ersten Worte, die Angela vernahm, waren: »Es tut mir so leid – sie ist erst sechs – sie ist sonst ein braves Kind.« Sie durften sich eine Weile ins Büro der Sekretärin setzen, ehe sie im Bus nach Hause fuhren, und obwohl die Mutter sie liebkoste und wegen der schrecklichen Operation bedauerte, war Angela jämmerlich zumute, weil sie die Mutter blamiert hatte. Unendlich viele ähnliche Situationen kamen ihr in den Sinn. Ärzte, überhaupt alle, die etwas mit Medizin zu tun hatten, waren Götter, die unbewegt über das Schicksal der Menschen entschieden. Man sprach im Flüsterton von ihrer Kunst, und alles, was sie sagten, wurde befolgt, ohne an ihrer unendlichen Weisheit zu zweifeln. Von der Möglichkeit, einen zweiten Arzt zu konsultieren, hatte man nie etwas gehört, und Zweifel waren mit Dankbarkeit nicht in Einklang zu bringen.

Die Mutter fuhr hoch, als sie aufgerufen wurde; sie rappelte sich im Nu auf die Beine und zupfte Angela am Ärmel. »Nun mal langsam«, sagte Angela, »der kann auf uns genauso warten, wie wir auf ihn gewartet haben.« – »Pst«, machte die Mutter beschwörend. Der bloße Anblick des Behandlungszimmers ließ sie ganz unterwürfig werden. »Guten Tag, Mrs. Trewick«, sagte der Zahnarzt mit einem breiten Lächeln, indem er auf den Stuhl wies, »und Angela – meine Güte, du bist – Sie sind erwachsen geworden – wie lange ist es her, seit Sie im Turnhöschen hier saßen, hm?« Er lachte schallend, und Angela wunderte sich, wieso sie ihn nie für unanständig gehalten hatte. Im Gegenteil, ihre Freundinnen und sie fanden ihn aufregend – keine von ihnen hatte sich während der Schulzeit gegen die überflüssigen Umarmungen gewehrt, die er sich beim Bohren herausnahm. Sie liebten seine Umarmung, wenn er flüsterte: »Jetzt ein bißchen spülen«, und den Druck seiner Hand, wenn er sie tröstete, falls er ihnen wehgetan hatte. Angela war stolz, daß sie zu ihm ging. »Ich habe jetzt einen Zahnarzt«, sagte sie mit dreizehn zu Hause, »ich gehe nicht mehr zum Schul-Zahnarzt.« Sie hatte alles allein arrangiert, indem sie sich die Erfahrungen ihrer neuen Freundinnen auf dem Gymnasium zu eigen machte.

»Na, wo fehlt's denn, Mrs. Trewick?« fragte er auf diese gönnerhafte Art, an die Angela sich so gut erinnerte – in diesem leicht verletzenden, doch immer höflichen Ton, der den Alten, den Dummen und den Armen vorbehalten war.

»Mein Mund ist wund«, sagte die Mutter nervös.

»Dann wollen wir ihn uns mal ansehen. Würden Sie bitte Ihre Zähne herausnehmen?«

Im Nu waren sie draußen und lagen wie frisch ausgegrabene Fossilien auf dem bereitstehenden Tablett. Reste von Haftpulver klebten noch an den unteren Zahnrändern, und Angela wurde bei diesem Anblick der Mund ganz trocken. Vorsichtig und sanft stocherte der Zahnarzt in Mutters gemartertem Mund herum, und während sie anschließend die rosafarbene antiseptische Lösung schluckte, die er ihr gegeben hatte, untersuchte er ihr Gebiß.

»Tja«, sagte er mit einem verächtlichen Blick auf die falschen Zähne, während er seine Hände bedächtig an einem strahlend weißen Handtuch abwischte, »es besteht kein Zweifel, daß diese Dinger die Ursache des Übels sind. Die sitzen nicht richtig, nicht wahr?«

»Stimmt«, sagte die Mutter.

»Ich vermute, die haben nie richtig gepaßt. Die sind ein Skandal, eine Schande für die Zahnmedizin.«

Mutters Augen wurden verdächtig feucht. »Der springende Punkt ist«, unterbrach Angela energisch, »was kann man da machen? Es hat wenig Sinn, meiner Mutter zu erzählen, daß man ihr ein miserables Gebiß verpaßt hat – der springende Punkt ist, was kann man da unternehmen?«

Mutters Tränen machten purem Entsetzen Platz. »Aber Angela«, sagte sie.

»Lassen Sie nur«, beschwichtigte der Zahnarzt, »sie hat ganz recht. Ich hätte Ihnen gleich sagen sollen, daß nicht einzusehen ist, warum Sie es nicht hundertprozentig besser haben sollen – Sie brauchen einfach ein neues Gebiß. Das wird allerdings etwas kompliziert; denn der Gaumen ist natürlich geschrumpft, und die Prothese wird schwierig einzupassen sein – wir werden sehr oft probieren müssen, und das erfordert Zeit und Geld.«

»Ach, das muß doch nicht sein«, sagte die Mutter schnell. Sie schnappte sich ihre Zähne von dem Tablett und setzte sie wieder ein, wobei sie Angela und dem Zahnarzt den Rücken zuwendete. »Die genügen mir«, sagte sie. »Die tun's bis an mein Lebensende. Gehen wir – und vielen Dank auch.«

»Warte«, sagte Angela.

»Das halte ich nicht durch«, sagte die Mutter erregt. »Das schaffe ich nicht, das ewige Hin und Her und das ganze Drum und Dran – und dein Vater würde die Wände hochgehen!«

»Wie viele Sitzungen wären erforderlich?« fragte Angela. Sie funkelte den Zahnarzt böse an, der von ihrer plötzlichen Feindseligkeit sichtlich betroffen war.

»Oh, drei oder vier – sagen wir vier, und dann die endgültige Einpassung, um ganz sicherzugehen.«

»Dann lassen wir es machen, wenn ich das nächste Mal hier bin, und ich bringe dich zu jeder Sitzung her, Mutter. Können wir jetzt die Termine für August vereinbaren, damit die Sache perfekt ist?«

Mutter zögerte und sträubte sich und gab laut zu bedenken, ob das alles die Mühe wert sei, doch Angela hatte so entschieden gesprochen, daß es einfacher war nachzugeben. Und bis August war es ja noch lange hin. Der Zahnarzt schüttelte ihnen überaus herzlich die Hände und eilte zur Tür, um sie ihnen höchstpersönlich aufzuhalten.

Schon als drei Monate altes Baby wurde Sadie zum Zahnarzt mitgenommen. Sie lag in einer Tragetasche, während in Angelas Zähnen gebohrt wurde. Später saß sie angeschnallt im Sportwagen und lachte über das helle Schrillen des Bohrers. Sie ging immer mit Angela, bis sie zur Schule kam und zweimal jährlich ihren eigenen Termin beim Zahnarzt bekam. Sie freute sich auf diese Besuche. Der Zahnarzt hatte eine Schachtel mit kleinen Plastikspielsachen, und die Kinder durften darin herumstöbern, nachdem er ihnen in den Mund geschaut hatte. Sadie suchte sich vergnügt ein Spielzeug aus, und da bei ihr nie etwas gemacht werden mußte, hatte sie nichts dagegen, den Mund aufzusperren. Sie rannte zu der Schachtel, ohne den Zahnarzt zu beachten, und Angela mußte sie ermahnen, sich zuerst auf den Behandlungsstuhl zu setzen. Sadie benahm sich dem Zahnarzt gegenüber ziemlich herablassend. Wenn er sie fragte, ob sie schöne Ferien hatte, sagte sie »Ja«, und wenn er sich erkundigte, ob sie gern zur Schule ging, antwortete sie überheblich: »Selbstverständlich.« Als sie älter wurde, schimpfte sie, er sei ein altes Ekel. Als sie zwölf war, schienen sich ihre Zähne zu Angelas Schrecken zu verschlechtern. Innerhalb eines halben Jahres bekam sie ihre ersten drei Füllungen. Es tat nicht weh, aber Sadie machte den Zahnarzt für die Unannehmlichkeiten verantwortlich. »So ein ungeschickter Trottel«, sagte sie, und Angela fürchtete, daß der Zahnarzt es gehört haben könnte. Er riet Sadie zu einer Zahnspange, um den Stand ihrer oberen Zähne zu regulieren. Sadie weigerte sich. »Der Zahnarzt muß es schließlich wissen«, sagte Angela. »Ach Quatsch«, sagte Sadie. »Du solltest auf ihn hören«, meinte Angela. »Warum?« fragte Sadie. »Ich glaube nicht, daß ich eine Spange brauche – der will bloß an meinen Zähnen rumdoktern, weiter nichts. Ich will keine Spange. Es ist mir schnuppe, wie meine Zähne aussehen. Du kriegst mich nicht dazu, so'n Ding zu tragen, und der erst recht nicht.« Und dabei blieb es. Für Sadie war der Zahnarzt keine Autorität.

Sie fuhren in raschem Tempo nach London zurück; Tim schlief hinten im Wagen, und die anderen dösten. Sie lösten sich beim Fahren ab und hielten nur zweimal an, um zu tanken und eine Tasse Kaffee zu trinken.

»Ich finde es gräßlich, im Dunkeln zu fahren«, quengelte Sadie.

»Wir auch«, sagte Ben.

»Warum tun wir's dann? Warum konnte Oma nicht an einem anderen Tag zum Zahnarzt gehen?«

»Weil sie dann überhaupt nicht gegangen wäre«, sagte Angela.

»Ihretwegen sind wir so spät dran«, sagte Sadie, »und müssen zu so 'ner blöden Zeit fahren.«

»Ach halt den Mund«, sagte Angela, »du denkst immer nur an dich und deine Bequemlichkeit.«

»Ich sehe nicht ein, warum auf Oma mehr Rücksicht genommen werden muß als auf uns.«

»Nein, das siehst du tatsächlich nicht ein. Das ist ja das Schlimme – daß du nicht einsehen willst, warum eine arme alte Frau –«

» – Himmel, jetzt geht das schon wieder los, also –«

» – und ihre Gesundheit vor dein Vergnügen gehen.«

»Ich meine doch bloß, ich sehe nicht ein, warum *du* es ausgerechnet heute machen mußtest«, schimpfte Sadie.

»Sei leise – du weckst Tim auf. Ich mußte es tun, weil sie meine Mutter ist und weil es sonst niemand tut. Glaubst du, ich mach das zu meinem Vergnügen? Glaubst du, es macht mir Spaß, immer alle aufzuhalten? Ich würde am liebsten schlappmachen und euch alle euch selbst überlassen – ich hab's satt, mich um alle zu kümmern – mich ewig um Eltern und Kinder zu sorgen – ich hab's bis obenhin satt.«

»He«, sagte Ben leise, »krieg dich wieder ein.«

»Ich bin so müde.«

»Müde sind wir alle«, sagte Sadie, »ist ja auch kein Wunder.«

»Laß mich fahren«, sagte Ben, »versuch du zu schlafen. Und ich wünsche, daß alle still sind – verstanden? Ich will keinen Mucks hören, bis wir vor unserer Haustür sind.«

»Gott sei Dank«, sagte Sadie.

»Keinen Mucks, hab ich gesagt. So. Schnallt euch an. Jetzt wird nicht geschubst, nicht gerangelt und nicht gesprochen.«

Aber Angela konnte nicht schlafen. Sie schloß die Augen und lehnte den Kopf zurück und saß ganz bequem, doch in ihrem Hirn wimmelte es von aufsässigen Gedanken. Es war eine Falle. Sie hätte es wissen müssen – sie *hatte* es gewußt: Eine Mutter zu haben, eine Mutter zu sein, das war eine Anwartschaft auf die Ewigkeit, das Gelöbnis, etwas Unmögliches zu sein. Sie hatte sich so bemüht, die Fessel zu sprengen, aber die war zu stark. Sie wußte nicht, was schlimmer war – die unerträgliche Qual des Unvermögens, die Tochter zu sein, die Mutter brauchte und wollte und auf die sie ein Anrecht hatte, oder das Elend des Unvermögens, die Mutter zu sein, die ihre Tochter brauchte und auf die sie ein ebensolches Anrecht hatte. Niemand war mit ihr zufrieden. Sie konnte Mutter nicht mehr in die Arme nehmen und küssen und mit ihr ein Herz und eine Seele sein. Sie konnte Sadie nicht mehr an sich drücken, Sadie, die sich immer mehr von ihr zurückzog und sich doch wegen jeder Kleinigkeit an sie wandte. Auf beiden Seiten flitzten Autos mit blendenden Scheinwerfern vorüber, das Motorengeräusch vibrierte in ihrem Körper, und vor ihr erstreckte sich schwarz und tödlich die endlose Straße.

Sie rührte sich nicht, als sie endlich anhielten. Alles tat ihr weh, und sie blieb ganz still sitzen, als Ben ausstieg und die Haustür aufschloß, das Licht in der Diele anknipste und die Post von der Matte aufhob. Sadie folgte ihm hinein; sie trug nur ihren eigenen Koffer und verschwand in ihrem Zimmer. Unmittelbar darauf hörte Angela den Plattenspieler laufen, und Popmusik durchrieselte die Nachtluft. »Wo sind wir?« fragte Max auf dem Rücksitz. Sie antwortete nicht. Er gähnte und seufzte und sagte »ah, daheim« und stolperte ins Haus. Ben ging allein hin und her, schleppte Koffer und Taschen und alle möglichen Siebensachen vom Wagen ins Haus, bis sich ein großer Haufen von der Tür bis zur Treppe staute. Ben trug Tim ins Haus und hinauf ins Bett und schickte Saul hinterher. Angela blieb sitzen. Ben packte den Rest aus und kam zu ihr und löste ihren Sicherheitsgurt. »Komm, altes Mädchen«, sagte er. Schließlich raffte sie sich auf und stieg aus; sie war ganz steif, und ihr war ein wenig übel. Im Haus roch es nach ungelüfteten Räumen und nach Farbe. Sie wunderte sich, was denn kürzlich frisch gestrichen worden sein mochte, und ging verdutzt in die Küche.

»So«, sagte Ben, »das wäre überstanden.«

»Nichts ist überstanden«, sagte sie schwerfällig, »es geht immer weiter und weiter.«

»Den Urlaub mit ihnen haben wir überstanden. Du siehst abgespannt aus. Geh ins Bett. Du hast deine Schuldigkeit getan – vergiß sie um Gottes willen eine Weile und ruh dich aus. Sonst wirst du noch krank, und was soll dann aus uns werden?«

Mütter durften nicht krank sein – das verstieß gegen die Regeln. Sie lag im Bett, fühlte sich krank und sagte sich, sie dürfe nicht krank sein. Es gab nichts Schlimmeres auf der ganzen Welt als eine kranke Mutter. Alles schien zum Stillstand zu kommen. Nichts war mehr im Lot. Sogar der Tisch wirkte verkehrt, wenn jemand anders ihn deckte – nichts wurde richtig gemacht. Mutter hatte sie nicht ängstigen wollen, als sie ins Krankenhaus mußte – das besorgte Vater. Seine Besorgnis schlug in Wut um, die sich gegen die Kinder richtete und explodierte, als sie ihr Ziel traf. Sie erwischte zufällig Angela, die mit roten Wangen und voller Vorfreude an der Küchentür stand; sie war auf dem Weg zum Krippenspiel in der Kirche und war ganz aufgeregt wegen der silbernen Flügel, die sie als Erzengel Gabriel trug. Vater rief ihr nach: »Mach nur, daß du fortkommst – hast es ja so eilig – dein Essen hast du runtergeschlungen – geh nur, geh – und bete in der Kirche für deine Mutter – bete, daß sie nicht stirbt, wenn sie nächste Woche ins Krankenhaus kommt.« Ihre Hand erstarrte auf der Türklinke. Angela drehte sich um und sah die Mutter an, die das Geschirr spülte. Mutter machte ein schuldbewußtes und kleinlautes Gesicht. »Hör nicht auf ihn, Angela«, flüsterte sie, »es ist nichts – ich bleib nicht lange dort.« Vater widersprach ihr nicht. Dies war eines der seltenen Male, da er über sich selbst erschrocken war. Niemand ging auf das Gesagte ein. »Also dann, bis nachher«, sagte Angela.

Angela hatte nie behauptet, daß sie nie sterben würde. Als Sadie mit vier Jahren im Kindergarten zum erstenmal mit dem Tod in Berührung kam, weil das Meerschweinchen ihrer Gruppe gestorben war, zeigte sie keine Erschütterung. Sie war fasziniert. Sie erzählte Angela, das Meerschweinchen sei für immer schlafen gegangen. Sie begruben es im Garten, und die Kindergärtnerin benutzte diesen Anlaß, um ihnen einen Vortrag zu halten über die Blumen, die sterben und wieder hervorkommen. Sadie war einigermaßen erstaunt, daß das Meerschweinchen nicht wieder hervorkam. Als sie jedoch später begriff, daß ihr Vater keine Eltern hatte, daß diese Großeltern tot waren, die sie nie gesehen hatte und niemals sehen würde, sah sie den Tod in einem anderen Licht. Wo waren *diese Großeltern? Unter ihren zahllosen Fragen war dies diejenige, die sie am hartnäckigsten verfolgte. Wo waren sie denn nun? Sie wollte es genau wissen. Begraben? Sie war entsetzt. Sie wurde bleich und still bei dem Gedanken an den Sarg und die Leichen zwei Meter unter der Erde (Angela verschwieg ihr nichts). Doch die Tatsache, daß ihre Großeltern bei einem Autounfall ums Leben gekommen waren, half ihr, deren Tod besser zu verkraften – ein Verkehrsunfall war leicht zu begreifen und hatte mit dem normalen Leben nichts gemein. Warum die Menschen starben, beschäftigte sie weit weniger als das, was danach mit ihnen geschah. Eines Abends im Bad schluchzte sie unaufhörlich und flehte Angela an, sie möge sie nicht in einer Kiste in die Erde stecken und sie auch nicht zu Asche verbrennen. »Nein«, versprach Angela, »das tu ich ganz bestimmt nicht, aber es wird noch viele, viele Jahre dauern, bis du stirbst.« – »Du mußt mich immer bei dir behalten«, heulte Sadie. »Ja«, versprach Angela, »ja, ganz bestimmt.« Auf Kosten der Wahrheit hatte sie ihre kleine Tochter vorläufig beruhigt. Der Tod bedeutete nun nicht mehr Maden und feuchte Finsternis, sondern er war nur mehr ein langer Schlaf im eigenen Bett. Sadie sprach eine Zeitlang sehr häufig vom Tod, aber sie tat es sachlich und nüchtern. Als Max zum erstenmal Angst vor dem Tod äußerte, sagte sie ihm, es sei albern, sich vor dem Sterben zu fürchten. Sterben hieß einfach einschlafen. Jeder Mensch starb, so wie jeder geboren wurde, das war ganz natürlich. Man starb nur, wenn man sehr, sehr alt war oder sehr, sehr krank oder sehr, sehr verletzt bei einem Autounfall. Angela hatte ernsthafte Bedenken, als sie hörte, wie Sadie das alles so leichthin abtat, aber sie unternahm nichts dagegen. Womöglich würde demnächst eine Altersgenossin von Sadie sterben, und dann müßte man ohnehin die ganze Sache von vorn erklären. Nach und nach würde sie begreifen, was der Tod bedeutete, und Angela brachte es nicht über sich, sie jetzt damit zu belasten.*

Keiner merkte etwas. Angela war ziemlich erschrocken darüber, daß denjenigen, die sie liebten und ihr am nächsten standen, die frappante Veränderung ihres Äußeren entging. Sie meinte, sie sähe aschfahl aus. Eine Woche lang war sie beim morgendlichen Blick in den Badezimmerspiegel jedesmal aufs neue entsetzt über ihren grauen Teint und die tiefen dunklen Schatten unter den Augen. Niemand erwähnte etwas davon. »Ich sehe verheerend aus«, sagte sie zu Ben, aber er blickte sie nur achselzuckend an und meinte, sie habe schon schlimmer ausgesehen. Den Kindern war ihr Aussehen ohnehin egal, und da sie nur zeitweise in der Schule arbeitete und dort nie mit jemandem regelmäßig oder länger zusammentraf, ergab sich keine Gelegenheit zu einer Bemerkung über ihren Gesundheitszustand. Sie war froh, daß sie zu Hause war, weit weg von Vaters und Mutters forschendem Adlerblick. Sie hätten es gemerkt. Mutter würde sie mißtrauisch ansehen, und Vater würde sagen: »Du siehst nicht gut aus – was fehlt dir?« Sie würden bekümmert über ihren Zustand reden und besorgt die Köpfe schütteln.

Sie fühlte sich so elend, wie sie aussah – nichts Konkretes, bloß eine entsetzliche Mattigkeit, als sei alle Lebenskraft aus ihr herausgesikkert. Alles, was sie tat, erforderte eine übermenschliche Anstrengung, und sie wußte selbst nicht, wie sie es fertigbrachte. Wenn sie morgens aufwachte, freute sie sich auf den Abend, wenn sie sich wieder ins Bett legen könnte. Sie ging Abend für Abend früher schlafen, bis sie Tim fast auf den Fersen folgte. »So geht das nicht weiter«, sagte Ben, »du mußt zum Arzt, du bist wahrscheinlich blutarm oder so was.« – »Das war ich schon immer«, sagte sie. »Dann ist es jetzt eben schlimmer als sonst. Diese schrecklichen Ferien haben dich arg mitgenommen. Mit ein paar Eisentabletten kommt das sicher wieder in Ordnung.«

Ihr Hausarzt war nicht da, und sie war froh darüber – bei einem Vertreter kam sie sich nicht so dämlich vor, weil sie ihn wegen einer solchen Lappalie aufsuchte. Sie war stolz auf ihre Gesundheit und darauf, daß sie fast nie zum Arzt mußte, und sie wollte sich diesen Ruf nicht mit hysterischen Beschwerden verderben. »Ich habe Mrs. Bradbury richtig ins Herz geschlossen«, hatte sie ihren Arzt einmal zu seiner Sprechstundenhilfe sagen hören, »sie ist immer vergnügt, egal, was ihr fehlt.« Das Kompliment – läppisch, weil der Doktor genau wußte, daß ihre Vergnügtheit nie ernsthaft auf die Probe gestellt worden war – hatte sie entzückt. Im Gedenken daran wollte sie sich nicht äußern hören: »Ich bin müde, Herr Doktor.« Die Welt war voll von Frauen, die sagten, daß sie müde waren. Es war ihr zuwider, dieses Gejammer von ihren eigenen Lippen zu vernehmen.

Der Vertreter war nervös, viel nervöser als sie. Er war jung und unerfahren und hatte einen enormen Adamsapfel. Mit einem gestrengen Stirnrunzeln suchte er sein glattes rosiges Gesicht der Rolle des Arztes anzupassen. Er räusperte sich etliche Male und fuchtelte mit Angelas Karteikarte herum, und es dauerte eine geraume Weile, ehe er sich erkundigte, was sie zu ihm führe. Sie kam sich ihm gegenüber sehr reif und erfahren vor. »Ich bin müde«, sagte sie lächelnd. »Ich weiß, es klingt abgedroschen, aber ich bin total erschöpft – ich habe überhaupt keine Kraft mehr und schleppe mich nur noch mühsam herum. Das geht schon seit zwei Wochen so und wird immer schlimmer. Ich habe das Gefühl, daß ich jeden Augenblick zusammenklappe.« – »Das wollen wir uns mal ansehen«, sagte der Arzt und zeigte auf die Liege. »Machen Sie sich oben frei.« Sorgfältig untersuchte er ihren Brustkorb vorn und hinten. Er schaute ihr in Mund, Ohren und Augen. Er forderte sie auf zu husten und tastete Brüste, Achselhöhlen und Rückgrat ab, und bei allem, was er tat, kam sie sich überaus albern vor. »Es würde mich freuen, wenn Sie mir sagten, ich hätte Ihnen was vorgeschwindelt, und mich rauswerfen würden«, erklärte sie, aber für Scherze im Sprechzimmer war er zu jung.

Sie zog sich wieder an, und dann saß sie vor ihm, und sie wollte nicht lachen, um ihn nicht aus seiner ernsten Ruhe zu bringen, um die er sich so wirkungsvoll bemühte.

»Wie alt sind Sie, Mrs. Bradbury?« fragte er, obwohl das aus ihrer Karteikarte ersichtlich war.

»Siebenunddreißig.«

»Haben Sie Kinder?«

»Vier.«

»Wie alt?«

»Sechzehn, dreizehn, zwölf und sechs«, sagte sie ungeduldig.

»Hm. Da haben Sie ja alle Hände voll zu tun.«

Sie hatte allmählich genug von seiner lächerlich konventionellen Art.

»Periode normal?« erkundigte er sich, wobei er sich mit einem Bleistift gegen die Zähne klopfte.

»Ja«, sagte sie. Sie konnte sich nicht genau an das Datum der letzten Periode erinnern. Sie wußte, daß er sie gleich danach fragen würde. »Ich weiß nicht mehr, wann die letzte war«, sagte sie, »aber es ist noch nicht lange her.«

»Nehmen Sie die Pille?«

»Im Augenblick nicht. Doktor Burnett hat gemeint, ich solle sie wieder für ein Jahr absetzen; das war vor sechs Monaten. Warum fragen Sie?«

»Würden Sie sich noch einmal hinlegen?« forderte er sie auf. »Ich läute nach meiner Assistentin.«

Wie kleine Nadelstiche kribbelte die Angst in ihrem Rückgrat auf und ab, und ihr wurde flau im Magen. Der Doktor untersuchte ihre Geschlechtsorgane und ging dabei so gründlich vor, daß sie zu der Überzeugung kam, er würde später einmal ein brutaler Gynäkologe werden. »Was soll das?« fragte sie. »Ich habe erst kürzlich einen Abstrich machen lassen.« Aber er ignorierte sie. Nervös und irritiert zog sie sich an, und sie wünschte nun doch, sie hätte gewartet, bis ihr Hausarzt wieder da wäre.

»Ich nehme an«, sagte er, »daß Sie schwanger sind.«

»*Was?* Aber das kann nicht wahr sein – ich habe regelmäßig meine Periode – es ist unmöglich – ich benutze ein Pessar, ich weiß genau, daß ich nichts falsch gemacht habe, ich *kann* nicht schwanger sein.«

»Ich bin aber sicher; um genau zu sein, ich bin ziemlich überzeugt, daß Sie ungefähr in der vierzehnten Woche schwanger sind. Es kommt zuweilen vor, daß die Periode trotzdem eintritt, beziehungsweise eine Scheinperiode; allerdings ist der Blutfluß dabei weitgehend reduziert, und Sie haben vermutlich gedacht, Sie hätten nur eine schwache Periode, oder gar ...«

Er leierte und leierte, erfreut über die Gelegenheit, alles anzubringen, was er kürzlich gelernt hatte, erfreut auch – so kam es Angela jedenfalls vor –, daß er einer Patientin ihre Unwissenheit vorhalten konnte. Sie haßte ihn maßlos. Sie haßte es, mit ihm über Dinge sprechen zu müssen, die sie viel lieber unerwähnt gelassen hätte, und sie haßte seine Objektivität, auf die er so stolz war. Er schien keinen Funken Menschlichkeit zu besitzen. Sie konnte sich unschwer vorstellen, wie er jemandem eröffnete, daß er sterben müsse. Zweimal täglich würde er sich selbst eine kurze Predigt halten, wie wichtig es sei, sich nicht persönlich mit Patientinnen einzulassen, und er würde gar nicht auf die Idee kommen, daß er in dieser Hinsicht überhaupt nicht gefährdet war.

Sie war so von ihrem Haß erfüllt, daß sie gar nicht hörte, was der Arzt noch alles sagte. »... ohne Schwierigkeiten«, schloß er.

»Wie bitte? Verzeihung, ich habe nicht zugehört.«

»Ich sagte, es dürfte nicht schwierig sein, eine Schwangerschaftsunterbrechung vornehmen zu lassen. Ich nehme doch an, daß Sie das wollen.« Und dabei lächelt der noch, dachte sie verächtlich. Seine Fingerspitzen berührten sich, als er die Ellbogen auf den Schreibtisch stützte und die Hände in Gebetshaltung aneinanderlegte.

»Oh«, sagte sie, ein komisches, scharfes, deutliches kurzes »Oh«.

»Bei vier Kindern – und mit siebenunddreißig – und wie ich sehe, hatten Sie letztes Mal einen Kaiserschnitt. Es wird allerdings höchste Zeit. Mit vierzehn Wochen ist der Fötus schon ziemlich groß, und wenn wir es noch länger hinauszögern, wird eine ganz andere Operation erforderlich. Ehrlich gesagt, die Zeit ist zu knapp, um den staatlichen Gesundheitsdienst in Anspruch zu nehmen – die Formalitäten würden zu lange dauern – Sie sollten es unbedingt noch diese Woche machen lassen. Soll ich Dr. John vom Royal Foundation Krankenhaus verständigen? Doktor Burnett überweist seine Patientinnen immer an ihn.«

Er wartete. Seine Hände ordneten die anderen Karteikarten, die heute vormittag anstanden. Er blickte verstohlen auf seine Armbanduhr. »Ich kann nicht denken«, sagte Angela, und er lächelte wieder, stand jedoch auf. Egal, was sich hier abspielte, er würde seine Praxis mit der Präzision eines Uhrwerks ablaufen lassen. Angela wußte, daß sie seiner vorgefaßten Meinung über das Verhalten von Frauen mittleren Alters aus dem Mittelstand genau entsprach. »Gehen Sie nach Hause und denken Sie in Ruhe darüber nach«, schlug er vor. »Und wenn Sie sich entschieden haben, rufen Sie mich an. So oder so, ich werde Ihnen behilflich sein.« Eine kuriose Bemerkung, fand Angela, und sie sah ihn wieder an. »Danke«, sagte sie, und steif folgte sie ihm zur Tür, die er ihr mit einer Höflichkeit aufhielt, die ihre Verwirrung noch vermehrte.

Sie ging nicht nach Hause, sondern direkt zur Schule, wo sie sich während der Mittagspause ins Lehrerzimmer setzte und Hefte korrigierte, wie sie es sich vorgenommen hatte. Während ihr Körper durch die Eintönigkeit ihrer Arbeit fest auf der Erde verankert war, entschwebte ihr Geist durchs Fenster in den Sommersonnenschein hinaus. Sie unterrichtete die vierte Klasse mit gewohnter Lebhaftigkeit, verwundert, daß eine so feste, sachliche Stimme aus einer so trockenen Kehle kommen konnte. Sie ging nach Hause und deckte den Tisch, schnitt Brot auf, stellte Würstchen in den Ofen, schnitt Tomaten in Scheiben, machte einen Salat an, bewegte sich zwischen Herd, Schrank, Tisch, Kühlschrank und Abfalleimer hin und her, ging rückwärts, vorwärts und seitwärts durch ihre Küche, mit sicherer Hand und festem Ziel, und um sie herum fragten die Kinder nach Klebstoff, nach Scheren, wollten wissen, wo Tennisschuhe, Badesachen, Schläger waren, erzählten ihr, an welchem Tag das Schulfest stattfinden würde, berichteten vom Ausflug nach Brighton, von Gruppen, Spielen und Konzerten. Keine Pause zum Nachdenken, und doch war der Gedanke die ganze Zeit präsent: Ich werde wieder Mutter.

Sie sagte nichts. Beim Abendessen war sie ziemlich schweigsam. Natürlich würde sie die Abtreibung vornehmen lassen – selbstverständlich. Es gab keine andere Wahl. Sie kam sich dumm, beschämt und erniedrigt vor. Aber was sollte sie den Kindern erzählen? Irgendwas mußte sie ihnen doch sagen. Sie konnte ihnen nicht, wie Mutter, eröffnen, sie ginge ins Krankenhaus, und damit basta. Sie würden fragen, warum, und »ich muß operiert werden, Liebes« würde gewiß nicht genügen. Sie würden eine Erklärung verlangen wie jedes normale Kind – sie, Angela, war nicht normal gewesen, als sie zu ängstlich und verzagt war, um zu fragen, warum die Mutter ins Krankenhaus mußte. Einen ganzen Monat lang war sie in diesem schrecklichen Hospital, wo die Mutter bleich und schwach lag, ein und aus egangen, ohne je zu erfahren, was ihr fehlte. Sie wußte es bis heute nicht. Mutter hatte es ihr nie erzählt, und sie hatte nie gefragt. Sie hatte eine Scheu vor allem, was mit Mutters Körper, krank oder gesund, zusammenhing. Aber ihre Kinder würden keine derartige Zurückhaltung zeigen. Sie würden eine ausführliche Auskunft verlangen. Wenn sie sagte, sie lasse eine Abtreibung vornehmen, würden sie wissen wollen, was das sei, und zweifellos würden dann Vorstellungen von blutigen Embryos, die in einem Feuerofen verbrannten, durch ihre Träume geistern, und ihren nüchternen Gemütern würde die Gefahr nicht entgehen, in der ihre Mutter schwebte.

Sie hatte unerträgliches Kopfweh, als endlich alle im Bett waren. Sie saß im Garten, schlürfte ein großes Glas Limonade und sah zu, wie die Sonne die braune Ziegelmauer rötlich färbte. Eine beunruhigende, verbotene Erregung ließ sie erzittern und schaudern. Sie könnte dieses Baby bekommen. Sie könnte wieder Mutter werden. Und als sie im Dämmerlicht des späten Maiabends saß, fiel ihr die wundersame Zeit wieder ein – diese beklemmende Zeit, als sie wußte, daß in ihr ein Baby wuchs, ohne daß sie es spüren konnte. Sie war so stolz gewesen, hatte verstohlene Blicke auf ihren Bauch geworfen und ihn heimlich, wenn es niemand sah, innerlich jubelnd gestreichelt. Sie durfte sich nicht von süßer Nostalgie verführen lassen, und doch beschlich sie eine träumerische Zufriedenheit, die sie lächeln machte. Sie könnte wieder ganz von vorn anfangen. Nun, da sie wußte, was Mutterschaft bedeutete, könnte sie es besser machen. Es würde ein Mädchen werden, und wie wollte sie es nennen? Antonia, Rosalinde, Cassia, Beth – sie sagte sie alle vor sich hin. Eine Geisterlitanei von A bis Z.

Ben kam sehr spät. Ihren Namen rufend ging er durchs Haus, ehe er sie im Garten auf der Bank unterm Birnbaum fand, versonnen mit dem leeren Glas in ihrem Schoß spielend. Sie küßten sich. Er zog sein Sakko aus, band den Schlips ab, gähnte und reckte sich und setzte sich zu ihr. »Ein schrecklicher Tag war das«, sagte er. Sie fragte ihn nicht, warum. Schließlich fiel ihm trotz seiner Müdigkeit ihr Schweigen auf. »Du warst beim Arzt«, sagte er, »das hatte ich ganz vergessen – wie war's?« Es klang nicht ernstlich interessiert, und sie ärgerte sich über seine offensichtliche Teilnahmslosigkeit. Das Ganze war so albern und melodramatisch – sie brachte es nicht fertig zu sagen:

»Liebling, ich bin schwanger.« Sie wand sich innerlich bei diesem Gedanken und stand abrupt auf. »Bist du nicht hungrig?« fragte sie und marschierte hoch erhobenen Hauptes in die Küche. »Ich fand's schön, hier zu sitzen«, sagte er, »es eilt nicht mit dem Essen. Es ist Jahre her, seit du im Garten auf mich gewartet hast – ich kann mich kaum noch an das letzte Mal erinnern. Weißt du noch, der erste Sommer, als Sadie geboren wurde? War das eine Hitze. Wir haben im Garten gelebt.« Er plauderte weiter, folgte ihr in die Küche, aß das Sandwich, das sie ihm machte, dazu noch Käse und Biskuits. »Übrigens«, sagte er, »wie sieht's aus?«

»Deine Art zu fragen ist ekelhaft.«

»Und wie hättest du's gern?«

»Tu nicht so blasiert. Du hast ja nicht mal mehr dran gedacht.«

»Letzten Endes doch.«

Sie konnte die richtigen Worte nicht finden. Sie wußte, daß er sofort bei dem unwichtigen Teil ihrer Neuigkeit einhaken würde.

»Es ist doch nichts Schlimmes, oder? Komm schon, um Himmels willen, warum bist du so empfindlich?«

»Ich bin schwanger.« Die Heftigkeit, mit der sie es hervorstieß, verschaffte ihr Erleichterung. »Ich weiß – es ist lächerlich. Ich bin im vierten Monat.«

»Aber *wie* – – –« Er machte ein ungläubiges Gesicht und wirkte irgendwie schwach, wo sie doch jetzt einen starken Ehemann gebraucht hätte.

»Auf die übliche Weise, nehme ich an.«

»Du weißt, wie ich das gemeint habe.« Plötzlich waren sie Feinde, die sich wütend anfunkelten, und dabei wollte sie doch getröstet werden. Sie wußte ganz genau, daß sie es war, die hier die Bedingungen diktierte.

»Wir hatten keinen Verkehr ohne Vorsichtsmaßnahmen.«

»Oh, sprich nicht so – ich hasse das – so was Spießiges – Herrgott – was spielt das für eine Rolle?«

»Und ob das eine Rolle spielt.«

»Warum? Willst du mir die Schuld zuschieben?«

»Schuld – sei nicht albern – das würde mir nie einfallen – es ist bloß vernünftig – «

»Ich bin nicht vernünftig, mir ist nicht im mindesten nach Vernünftigsein zumute, ich will nichts von Vernunft hören. Ich fühle mich hundsmiserabel, und dir fällt nichts Besseres ein, als ein Verhör anzustellen.«

Er trat zu ihr und sagte: »Es tut mir leid«, und er wollte sie in die Arme schließen, doch sie stieß ihn zurück.

»Willst du nicht wissen, wann es geboren wird – wollen wir keinen Namen aussuchen – ich dachte an Antonia – wie gefällt dir Antonia?«

»Hör auf, Angela.«

»Es wird natürlich ein Mädchen. Ein Schwesterchen für Sadie.«

»Ist das dein Ernst?«

»Na ja, Jungen haben wir doch genug, meinst du nicht? Ich hoffe, daß es ein Mädchen wird.«

»Aber du kannst es doch abtreiben lassen – ich meine, das ist doch heutzutage ganz einfach, oder nicht?«

»Und wie einfach das ist«, sagte sie, »du legst dich einfach auf einen Operationstisch, und ruck zuck, Messer raus, und das störende Dingsda wird rausgeschnitten und weggeschmissen. Kein Problem. Schließlich will ich ja nicht nochmal Mutter werden, nicht wahr? Ich bin doch sowieso schon eine Niete – wir haben unsere Lektion gelernt – wir haben die Nase voll von Müttern, oder –«

Sie weinte eine lange Weile. Ben tröstete sie und nahm sie in seine Arme, er verfluchte seine Taktlosigkeit und sagte, wenn sie das Baby wolle, so wäre es wundervoll, und sie sei die beste Mutter auf der Welt. Sie entdeckte mit Schrecken, wie schwer es dem Mann fiel, den sie so innig liebte, für den Aufruhr, in dem sie sich befand, Verständnis aufzubringen. Sie ließ es sich gefallen, daß er sie festhielt, und der Trost, den sie brauchte, wurde ihr einfach durch die Nähe seines Körpers zuteil, doch er war ihr zum erstenmal keine Hilfe. Er kümmerte sich zärtlich um sie, er sagte, er werde alles organisieren, sie solle sich nur ausruhen, er werde alles erledigen.

»Ich möchte nicht, daß Mutter und Vater es erfahren«, sagte Angela, »sie dürfen es nicht wissen – das würde ich nicht ertragen.«

»Du kannst nicht einfach verschwinden«, sagte Ben. »Was mach ich, wenn sie anrufen – und das tun sie bestimmt, wenn du nicht bei ihnen anrufst.«

»Ich erzähle ihnen, ich gehe auf einen Fortbildungskurs«, sagte Angela. »Das habe ich schon mal gemacht.«

»Himmel, als ob wir nicht schon genug am Hals hätten.«

»Ich kann's nicht ertragen, wenn sie sich um mich sorgen. Und die Kinder – ich möchte nicht, daß sie's wissen.«

»Aber hör mal –«

»Ich ertrag's nicht, wenn sie sich aufregen – es ist so schrecklich – und sie denken vielleicht, daß ich – daß ich sterben muß.«

»Sei nicht albern.« Er war wütend, weil ihm der Gedanke, daß sie sich in Gefahr befinden könnte, nicht gekommen war. »Sterben?« wiederholte er. »Ach Unsinn. Es ist ein Routineeingriff –«

»Ja«, sagte sie, »reine Routine. Vergiß es.«

9

Sie ging zu Fuß zum Royal Foundation Krankenhaus. Obwohl ihre Beine schwach waren, schritt sie forsch durch die Straßen, wo Schulkinder mit wehenden Regenmänteln zur U-Bahn eilten. Keines ahnte, wohin Angela unterwegs war, keines interessierte sich für sie. Sie war nur eine fröhlich gekleidete Frau in einem bunten Rock, die in der Morgensonne flott daherschritt. Tags zuvor, am Sonntag, hatte es geregnet, und das war ihr recht gewesen – das Grau des Himmels, das ständige Tropfen des Regens auf Dach und Fenster hatten ihrer trübseligen Stimmung entsprochen und ihren Jammer gebührend untermalt. Sie hatte die Kleidung der Kinder nachgesehen, Einkaufslisten und Rezepte für die Mahlzeiten zusammengestellt, aufgeschrieben, was alles erledigt werden mußte, bis ihr von der ganzen Anstrengung schwindelte. Aber es mußte durchgestanden werden. Mütter konnten nicht einfach ins Krankenhaus gehen. Ohne intensive Vorbereitungen durften Mütter nicht krank oder gar operiert werden.

Als sie sich dem großen Doppelportal des Krankenhauses näherte, schwirrten ihr Hymnen und Gedichtzeilen durch den Kopf. *Die ihr hier eintretet, lasset alle Hoffnung fahren.* Sie lächelte. Vergiß die Kleinen, die nicht zu dir kommen können, denn sie müssen auf eigene Verantwortung und nach eigenem Willen handeln. Sie redete sich gut zu, ja ruhig zu sein, aber Ruhe war gar nicht das Problem; sie war sehr ruhig und sah mit äußerster Klarheit, was ihr bevorstand; sie weinte nicht, sie schrie nicht. Sie war nach dem ersten Schock ein Muster an Ruhe gewesen. Aber sie hatte Angst und vermochte ihre Furcht nicht zu zerstreuen. Da sie genau Bescheid wußte, konnte sie sich nichts vormachen – man hatte ihr die Risiken dargelegt, und sie hatte begriffen. Es gab absolut keinen Grund, warum diese Abtreibung nicht vollkommen unkompliziert verlaufen sollte – wirklich keinen Grund, außer daß es zuweilen eben doch vorkam. Nach Tims Geburt hatte Angela stark geblutet, und das war kein gutes Omen. Und der Fötus war für einen Routineeingriff zu groß.

Ihre Tasche war schwer. Der Arm tat ihr weh, aber sie bereute es nicht, daß sie zu Fuß ging, weil sie damit einer Trauerprozession im Auto mit einem trübsinnigen Ben an ihrer Seite ausweichen konnte. Sie wollte zu Fuß hineingehen und war fest entschlossen, zu Fuß wieder hinauszugehen – es sei denn, sie käme mit den Füßen voran in einer Kiste heraus. Und bei diesem echt Trewickschen Gedanken brach sie in ein so natürliches Gelächter aus, daß die Leute sich nach ihr umdrehten, als sie zum Tor hineinstürmte; sie merkte, daß sie sich wunderten, was eine Frau veranlassen konnte, an einem sonnigen Montagmorgen so fröhlich ein Krankenhaus zu betreten. Immer noch lächelnd, ging sie quer durch die gewaltige Eingangshalle zu einem Telefon und zog ihr Portemonnaie heraus.

»Hallo Mutter«, sagte sie, sobald es klickte. »Ich rufe aus einer Telefonzelle an und wollte dir bloß sagen, daß unser Apparat kaputt ist und ich dich heute abend nicht anrufen kann.«

»Ach je«, sagte die Mutter und wurde augenblicklich munter, »so ein Pech.«

»Ja«, sagte Angela, »und es dauert mindestens drei Tage, bis es repariert ist – irgendein Defekt im Straßenkabel. Das Dumme ist, das Telefon hört sich an, als ob es ganz normal klingelt, aber wir können es nicht hören – ein ziemlich komplizierter Defekt.«

Mit technischen Erörterungen konnte man Mutter dermaßen imponieren, daß sie einem fast alles abnahm.

»Da ist jedenfalls nichts zu machen – versuch nicht, mich anzurufen. Ich ruf dich an, sobald es geht. So, und wie geht's dir?« Sie hatte sich bemüht, diese Frage nicht zu stellen, aber sie war ihr vor lauter Nervosität herausgerutscht. Sie durfte nicht vergessen, daß ihre Sprechzeit begrenzt war und jeden Moment zu Ende sein konnte.

»Ach, nicht besonders«, sagte die Mutter. »Ich hab' einen schlimmen Rücken und Husten – aber ich will dir nichts vorjammern.« Im Hintergrund polterte der Vater: »Es geht ihr ziemlich schlecht, aber sie will es dir nicht sagen.«

»Das tut mir leid«, sagte Angela, »vielleicht geht's dir morgen etwas besser – bei dem schönen Wetter wird der Husten sicher vergehen.«

»Hier ist es nicht schön. Es ist kalt.«

»Ach. Na ja, vielleicht kriegt ihr morgen unsere Sonne ab. Ich glaube, es ist gleich Schluß, und ich habe kein Kleingeld mehr, also vergiß nicht, ich kann nicht anrufen, bis unser Telefon repariert ist, voraussichtlich Freitag –« und da knackte es schon.

Keine Zeit für unangenehme Fragen, aber die wären Mutter ohnehin erst Stunden später eingefallen, nachdem sie das Gespräch zum zwanzigsten Mal hatte mit Vater durchkauen müssen, und dann würden sie beleidigt sein, weil Angela nicht zu Freunden oder in eine Telefonzelle ging, um den regelmäßigen Kontakt aufrechtzuerhalten. Vielleicht hätte sie ihnen doch besser gesagt, sie nehme an einem auswärtigen Kursus teil, aber dann hätten sie angerufen, »um zu sehen, wie's den Kindern geht«, und sie wollte die Kinder nicht in ihre Schwindelei hineinziehen. Erleichtert legte sie den toten Hörer auf. Könnte sie doch auch in Wirklichkeit einfach so abgehängt werden!

Sie raffte ihre Sachen zusammen und begab sich auf die Station, wo sie sich melden sollte, von dem einzigen Gedanken besessen, Mutters Abhängigkeit von ihr zu unterbinden.

Aber es gab kein Entrinnen vor dem Druck, der sie zu zermalmen drohte. Quälende Gedanken an Mutter und an ihre Familie jagten sich in ihrem Kopf. Sie lag so bis zur Vorbehandlungsinjektion, beobachtete die Schatten, die sich in den Winkeln bildeten, wo die weißen Wände sich mit der weißen Decke vereinten, und mit jeder Minute wurde ihr Entschluß, nur an sich selbst zu denken, schwächer. Als einzige Alternative blieb ihr, an das zu denken, was mit ihr geschehen würde – man würde sie aufschlitzen und klammern und den schlüpfrigen rosa Fötus mit dem riesigen Kopf und den winzigen klauenartigen Händchen ergreifen, ihn aus ihrem Leib winden und zwischen blutigen Gummifingern halten und in eine Schüssel werfen, damit er fortgetragen und beseitigt würde. Sie würde dort liegen, still und bleich, widerspruchslos, ein Opfer auf dem Altar des Zufalls. Was für ein tapferes Baby mußte das sein, da es sich durch die Hindernisse, die ihm in den Weg gelegt wurden, hindurchgekämpft hatte – so stark, so lebenswert. Das abstrakte Mitleid mit ihm trieb Angela die ersten Tränen in die Augen.

Sie blieb wach bis zu dem Augenblick, als man sie in den Operationssaal schob. Auf der Station kamen andere Frauen zu ihr, um sich mit ihr zu unterhalten, aber sie wies sie unhöflich ab – sie wünschte keinerlei Interesse. Sie würde ersticken, wenn sie sagen müßte, warum sie hier war, und der Gedanke an die unpersönliche Freundlichkeit, die man ihr entgegenbringen würde, widerte sie an.

»Die kümmern sich kaum um einen«, hörte sie eine Patientin über die Schwestern klagen, »die lassen sich ja kaum mal blicken. Ein Skandal.«

Angela war froh. Sie genoß dieses brüskierende Lächeln, das andere verletzend fanden, und sehnte sich nicht nach einem übertrieben besorgten Doktor, der ihre Hand tätschelte und Mitgefühl bekundete. Sie wollte den Arzt, der die Operation vornahm, lieber nicht mehr sehen. Es war qualvoll gewesen, als sie ihn letzte Woche wegen der Voruntersuchung aufsuchen mußte, und sie hatte sich alle Mühe gegeben, sich seine Gesichtszüge nicht einzuprägen.

Den ganzen Korridor entlang und im Aufzug schwelgte sie in dem seltsamen berauschenden Gefühl, sich vollkommen gehenzulassen – ein Gefühl totaler Unverantwortlichkeit, das sie bisher nie gekannt hatte. Sie konnte absolut nichts mehr tun. An den Operationswagen geschnallt, die Glieder schlaff und träge, empfand sie jede Bewegung als Liebkosung. Die Schwestern schwenkten sie herum, eigentümliche Wärterinnen in Dunkelgrün mit eindringlichen Augen. Sie sprachen mit leiser, gehetzter Stimme, ohne Angela mit einzubeziehen, und behandelten sie dennoch mit Respekt, ja sogar Ehrfurcht. Sie standen mit dem Rücken zur Wand und starr geradeaus gerichtetem Blick im Aufzug, machten sich schmal, um nur ja nicht an ihre Trage zu stoßen.

Sie hatte das Gefühl, als sei sie überhaupt nicht da. Vergnügt und entkörperlicht schwebte sie über sich, blickte auf sich herab und sagte: »Wie bleich du bist, Angela, wie schwach und bedauernswert, was für ein schreckliches Martyrium ist dies für dich, meine Liebe«, und sie antwortete ohne zu zögern: »Nein, nein – ich spüre nichts – ich bin glücklich – hab keine Angst um mich.« Sie wußte, daß diese Halluzinationen von der Spritze kamen, aber das war ihr gleichgültig – das Zwiegespräch ging ihr träge durch den Kopf, und sie wurde eine Menge Dinge los, die sie sagen wollte. Als man sie aus dem Aufzug in den Anästhesieraum rollte, durchschnitt der Schrei eines Babys ihr Wohlgefühl, und bevor die Tür zuschwang und das Geräusch von ihrem Gedächtnis verschluckt wurde, verspürte sie für einen Augenblick einen bohrenden Kummer. Sie hatte Visionen von Mutter, von Sadie, von all ihren Kindern und von Ben, und als sie sich vom Tisch zu erheben versuchte, hielten sie die Helferinnen mit dem Ausdruck größter Besorgnis fest. Neben ihr tauchte ein neues Gesicht auf, ein Mädchen hielt ihr Handgelenk und starrte angestrengt auf die Luke in der gegenüberliegenden Tür, auf etwas konzentriert, das Angela nicht sehen konnte. Alle warteten gespannt. »Na, schaffen Sie's denn?« sagte jemand, der für sie unsichtbar war. Angela wußte nicht, ob die Frage ihr galt, und mühte sich ab, die Worte herauszubringen, daß sie es selbstverständlich schaffen würde, als das Mädchen, das ihr Handgelenk hielt, kläglich sagte: »Ich glaube nicht – die hier nicht – es ist meine erste.« Und dann mußte wohl ein Zeichen gegeben worden sein. Angela spürte eine Nadel in ihrer Hand, und das Letzte, was sie sah, waren die vor ihr aufschwingenden Türen, und das Letzte, was sie sagte, war: »Lebwohl, Baby«, wobei Lippen und Zunge das letzte Wort schwerfällig nuschelten.

Sadie machte ein großes Getue um Daisy Benson, das Baby von nebenan. Immer wenn die Mutter mit ihr hereinkam, gewöhnlich um mit Angela eine häusliche Angelegenheit zu besprechen, schaukelte Sadie Daisy auf ihrem Knie und gab komische Laute von sich, womit sie das Kind meistens völlig verstörte. Sie betätigte sich als Daisys Babysitter, und wenn sie zurückkam, schwärmte sie, wie süß es sei und wie sehr sie die Kleine liebe. Das überraschte Angela. »Du zeigst dich ja von einer ganz neuen Seite«, sagte sie zu Sadie, nachdem sie sich einmal besonders überschwenglich aufgeführt hatte. »Was soll das heißen?« sagte Sadie, die stets eine Beleidigung witterte. »Na ja, diese ganze Abküsserei und das Geschmuse – das ist doch sonst nicht deine Art, nicht wahr? Tim hast du nie abgeküßt oder geknuddelt.« – »Natürlich nicht«, sagte Sadie. »Wieso natürlich? Er war doch auch ein Baby, genauso wonnig wie Daisy, und du hast dir überhaupt nichts aus ihm gemacht.« – »Das ist nicht wahr – du hast mich ja nicht gelassen – jedesmal, wenn ich mit ihm schmusen wollte, hast du gesagt, ich würde ihn zu sehr aufregen oder so was. Du hast ihn ganz für dich behalten.« – »So ein Schwindel«, sagte Angela verärgert. Aber war es wirklich Schwindel? Sie dachte an Tims erstes Lebensjahr. Er war so klein und zart – mit ihm konnte man nicht herumtollen wie mit den anderen – vermutlich hatte sie ihn zu sehr beschützt, und sie durfte es Sadie nicht verübeln, daß sie das weniger für Beschützertum als für Besitzgier gehalten hatte. Doch als sie Sadie mit Daisy genauer beobachtete, stellte sie fest, daß ihre Zuneigung nur oberflächlich war – sie verlor rasch die Geduld mit dem Kind, wenn es einmal nicht strahlte und fröhlich war. Sie spielte ausgelassen mit Daisy, hielt es aber nicht lange aus. Wenn Sadie sagte: »Ach, ich liebe Daisy – ich liebe Babys«, wandte Angela sich ab aus Furcht, daß ihr Zynismus ihr im Gesicht geschrieben stünde. Sadie war durchaus nicht der geborene Babynarr, wie sie immer behauptete. Wenn Daisy sie bei irgendwas störte oder wenn sie um Daisys willen hätte etwas unterbrechen müssen, was sie gerade tat, so dachte sie zuerst an sich selbst, und Daisys Liebreiz und ihre Bedürfnisse waren vergessen. Sadie handelte nie uneigennützig. Sie besaß keinerlei Veranlagung zur Duldsamkeit. Angela wunderte sich darüber. Sie stellte sich Sadie als Mutter vor und wußte, daß es für sie eine ganz andere Erfahrung sein würde. Sadie würde Mutterschaft als das begreifen, was sie daraus zu machen beliebte, und nicht als das, was Mutterschaft aus ihr zu machen beliebte. Und das, sagte Angela sich trotzig, sei richtig. Sadie hatte recht. Daisy lag schreiend in ihrem Kinderwagen, während Sadie drüben auf sie aufpaßte, und als Angela einen Blick über die Mauer warf, sah sie Sadie in der Sonne liegen. »Sadie«, sagte sie, »Daisy schreit.« – »Ach, die hört schon wieder auf«, sagte Sadie, »nur keine Aufregung.«

»Können Sie mich verstehen? Es ist überstanden. Hören Sie? Es ist alles vorbei.« Vorbei, vorbei, vorbei – Echo, Echo, Echo. Aber es war eine Falle – keine Bewegung rechts oder links, sie würgte, sie kämpfte, wollte ohnmächtig werden, wollte fallen, obwohl sie schon flach lag, wollte sich übergeben, entfliehen, stöhnend, von panischer

Angst erfaßt, dann die Erinnerung an die Stimme, diese Stimme, die sagte, daß alles vorbei sei, aber ihr keinen Trost zu bringen vermochte, diese düstere Gestalt am Fußende des Bettes, die besänftigende Worte sprach und sie dennoch zu bedrohen schien, und die anderen Gesichter rundherum, Wesen, die Dinge verrichteten, sich mit irgendwas abhetzten, ihr die Stirn abwischten, sie herumdrehten, alle mit verschwommenen Konturen, so daß sie nicht sicher war, ob sie wirklich existierten.

Und dann das dritte Erwachen, unbeschwert, die Silhouetten deutlich, die Erde stabil, nur noch eine wohlige Schläfrigkeit, die sie niederdrückte. Schwestern kamen und gingen, nahmen Messungen vor, ihre hübschen Profile unbeweglich, wenn sie stehend ihre Uhren an den gestärkten weißen Schürzenlatz hielten. Wenn man sie ewig so in ihr OP-Hemd eingehüllt liegen ließe, so wäre sie ganz zufrieden. Sie ließ sich treiben, nichts wurde von ihr erwartet, keine Entscheidungen waren zu treffen, und statt sich über Kinder und Mutter zu grämen, dachte sie kaum an sie. Etwas in ihrem Innern war abgeschaltet. Sie war unglaublich zufrieden.

Während der folgenden Wochen, als sie sich von einer Abtreibung erholte, die ihre Kräfte über alle Maßen erschöpft hatte, dachte sie liebevoll an ihren *Tag der Operation* zurück. Sie ging die Einzelheiten wieder und wieder durch, folgte ihrem Ich durch die Flure des Krankenhauses, hielt in der darauffolgenden Nacht Wache über sich. Das Erlebnis war in ihrem Leben wie in ihren Träumen von großer Bedeutung. Sie wollte darüber sprechen, doch niemand wollte ihr zuhören. Sobald sie wieder zu Hause war – nach nur vier Tagen –, wollten alle vergessen, daß sie krank gewesen war. Sie kam heim und legte sich ins Bett, und innerhalb von Minuten war sie in ihre Pflichten eingespannt. Ben mochte die Kinder noch so anbrüllen, sie sollten gefälligst draußen bleiben, Mami brauche Ruhe, sie kamen alle herein, eins nach dem anderen, mit ihren Kümmernissen und Freuden, die geteilt werden wollten. Und sie konnte den befangenen und zögernden Ausdruck in ihren Gesichtern nicht ertragen, diesen großäugigen Blick voll Unschuld und Mitgefühl, der ihr das Herz umdrehte. »Keine Sorge«, entfuhr es ihr, »mir geht's ausgezeichnet – ich bin ganz gesund.« Und sie nahmen sie beim Wort. Sie wünschten, daß sie auf den Beinen war und geschäftig das Kommando übernahm, also tat sie ihnen den Gefallen. Sie stand viel zu früh auf, heftig blutend und furchtbar schwach, taumelte durchs Haus und tat alles, was sie gewöhnlich tat.

Wäre sie allein gewesen, ohne Verpflichtungen, wie schnell hätte sie genesen können! Wenn sie kinderlos wäre, eine alte Jungfer, wenn sie mutterlos wäre, eine Waise, ganz auf sich selbst gestellt ...

Nachmittags, wenn alle Kinder in der Schule waren und Ben für ein paar Stunden ins Büro geeilt war, legte sie sich ins Bett und ruhte sich aus. Sie wünschte, jemand würde sich um sie kümmern. »Laß uns ein Au-pair-Mädchen nehmen«, hatte Ben gesagt, »oder jemanden vom Mütterhilfswerk – nur für eine Weile.« Aber sie hatte abgelehnt. Au-pair-Mädchen und Leute vom Mütterhilfswerk machten mehr Probleme, als sie lösten. »Sadie muß öfter zum Helfen herangezogen werden«, sagte Ben, »ich werde mit ihr reden.« Aber das lehnte sie ebenfalls ab. Sie wollte nicht, daß Sadie zu irgend etwas herangezogen wurde – sie wollte, daß sie es aus freien Stücken tat, einfach aus Menschlichkeit. Aber davon war nichts zu merken. Sadie reagierte auf jede ungewöhnliche Situation mit Abwesenheit. Ab und zu steckte sie den Kopf zur Schlafzimmertür herein und sagte: »Na, geht's gut?«, und Angela antwortete jedesmal: »Ja, bestens.« Was konnte sie also erwarten? Und wenn Mutter fragte: »Alles gesund und munter?«, sagte sie jedesmal: »Uns geht's blendend.« Was konnte sie also von dort erwarten?

Was sie sich wünschte, war eine Mutter. Was die ganze Welt sich wünschte, wenn sie krank oder müde oder elend oder einsam war, war eine Mutter – eine tüchtige, gesunde Mutter ohne eigene Probleme, die angereist käme und alles in die Hand nähme. Angela lag auf ihrem Bett, hielt die Augen geschlossen und phantasierte. Eine gütige, patente Frau in reiferem Alter, die ihr gegenüber sicher auftrat, die keine Mätzchen duldete, aber auch keinen Wirbel machte. Eine Dame, die Ruhe und heitere Gelassenheit ausstrahlte, die den Haushalt organisieren konnte und eine friedliche und gemütliche Atmosphäre schuf. Eine Hilfe, die im richtigen Augenblick im Hintergrund verschwand und doch immer da war, wenn man sie brauchte. Ich wünsche mir den Mond, dachte Angela, und zwei heiße Tränen des Selbstmitleids tropften auf ihre Wangen. Als das Telefon klingelte, fuhren ihre Finger blitzschnell neben ihr Bett, um die Zusatzglokke abzuschalten, doch die beiden anderen Apparate im Haus schrillten immerfort und zerrissen die nachmittägliche Stille. Angela dachte, es könnte Ben sein. Schluchzend wischte sie die Tränen weg, rollte sich auf die Seite und nahm träge den Hörer ab.

»Hallo? Angela?« sagte Valerie schüchtern.

»Hallo«, sagte Angela, kaum fähig, das Wort hervorzubringen, so groß war ihre Wut, daß sie abgenommen hatte. Was sollte sie mit Valerie, ausgerechnet jetzt, in dieser Verfassung?

»Wie geht's dir? Ich dachte, ich nehm' die Gelegenheit wahr und ruf' dich am Nachmittag an, damit wir in Ruhe reden können.«

»Nett von dir. Mir geht's gut. Und dir?«

Verblüfft suchte Valerie nach einer Antwort. »Gut natürlich, aber wie geht's dir wirklich? War es schrecklich? Ich hab' die ganze Zeit an dich gedacht, seit ich mit Ben gesprochen habe – hat er's dir erzählt? – Es hat sich entsetzlich angehört, du mußt ja völlig fertig sein.«

»Ich bin kein bißchen fertig.«

»Das kann ich mir nicht vorstellen – nachdem du ein kleines Baby verloren hast – obwohl es natürlich die einzig richtige Entscheidung war –«

»Wieso?«

»Wieso was, Angela?«

»Wieso war es so unbedingt die richtige Entscheidung?«

»Na ja, du hast doch schon vier –«

»Manche Leute haben zwanzig.«

»Aber du bist doch nie wirklich gern Mutter gewesen, nicht wahr – ich meine, richtig gern?«

Valeries Stimme brach ab, als Angelas beharrliches Schweigen ihr bewußtmachte, daß sie einen schlimmen Schnitzer gemacht hatte. Als Angela nach minutenlanger Pause noch immer nichts sagte und das Telefon vor Spannung vibrierte, versuchte sie, ihren Fehler wiedergutzumachen. »Ich meinte ja bloß«, sagte sie, »du bist eine großartige Mutter – das finden alle – das kann jeder sehen – ich meine, du hast oft gesagt, Mutter zu sein ist das reinste Martyrium für dich – und du würdest lieber wer weiß was sein – deshalb hielt ich die Annahme für berechtigt, daß du froh bist, wenn du nicht noch einmal Mutter werden mußt mit allem Drum und Dran. Angela? Angela? Hab' ich dich beleidigt? Verzeih – ich meinte ja bloß –«

»Nein, du hast mich nicht beleidigt«, sagte Angela, »du hast mich nur erschreckt, weiter nichts.«

»Was hab ich denn gesagt?«

»Ach, laß nur – um Himmels willen, was soll's – ich hatte mich übrigens hingelegt.«

»Tut mir leid. Ich wollte bloß wissen, wie's dir geht, und Mutter kann ich nicht fragen, weil du's ihr nicht gesagt hast, oder doch?«

»Nein.«

»Findest du nicht, du solltest es ihr sagen?«

»Nein, auf keinen Fall.«

»Wie willst du denn zurechtkommen, wenn was passiert?«

»Zum Kuckuck, was soll das heißen, ›wenn was passiert‹?«

»Falls Mutter wieder einen Anfall hat – Vater sagt, es geht ihr gar nicht gut – in deinem Zustand könntest du doch nicht hinfahren, und –«

»Natürlich könnte ich fahren – red keinen Quatsch – immer diese schauderhaften Prophezeiungen von Anfällen und was weiß ich noch – ich will nichts davon hören.«

»Verzeih, ich meinte ja nur, Mutter denkt, du bist gesund und munter, dabei ist das gar nicht wahr, und ich wollte bloß wissen, ob – ob – vielleicht – wirst du's denn schaffen? Soll ich kommen und dir helfen? Ich könnte mir Urlaub ›aus familiären Gründen‹ nehmen –«

»Meinetwegen brauchst du keinen Urlaub zu nehmen«, sagte Angela.

Danach stand sie auf. Sie konnte unmöglich ruhen, während sie daran dachte, wie gemein sie Valerie abgefertigt hatte, die ihr doch nur Mitgefühl entgegenbrachte. Sie war anscheinend nie in der Lage, Valerie das zu geben, was sie sich wünschte – eine intime Plauderei unter Schwestern, die sich gegenseitig alles anvertrauten. Valerie hätte nur zu gern Einzelheiten von der Abtreibung erfahren, sie hätte die Beschreibung vom *Tag der Operation* genossen, wie Angela ihn sich selbst so oft geschildert hatte. Valerie mit ihrer Armesündermiene, mit wabernden Wangen und von der Last tiefschürfender Gedanken zitternder Stimme, suhlte sich in derselben rührseligen Gefühlsduselei, die Mutter als Heimsuchung empfand. (Sie würde den ganzen Packen zurückweisen, sobald er ihr präsentiert würde.) Wäre bei Valerie eine Schwangerschaftsunterbrechung vorgenommen worden, dann hätten alle mit ihr gelitten, wenn sie der Familie etwas vorgeheult hätte, um so behandelt zu werden, wie es einer Kranken zukam. Mutter wäre außer sich gewesen.

Die heimkommenden Kinder trafen sie im Morgenmantel beim Zwiebelschneiden in der Küche an. Sie brauchte die Zwiebeln fürs Abendessen, aber sie waren gleichzeitig ein guter Vorwand für ihre verachtenswerten Tränen der Schwäche. »Willst du 'ne Tasse Tee?« fragte Sadie, während sie sich selbst welchen aufbrühte, aber das war auch schon alles, keine bohrenden Blicke oder Fragen, und Angela redete sich ein, sie müsse dafür dankbar sein. Keine heimlichen, ängstlichen Seitenblicke, um festzustellen, wie es um sie stand, nichts glich jenen Blicken, mit denen sie Mutter ständig beobachtet hatte, vor allem einmal, nach einem weiteren unerklärten Aufenthalt im Krankenhaus. Mutter wanderte neuerdings nachts auf und ab, hin und her auf dem winzigen Flur, wo kaum Platz zum Gehen war, drei Schritte hin, drei Schritte zurück, so schlurfte sie in ihren rosa Plüschpantoffeln mit den Quasten daher. Wer das Pech hatte, nachts aufzuwachen und ins Bad zu müssen, konnte ihr nicht entkommen. »Hab' ich dich geweckt? Das tut mir leid, Liebes – das sind die Schmerzen – wenn ich mich bewege, sind die Schmerzen nicht so schlimm.« Angela hatte nur gebrummt und war erschrocken wieder ins Bett geflohen, ohne die Mutter zu trösten. Nächtelang hatte sie die Mutter umherschlurfen gehört und an ihre undefinierbaren Schmerzen gedacht, und sie hatte sich unter ihrer Bettdecke verkrochen, um das leise Geräusch, das die Mutter machte, auszuschalten. Sie zeigte nie Mitleid, bot nie Hilfe an. Mutter mußte angenommen haben, es sei ihr gleichgültig. Mutter mußte gedacht haben, sie sei gefühllos. Damals hatte Mutter eine Mutter gesucht.

»Willst du 'ne Tasse Tee?« wiederholte Sadie, und Angela versuchte, das Zurückwerfen des Kopfes und das verhaltene Gähnen zu deuten. Während Sadie wartete, daß das Wasser im Kessel kochte, klopfte sie mit einem Löffel auf die Herdkante und pfiff, bis der Kessel zu pfeifen begann. Sie sah Angela nicht an – es schien Wochen her, seit Sadie sie direkt angesehen hatte. Ben hatte die Kinder am Ende doch aufgeklärt, weshalb ihre Mutter operiert wurde – er respektierte Angelas Wunsch, es vor ihren Eltern geheimzuhalten, war aber dagegen, es den Kindern zu verschweigen. Er sagte, Sadie habe sich gleichgültig verhalten. Sie habe gefragt: »Wird Mami auch nichts passieren?«, und als er ihr erklärt habe, natürlich nicht, es sei ja gar nichts Schlimmes, habe sie es nicht mehr erwähnt. Nur Sadie hatte Angela im Krankenhaus besucht; ausgelassen und fröhlich hatte sie lustige Anekdoten zum besten gegeben. Keine Andeutung, daß Sadie sich um sie sorgte. Und doch las Angela, als sie ihren Tee in Empfang nahm, aus dem kurzen Aufflackern in Sadies Augen, als ihr Blick über Angelas Gesicht huschte, Zweifel und Unschlüssigkeit. Sie wollte nicht, daß Sadie sich verkroch, wie sie sich verkrochen hatte – sie wollte nicht, daß sie insgeheim über das Elend ihrer Mutter grübelte und sich erschrocken davor zurückzog, um dann erst recht von Schuld und Reue geplagt zu werden. »Mir geht's ausgezeichnet«, sagte Angela laut, »ich bin bloß ein bißchen müde und neige dazu, mich selbst zu bedauern.«

Mindestens dreimal jährlich fuhren sie nach St. Erick. Wenn sie konnten, brachen sie sonntags früh um sieben Uhr auf und vermieden so den Hauptverkehr auf der Autobahn. Doch gelegentlich waren sie aus diesem oder jenem Grund gezwungen, am Freitagnachmittag loszufahren, sobald Ben von der Arbeit kam, und dann war es unmöglich, dem Alptraum einer überfüllten Autobahn zu entkommen, wo die auf ihrer letzten Etappe vor der Heimkehr dicht an dicht fahrenden gigantischen Lastwagen den Personenwagen, die sich zwischen sie zu drängen suchten, partout nicht weichen wollten. Die ganze Familie haßte diese Fahrten. »Nicht auf die Autobahn«, schrien die Kin-

der, aber es war die einzig brauchbare Route. Weil so viele andere Leute genauso dachten, waren Unfälle bei dem starken Verkehr unvermeidlich. Sie wurden Zeuge von mehreren schweren Zusammenstößen. Am schlimmsten war es, als sie einmal – Sadie war damals sieben – im Kriechtempo an einer grauenhaften Szenerie auf der anderen Fahrbahnseite vorbei mußten. Auf der Straße lag ein Mann, dessen Kopf eine einzige dunkelrote Masse war. Das Blut sickerte auf seine Brust und floß auf die Straße, wo er halb unter einem Auto lag. Trotz seiner Verletzung versuchte er sich aufzurichten, und als er sich auf den Ellbogen stützte, schoß das Blut so heftig aus seiner Kopfwunde, als käme es aus einer Fontäne. »Schau nicht hin, Sadie«, sagte Angela, »nicht hinschauen.« Nichts wäre geeigneter gewesen, um Sadies Neugier anzustacheln. Max und Saul, die ebenfalls was sehen wollten, beiseite schubsend, kämpfte sich Sadie zum Fenster vor, und weil Angela der Gedanke an Sadies Entsetzen, wenn sie das Geschehen sähe, unerträglich war, drehte sie sich um und stieß Sadie unsanft vom Sitz auf den Boden, wo sie liegen blieb und vor Schmerz aufschrie, weil sie sich den Kopf gestoßen hatte. »Wenn du nichts gesagt hättest«, meinte Ben, »hätte sie es ohne mit der Wimper zu zucken hingenommen.« »O nein«, widersprach Angela, »sie hätte die ganze Nacht kein Auge zugetan. Ich wünschte, sie bekäme solche schrecklichen Sachen nie zu sehen.«

Seltsamerweise hatten sich Mutter und Vater über die Geschichte mit dem nicht funktionierenden Telefon schrecklich aufgeregt. In der darauffolgenden Woche machten sie mehrere Stichproben, um sich zu überzeugen, daß der Schaden behoben sei. Angela, kaum fähig, sich wieder hinauf und ins Bett zu schleppen, hörte das Telefon läuten; es war Vater, und das um zehn Uhr morgens. »Apparat also wieder in Ordnung?« sagte er, und da Angelas Stimme Ärger verriet, meinte er: »Wollte bloß sichergehen, daß es heute abend in Ordnung ist, wenn du anrufst – möchte nicht, daß deine Mutter hier rumsitzt und wartet, und dann tut sich nichts.« Sie hätte am liebsten den Hörer aufgehängt, aber sie traute sich nicht.

Um Vaters Beharrlichkeit zu entgehen, erfand sie eine neue Ausrede und bat Ben zu sagen, sie sei erkältet und bleibe ein paar Tage im Bett. Worauf sie natürlich Tag und Nacht anriefen, um sich zu erkundigen, ob es ihr besserging.

»Mir geht's gut«, sagte sie, gezwungen zu kapitulieren und die Gespräche mit ihnen wiederaufzunehmen, »es war bloß ein Schnupfen und Halsweh.«

»Vielleicht war's eine Mandelentzündung«, sagte die Mutter hoffnungsvoll, »du willst es doch wohl nicht auf eine Mandelentzündung ankommen lassen.«

»Es war bloß Halsweh.«

»Bei Valerie hat sich das zu einer Mandelentzündung entwickelt«, sagte die Mutter, »es war schrecklich – sie mußte die ganze letzte Woche zu Hause liegen, sie sagt, seit ihrem Blinddarm hat sie sich nicht mehr so elend gefühlt.«

»Tatsächlich?« Angela gähnte, unfähig, Rührung über den Verlust von Valeries Blinddarm zu empfinden, der in ihrer Kindheit eine bedeutende Rolle gespielt und nun so etwas wie den Status eines historischen Ereignisses erlangt hatte. Ein ganzes Jahr lang hatte er rumort. Immer wieder wurde Valerie weinend und sich die Seite haltend von der Schule heimgeschickt, und Mutter hatte sie mit einem regelrechten Affentheater umsorgt, es war zum Davonlaufen. Stundenlang saß sie bei Valerie und strich ihr ausgesprochen albern und sinnlos über die Stirn, sie blieb die ganze Nacht auf, um die Wärmflasche frisch zu füllen, die sie ihr auf die schmerzende Seite drückte. Angela wurde auf eine Campingliege umquartiert, damit Mutter bei Valerie schlafen konnte, »falls etwas passiert«. An einem Weihnachtsabend passierte es dann. Der Blinddarm brach durch, und Mutter und Valerie fuhren in einem Krankenwagen davon, und die halbe Straße sah ihnen zu. Mutter wirkte sehr vornehm, als sie den Sanitätern folgte, die Valerie, in eine dicke rote Decke gehüllt, aus dem Haus trugen. Am Gartentor hatte sich eine kleine Menschenmenge versammelt. Mutter sprach nicht mit den Leuten. Sie senkte würdevoll den Kopf und zog ihren Mantel eng um sich. Angela merkte, daß Mutter wegen ihrer Fassung bewundert wurde.

»Mit Halsweh ist nicht zu spaßen«, sagte die Mutter soeben, »zieh es nicht zu lange hin – geh zum Arzt, wenn's nicht bald besser wird.«

»Ach, das gibt sich bald – ich brauche keinen Arzt. Mir geht's gut.«

»Das sagst du so«, meinte die Mutter, »aber ich kenne dich – du gibst nicht auf dich acht, du schonst dich ja nicht mal, wenn du krank bist. So warst du schon immer.«

Damit hatte Mutter durchaus recht. Angela hatte sich bei Krankheiten nie gehenlassen. Manchmal hatte sie sich zur Schule geschleppt, obwohl der Boden, auf dem sie ging, zu schwanken schien. An solchen Tagen schlich sie in die Garderobe, wo sie, von den herabhängenden Mänteln halb verdeckt, auf der Schuhbank saß und hoffte, daß niemand sie entdecken und zittern sehen und nach Hause schicken würde. Einmal fand man sie tatsächlich und schickte sie heim mit einem triefenden Schnupfen, durch den ihre Augen sich zu schmalen roten Schlitzen verengten, und sie hatte sich geschämt.

»Du?« hatte die Mutter gesagt, als sie die Tür öffnete. »*Du* und krank? Guter Gott, es ist nicht zu fassen.« Angela hatte sich die Treppe hinaufgeschleppt und vor Demütigung geweint. Sie war die Starke. Sie war die Gesunde. Kranksein mit allem, was dazugehörte, paßte nicht zu ihr.

Das hatte sich nicht geändert. Sie hängte ein, nachdem sie Mutter versprochen hatte, auf sich achtzugeben, und begab sich sogleich an die Vorbereitungen fürs Abendessen. Es gab absolut keinen Grund, warum sie es ihrer Familie nicht überlassen sollte, sich selbst zu versorgen, außer daß sie es nicht fertigbrachte. Der Leib tat ihr noch weh, die Mattigkeit war nicht verflogen, und sie fühlte sich miserabel.

»Morgen komme ich vielleicht später«, sagte sie, als alle beim Essen saßen. »Ich weiß noch nicht genau, wann ich zurück bin. Nehmt eure Schlüssel mit. Tim, du gehst zum Tee zu Bensons.«

»Wo gehst du hin?« fragte Max, ohne an einer Antwort interessiert zu sein, doch als sie sagte: »Ins Krankenhaus«, blickte er auf. »Warum?« fragte er. »Wozu? Du mußt doch nicht schon wieder rein, oder? Verdammter Mist.«

»Nein«, sagte Angela, »ich muß nur zur Untersuchung in die Klinik.«

»Weswegen?«

»Ach du meine Güte«, sagte Sadie, »was denkst du wohl, du Dummkopf?«

»Ach ja«, sagte Max, »wegen deiner Augen, stimmt's?«

»Himmel noch mal«, sagte Sadie, »du bist so verdammt schwer von Begriff und so blöd; ich könnte dich glatt erwürgen.«

»Ich war noch nie im Leben wegen meiner Augen im Krankenhaus«, sagte Angela matt.

»Er ist eben ein Trottel.«

»Halt die Schnauze, du dreckige –«

»Max! Nicht fluchen – jetzt hör aber auf –«

»Ist doch wahr – immer muß sie angeben, alles will sie besser wissen –«

»Jedenfalls weiß ich –«

»Ich versuche gerade zu erklären, wie ich das mit morgen organisiert habe.«

»Tschüß«, sagte Sadie und stürmte hinaus.

»Max, du weißt, warum ich im Krankenhaus war. Papa hat's dir erklärt. Ich muß nochmal hin, um feststellen zu lassen, ob alles in Ordnung ist.«

»Ich hab's vergessen gehabt«, sagte Max, nun nicht mehr so aggressiv, nachdem Sadie gegangen war, »du warst dort, um das kleine Baby umbringen zu lassen, ja?«

»Umbringen?« echote Tim.

»Du bist schrecklich gedankenlos«, sagte Angela.

»Es ist aber wahr.«

»Seit wann bist du so scharf auf die Wahrheit?«

»Ich sehe nicht ein, warum ich das nicht sagen darf.«

»Um meine Gefühle zu schonen, darum.«

»Du hast meine Gefühle ja auch verletzt, als du das getan hast«, sagte Max, »an meine Gefühle hast du dabei nicht gedacht, o nein.«

»Sei still«, sagte Angela, »sei bloß still.«

Am nächsten Tag hatte sie in der Klinik genügend Zeit, um darüber nachzudenken, was sie hätte sagen sollen, wie geschickt sie das Gespräch hätte lenken können, aber nein, sie war barsch und ungeduldig gewesen. Sie hatte die Gelegenheit zu erklären, wie miserabel ihr zumute war, nicht genutzt.

»Darf ich das Buch haben?« fragte eine Frau neben ihr. Das Buch war eine Zeitschrift, die Angela gar nicht anschaute, und sie reichte sie geschwind hinüber. »Damit vergeht die Zeit schneller, finden Sie nicht? Ich meine, wenn man wartet und sich Sorgen macht.« Die Frau war sehr mager und blaß. Angela sah, daß sie einen Stock bei sich hatte. »Am meisten ärgert mich die vertane Zeit«, sagte die Frau, »ist ja auch kein Wunder, wenn man zwei kleine Kinder zu Hause hat, nicht?« – »Nein«, sagte Angela. »Und dann hab ich auch Angst, was die da drinnen sagen – so geht's uns allen, nicht?« – »Ja«, sagte Angela. »Ich meine, die nehmen keine Rücksicht darauf, daß man eine Mutter ist, nicht wahr? Immer heißt es, ›kommen Sie morgen wieder‹ und so weiter. Wenn die mir noch einmal damit kommen, sag' ich einfach, das soll wohl ein Scherz sein – woher soll ich denn die Zeit nehmen?« Die Frage hing in der Luft, und Angela war unschlüssig, ob die Frau eine Antwort erwartete oder nicht. »Weswegen sind Sie hier?« fragte die Frau unvermittelt und warf die Zeitschrift, in der sie geblättert hatte, auf den Tisch. »Zur Nachuntersuchung«, sagte Angela. »Ich hatte vor einem Monat eine Schwangerschaftsunterbrechung. Ich lasse bloß nachsehen, ob alles in Ordnung ist.«

»Ach so«, sagte die Frau, »da haben Sie's ja gut, was? Entschuldigung, da drüben ist eine Bekannte von mir.«

Die Frau stand mühsam auf und ging auf die andere Seite des Raumes, wo sie ein hübsches, nervös wirkendes Mädchen ansprach, das erschrocken aufsah. »Hallo Irene«, hörte Angela die Frau sagen. »Wie geht's denn so?« – »Gut – und dir?« – »Nicht besonders – ich hab's jetzt im Bein, im Bein und im Hals.« – »Das tut mir leid«, sagte das Mädchen und drückte seine Tasche noch fester an sich, während es verzweifelt nach rechts und links blickte. In diesem Augenblick wurde Irenes Name aufgerufen, und sie sprang auf und rannte beinahe den Flur entlang. Die Frau hinkte auf ihren Platz zurück, und Angela stellte fest, daß auch sie sich vor ihr fürchtete, doch es wäre zu auffällig, wenn sie sich woanders hinsetzte. »Nettes Mädchen, diese Irene«, sagte die Frau. »Hat ein Baby von sechs Monaten, und ihr Mann ist auf und davon, als diese ganze Geschichte anfing.« Angela lächelte höflich und nickte. »Bei uns ist es gleichzeitig losgegangen«, sagte die Frau, »wir waren auf derselben Station, aber sie ist besser dran als ich. Meine Tage sind gezählt.« Ich muß von ihr weg, dachte Angela, aber sie konnte nicht. »Am meisten bange ist mir wegen der Kinder – ich meine, was wird aus ihnen? Ich hab keine Angst, an Krebs zu sterben, bloß wegen der Kinder hab' ich Angst. Was wird aus den Kindern, wenn ihre Mama stirbt?« – »Ich bin sicher –«, begann Angela, indem sie sich die Lippen befeuchtete, »ich bin sicher, daß Sie nicht sterben.« – »Was?« sagte die Frau und lachte. »Hören Sie, meine Chancen stehen auf Null. Die denken, ich wüßte es nicht. Sie standen am Fußende von meinem Bett, und der eine sagte zum anderen: ›Welche Prognose würden Sie stellen?‹, und der andere meinte: ›Mit dieser Sekundärinfektion im Knochenmark – das wissen Sie so gut wie ich.‹ Das hat der eine zum anderen gesagt, jawohl, und dann haben sie mich angeguckt, als ob ich 'ne dumme Pute wäre, und gesagt: ›Sie können nach Hause gehen, Mrs. Green.‹ Es war zum Kotzen. Ich weiß also Bescheid, wie Sie sehen. Es ist bloß noch eine Frage der Zeit, und was wird dann aus meinen Kindern?«

Die anderen Leute blickten finster und angewidert zu ihnen hinüber, und diese Feindseligkeit gegenüber dem schrillen Hilferuf der verkrüppelten Frau zwang Angela, sich um eine Antwort zu bemühen, obwohl sie lieber geschwiegen hätte. »Was ist mit Ihrem Mann?« begann sie, doch die Frau unterbrach sie. »Ich bin geschieden«, sagte sie, »ist schon lange her. Meine zwei sind ohnehin nicht von ihm – ihr Vater wollte nichts damit zu tun haben. Ich bin bis jetzt allein zurechtgekommen.« – »Und Ihre Mutter?« fragte Angela. »Haben Sie keine Mutter, die einspringen könnte?« – »Eine Mutter?« sagte die Frau, »eine Mutter? Hören Sie, ich habe eine Mutter. Ich habe meine Mama da, jawohl, jeden Tag – hört sich gut an, was? – aber wissen Sie, was sie zu mir sagt – sie sagt, wenn ich mich von meinen vier Buchstaben erheben und irgendwas tun würde, wenn ein bißchen Leben in mich käme, sagt sie, dann ginge es mir bald besser. Sie meint, ich brauch' bloß an was Lustiges denken, statt mich selbst zu bedauern. Lachhaft ist das – so ist meine Mama, wird hysterisch, wenn ihre neue Haustür nicht richtig montiert ist, und *mir* sagt sie, ich soll nicht jammern. Sie hat keine Ahnung.« »Nein«, sagte Angela, »aber sie ist wenigstens da – ich meine, Sie können sich auf sie verlassen – das ist immerhin besser, als ganz ohne Mutter dazustehen.« – »Manchmal frage ich mich«, sagte die Frau, und dann wurde ihr Name aufgerufen, und als sie davonhumpelte, ging ein solches Aufatmen durch die Reihe der Anwesenden, daß Angela sich für die ganze Menschheit schämte.

Einmal hatte sich etwas ereignet, das schon so lange zurücklag, daß Angela, obgleich sie sich deutlich an ihre Empfindungen erinnerte, es zeitlich nicht mehr einordnen konnte – jedenfalls war Ben wieder einmal fort, und sie war mit Sadie allein. Eines Morgens wachte sie auf und spürte, wie ihr jeder Knochen im Leib wehtat; ihr war schwindelig, und ihre Haut brannte. Aus weiter Ferne, obwohl es im Zimmer nebenan war, hörte sie Sadie vor sich hin summen, ganz allein, im Augenblick noch fröhlich, aber das würde nicht lange anhalten. Sadie brauchte sie. Sadie konnte nicht allein aus dem Kinderbettchen klettern. Sadie konnte nicht ihre Windeln wechseln und sich füttern. Bald verwandelte sich das Summen in stoßweises Weinen und dann in ein lautes, hartnäckiges Heulen. »Mama, Mama«, schrie Sadie und rüttelte an den Gitterstäben ihres Bettchens. Angela rappelte sich hoch und brach sogleich neben dem Bett zusammen, ihre Beine gaben zu ihrem Schrecken einfach unter ihr nach. Sie wollte Sadie etwas zurufen, um sie zu beruhigen, aber sie brachte nur Husten und Krächzen heraus. Sie lag auf dem Boden, zwang sich, sich aufzurichten, redete sich wieder und wieder zu, komm, nun komm schon, Sadie braucht dich. Sie brachte es zuwege, sich aufzusetzen und tief durchzuatmen, und nach und nach kam sie auf die Beine und tastete sich an den Möbeln entlang zur Tür. Sie taumelte in Sadies Zimmer, und bei ihrem Anblick stieß Sadie einen Freudenschrei aus und rief »raus, raus, raus, raus«. Aber Angela konnte sie nicht herausheben. Sie setzte sich neben das Bettchen und klammerte sich an die Gitterstäbe. Sadie zog sie an den Haaren und hopste auf und ab und schrie lauter. Angela sah ein, daß sie sich die Treppe hinunterquälen und jemanden rufen mußte. Sie ließ Sadie allein, die erbärmlich zu wimmern und zu kreischen begann, und begab sich auf den langen Abstieg die Treppe hinunter, getrieben von der unbedingten Notwendigkeit, Hilfe für Sadie herbeizurufen. Sie war ihre Mutter. Sie durfte nicht ohnmächtig werden oder sinnlos schreien wie ein Baby, wie sie am liebsten nach ihrer eigenen Mutter geschrien hätte. Es gab absolut keine Möglichkeit, noch eine Weile zu schlafen und Sadie sich selbst zu überlassen.

10

Es war Samstagmittag. Ben und die Jungen sahen sich die Fußballvorschau im Fernsehen an; dumpf und passiv lümmelten sie in ihren Sesseln, verschlangen Chips und verbotene Cola. Sadie war weggegangen – niemand wußte, wohin. Und Angela ging im Garten umher und sammelte Birnen auf, die jetzt, im September, voller Wespen waren. Die Ferien waren angenehm gewesen. Auf dem Weg zu den Scillyinseln waren sie über St. Erick gefahren; Mutters Gebiß war gerichtet worden, und sie hatten Vater im Garten geholfen. Sie hatten es geschickt angestellt: vier Tage vor den eigentlichen Ferien und drei Tage auf dem Rückweg, sonnengebräunt und erholt. Diese Lösung war nicht die schlechteste, und ihre jeweiligen Ausreden – wir müssen jetzt auf die Scillyinseln, wir müssen zurück an die Arbeit und in die Schule – klangen überzeugend. Vielleicht sollten sie es immer so machen.

Angela verweilte im Garten. Fast den ganzen Sommer über war sie vor lauter Verdruß wegen dieser oder jener Angelegenheit wie gelähmt gewesen, aber nun fühlte sie sich ausgeruht und erholt. Sie hegte sogar philosophische Gedanken. Was Sadie betraf, konnte sie nichts tun – Sadie ging ihren eigenen Weg, und es half nichts, sich darüber zu grämen und sich zurückzusehnen nach der Intimität und dem Vertrauen der Kindheit, die für immer verloren waren. Und was Mutter betraf, konnte sie ebenfalls nichts tun – Mutter hatte sich vor langer Zeit in ihrem Elend ertränkt und war nicht zu retten. Weder die eine noch die andere konnte Angela wirklich belasten, und sie durfte sich das gar nicht erst einreden. Der geheime Kontrakt, den sie irgendwann unterzeichnet hatte, war trotz allem nicht bindend. Sie konnte zu sich selbst finden. Sie konnte sogar manchmal zuerst an sich denken, ohne dabei zwangsläufig das ganze Gebäude der Mutterschaft zu untergraben.

Nach diesen Gedanken traf sie das grausame Schrillen des Telefons wie ein wohlberechneter Schlag – als hätte irgendwo jemand sie beobachtet und sich in krankhafter Schadenfreude die Hände gerieben. Die Jungen rührten sich nicht. Ben rührte sich nicht. Es war bestimmt jemand von Sadies Freunden, und Angela ließ es weiterklingeln. Sie blieb im Garten, stutzte die zum zweitenmal erblühten Rosen und wartete, daß das Läuten aufhörte. Aber es hörte und hörte nicht auf, und mit der friedlichen Stimmung im Garten war es vorbei. Alle Fenster waren offen, und da sie inzwischen zwei Nebenanschlüsse hatten, schrillten drei Apparate auf einmal. Ärgerlich marschierte Angela ins Haus. »Kann denn keiner von euch ans Telefon gehen?« schimpfte sie und riß, immer noch wütend, den Hörer von der Gabel. »Hallo, wer ist da?« – »Bist du's, Angela?« Im Hintergrund plärrte der Fußballkommentar. Sie hatte sich gemeldet – sie konnte nicht vorgeben, sie sei nicht da, es war zu spät, um Vater abzuhängen und das vermaledeite, gräßliche, gemeine Telefon einfach aufzulegen.

»Vater, ist was passiert?«

»Sie haben deine Mutter ins Krankenhaus gebracht – herrje – ich weiß – es ist ein Schock – ausgerechnet, wenn du denkst, du bist über'n Berg, immer dasselbe. So ein Schlag – hätte nie gedacht, daß es soweit kommen würde. Donnerstag hat es angefangen«, sagte er, und seine Stimme wurde fester, als er den Ablauf exakt zu schildern begann, »aber sie wollte nicht, daß ich dich anrufe – Angela ist gerade aus dem Urlaub zurück, hat sie gesagt, sie will nicht schon wieder von zu Hause weg – jedenfalls, Donnerstag früh, verflixt, so'n Schwall – es hat gar nicht mehr aufgehört – sie hat's nicht rechtzeitig bis ins Bad geschafft – alles voll, und da hat sie sich natürlich aufgeregt, und dann war ihr obendrein noch schlecht –«

»O Gott«, sagte Angela verzagt, »das ist ja furchtbar.«

»Das kann man wohl sagen. Es war schrecklich, wirklich. Sämtliche Bettücher und alles und die Steppdecke, die du gerade erst zur Reinigung gebracht hattest, so ein Mist. Ich mußte natürlich den Doktor holen, nachdem ich das Schlimmste saubergemacht hatte – er ist dagewesen und hat sie untersucht und hat ihr was gegeben, und gestern war er nochmal da, aber ihr ging's nicht besser, und da sagt er, ich schicke ihr morgen früh einen Spezialisten. Besorgen Sie dies Rezept. Also saß Mrs. Collins bei ihr, während ich es holen ging, aber es hat nichts geholfen, die ganze Nacht hat sie sich hin und her gewälzt, und dann war dieser verdammte Kerl von Spezialist hier, bevor ich mein Frühstück fertig hatte – der Speck war gerade in der Pfanne – verflucht noch mal, die Schelle ging nicht. Jedenfalls, sie haben sie sich angeguckt, alle beide, und haben sie alles mögliche gefragt – aber stell dir vor, als sie fragten, ob sie manchmal Verdauungsschwierigkeiten hätte, sagt sie nein, und das war gelogen – ich hab's ihnen erzählt – natürlich hat sie Schwierigkeiten, aber sie behauptet, sie hätte keine – und dann sagt dieser Spezialist, wir bringen Sie am besten ins Krankenhaus, Mrs. Trewick, und er ruft von hier aus an, und im Nu war der Krankenwagen da – hatte kaum Zeit, ihre Sachen zusammenzupacken, und sie hat natürlich geheult, und ich konnte das blaue Nachthemd nicht finden, das sie mitnehmen wollte, und die richtigen Unterhemden auch nicht –«

Er machte eine Atempause. Angela wußte, daß er jetzt aufstand, wie er es immer beim Telefonieren machte. Sie konnte ihn weder unterbrechen und ihm sagen, daß sie alle diese unerquicklichen Details nicht hören wollte, noch konnte sie es wagen, ihn wegen des Verlustes des in der großen schwarzen Pfanne verbruzelten Specks zu bedauern.

»Ich bin natürlich mit ihr ins Krankenhaus, und ich muß schon sagen, die waren sehr aufmerksam, wirklich, kein bißchen hochnäsig – ach ja, und sie ist im neuen Trakt, nicht in der geriatrischen Abteilung, das hat sie gefreut, sie liegt auf Station Alexandra, hat ein kleines Zimmer für sich allein, und das gefällt ihr, und ich hab mit der Oberschwester gesprochen und ihr Bescheid gesagt, und eben bin ich nach Hause gekommen und hab unterwegs ein Brot gekauft, und gleich ruf ich Valerie an, und dann mach' ich mir 'nen Happen zu essen und geh wieder ins Krankenhaus.«

»Übernimm dich nicht«, sagte Angela, »es ist ein weiter Weg.«

»Ach was – ich bin nicht müde, aber gestern war ich ganz schön geschafft, das muß ich zugeben. Ich will nicht, daß sie im Krankenhaus bleibt. Sie hat Angst. Aber es verschafft mir 'ne Pause, und vielleicht können sie ja was für das arme Mädchen tun.«

»Haben sie gesagt, was es ist?«

»Verstopfung, weiter nichts, 'ne regelrechte Verstopfung – das haben sie gesagt – das ist alles, was sie *mir* gesagt haben.«

»Ich ruf dort an«, sagte Angela. »Ich will mit dem Spezialisten sprechen.«

»Gut«, sagte der Vater erleichtert.

»Und ich komme dann – «

»O nein, nein, nein, nein«, sagte der Vater, »bloß nicht – sie ist ja jetzt im Krankenhaus – hat keinen Sinn, daß du kommst – nein, warte erst mal ab – deine Mutter wird mir was husten, wenn du kommst. Sie hat ja nicht mal gewollt, daß ich anrufe – das ist für sie schon schlimm genug – aber ich hab ihr gesagt, ich kann's nicht geheimhalten, Angela und Valerie wollen es wissen, ich kann's ihnen nicht verschweigen. Du bist ihre Mutter – sie haben ein Recht, es zu erfahren.«

»Natürlich«, sagte Angela, und sie hatte entsetzliche Angst, daß ihre ersterbende Stimme ihr heftiges Verlangen, nichts von alledem zu erfahren, verraten würde. Sie räusperte sich energisch. »Natürlich wollen wir es wissen.«

»Also dann. Jetzt mach' ich mir mein Abendbrot und ziehe das Bett ab und hänge die Laken raus – bei diesem Wind sind sie im Nu trocken.«

»Du hast das prima gemacht«, sagte Angela.

»Bleibt mir ja nichts anderes übrig«, sagte der Vater. »Was getan werden muß, muß getan werden. Aber ich war schachmatt, das kannst du dir ja denken.«

»Kein Wunder. Du hättest dir jemanden zu Hilfe holen sollen.«

»Woher denn?«

»Bei der Fürsorge – «

»Ich pfeif auf die«, sagte der Vater, »die würde ich nie an deine Mutter ranlassen.«

»Die Gemeindeschwester hast du aber gemocht.«

»Das ist was anderes.«

»Sie kommt auch von der Fürsorge, und – «

»Die spionieren überall rum – mit denen will ich nichts zu tun haben, ich schaff das schon allein, keine Bange, über die Fürsorge brauchen wir gar nicht zu reden, die hab ich nicht nötig.«

Sie wußte, daß sie fahren mußte. Halb blind vor Niedergeschlagenheit taumelte sie durch die sonnige Küche zurück in den Garten, voll bitterem Groll, weil Ben weiter ferngesehen hatte, anscheinend ohne von ihrer Not Notiz zu nehmen. Sie würde morgen fahren müssen, oder besser Montag – sonntags waren die Zugverbindungen ungünstig. Mutter brauchte sie; sie lag verängstigt im Krankenhaus, zu schüchtern, um auch nur um einen Schluck Wasser zu bitten, tapfer bemüht, eine brave Patientin zu sein. Dort lag sie, alt und elend, wegen der geringsten Kleinigkeit auf andere angewiesen, und fragte sich, was der Sinn all dieses Leidens sei, warum sie einsam und verlassen sei, wo sie doch andere unermüdlich mit Liebe und Zuneigung überschüttet hatte. Wenn sie nicht führe, würde sie alles verraten, wofür Mutter sich aufgerieben hatte.

»Essen!« rief Max. »Komm rein – es ist fertig – es ist zehn nach eins – wir müssen in einer halben Stunde los, Mami.«

Angela ging gehorsam in die Küche und nahm eine Kasserolle aus dem Ofen. Sie ignorierte sämtliche Fragen. Schweigend bediente sie alle und ließ etwas für Sadie übrig, das sie in den Ofen zurückstellte. Mit abgehackten, steifen Bewegungen verteilte sie Kartoffeln und Broccoli.

»Was hast du?« fragte Ben, der sein Essen ebenso hastig hinunterschlang wie Max, nur darauf bedacht, zeitig zum Fußballplatz zu kommen.

»Du hast es vielleicht überhört, aber das Telefon hat geläutet. Mutter ist im Krankenhaus.«

»O Gott. Was ist es denn nun schon wieder?« Und während er das sagte, schaute er schnell auf seine Armbanduhr.

»Ich möchte jetzt nicht auf die Einzelheiten eingehen. Jedenfalls fahre ich Montag morgen hin.«

»Nicht schon wieder«, sagte Ben.

»Ich muß.«

»Was ist mit Valerie? Ist sie nicht mal an der Reihe?«

»Die Verantwortung abschieben, wie – dieses Gerede, wer an der Reihe ist – es kotzt mich an.«

»Du hast eben erst eine Operation hinter dir –«

»Sei nicht albern – das war nicht erst eben – das ist zwei Monate her, und es geht mir ausgezeichnet.«

»Aber nicht mehr lange, wenn du nach St. Erick abdampfst – das ist zu strapaziös und deprimierend für dich – gerade hast du dich von einem miesen Zustand erholt, da fällst du schon in den nächsten.«

»Ihr kommt zu spät zu eurem Spiel.«

»Holt eure Jacken, Jungs.« Hastig standen sie vom Tisch auf. Ben legte seine Hand auf Angelas, aber sie stieß sie weg. »Schau«, sagte er, »ich weiß, daß du dir Sorgen machst, aber du solltest noch warten, wie sich die Sache entwickelt – wenn deine Mutter zu Hause wäre, das wäre etwas anderes; im Krankenhaus ist sie gut aufgehoben.«

»Ich fahre ja nur für einen Tag und eine Nacht, um meinen guten Willen zu zeigen. Ich bleibe Montag im Krankenhaus, schlafe zu Hause, und Dienstag morgen komme ich zurück.«

»Laß uns das noch mal besprechen, wenn ich wieder da bin.«

Aber sie besprachen es nicht. In der Minute, da sie abends das Thema wiederaufnahmen, gab Ben auch schon nach. Er, der nicht wußte, was Kindespflicht war, fügte sich dem, was sie darunter verstand. Sie wollte, er hätte es nicht getan. Sie wollte, er hätte sie mit leiser Autorität bewogen, zu Hause zu bleiben. Sie wollte sich nicht um alle und jeden kümmern. Sie fühlte sich nicht stark genug. Ihre Arme schmerzten, weil sie so lange so viele Babys gehalten hatten, und sie fürchtete, sie fallen zu lassen, so daß sie auf den Boden krachten und sich die dicken Köpfe aufschlugen.

Sadie war eine geschickte Bastlerin – mit Pappe, Klebeband, Schnur und Schere gestaltete sie die kompliziertesten Dinge. Mit fünf Jahren fertigte sie ganz allein eine Harfe aus dem Deckel eines Schuhkartons und Gummibändern, dann eine Art Bauchladen für ihre Puppen, auf dem sie sitzen und sie ansehen konnten, wenn sie mit ihnen herumzog. Angela, die an jeder Hand lauter Daumen hatte, staunte über Sadies Talent. Immer wenn Sadie nicht wußte, was sie tun sollte, sagte Angela: »Bastel doch was.« Sadie wurde von Mal zu Mal ehrgeiziger. Eines Tages machte sie aus zwei großen Pappkartons, in denen Angela

Lebensmittel vom Supermarkt nach Hause befördert hatte, ein Puppentheater. Jedesmal, wenn Angela durchs Wohnzimmer kam und Sadie in ihre Arbeit vertieft sah, ging ein strahlendes Lächeln über ihr Gesicht. Sie wünschte, jemand käme zu Besuch, damit sie, wenn sie an Sadie vorbeigingen und sie bei ihrer Beschäftigung sähen, so nebenbei bemerken könnte: »O ja, so was macht sie andauernd.« Den ganzen Vormittag war Sadie unermüdlich, aber dann verwandelte sich die Szenerie. Die Kartons waren aneinandergeklebt, die Bühne war dekoriert, ein Vorhang aus Stoffresten gefertigt, die Puppen warteten auf ihren Auftritt – da rutschte Sadie die Schere aus, als sie die hintere Öffnung ausschneiden wollte. Die Pappe riß, und das Klebeband, das den oberen Karton auf dem unteren festhielt, verdrehte sich, und der Karton fiel herunter. Sadie schrie auf und weinte. »Ist nicht so schlimm«, sagte Angela, »schau, das kann ich leicht flicken.« – »Das Loch ist falsch«, wimmerte Sadie. »Ich kann's wieder richten«, sagte Angela, »sieh mal, dieses Stückchen kann ich wieder ankleben und –« »Aber so will ich es nicht – jetzt ist es nicht mehr meins – ich will *nicht, daß du mir hilfst.« – »Aber wenn ich dir nicht helfe, ist alles verdorben.« – »Mir egal«, sagte Sadie. Angela zog sich zurück. Fünf Minuten später hörte sie wieder Schreie, und als sie zurück ins Zimmer ging, trampelte Sadie mit tränenüberströmtem Gesicht auf dem zerstörten Puppentheater herum. »Aber ich hätte dir doch helfen können«, sagte Angela und drückte Sadie an sich, die es sich erstaunlicherweise gefallen ließ. »Das nächste Mal«, sagte Angela, »helfe ich dir, ob du willst oder nicht – es ist doch keine Schande, wenn man sich helfen läßt.«*

Auf dem Weg vom Bahnhof zum Krankenhaus ging es Angela durch den Sinn, daß sie in diesen trübseligen Tagen anscheinend nie mehr von Krankenhäusern fortkam. Wenigstens flößten sie ihr keine Angst mehr ein – sie konnte diese Übelkeit im Magen beim Hineingehen und die Platzangst in den Fluren überwinden. Sie wußte jetzt, wie es dort vor sich ging. Das Queen Mary Hospital in St. Erick unterschied sich kaum vom Royal Foundation Krankenhaus in Richmond, außer daß es kleiner und neuer war und insgesamt einen freundlicheren Eindruck machte. Sie hatte gesehen, wie es gebaut wurde. Auf dem Heimweg von der Volksschule war sie jeden Tag stehengeblieben, um den Zementmischer zu bestaunen und mit dem Mann zu plaudern, der ihn bediente. Sie hatte beobachtet, wie die Fundamente gegossen, wie die Ziegel aufeinandergeschichtet und die Fenster eingesetzt wurden – es schien eine Ewigkeit zu dauern, ohne daß sie jemals die Krankenwagen und Tragbahren zu Gesicht bekam, auf die sie so gespannt gewesen war.

Ihr Freund am Zementmischer sagte, von Krankenhäusern sollte man sich lieber fernhalten. Warum wohl, hatte sie sich gefragt, bis Mutter sie mit ins alte Spital nahm, um die Großmama zu besuchen, die eine Woche später dort starb. Großmama lag im Bett, sie wirkte stiller, steifer und gelblicher denn je, stöhnte dann und wann und drehte ihr Totenkopfgesicht hin und her. Neben ihr kratzte eine uralte Frau in einem zerrissenen fleckigen braunen Nachthemd an der Wand und leckte sich zwischendurch wieder und wieder die Finger, so daß der Speichel Spuren hinterließ, und auf der anderen Seite saß ein kahlköpfiges Wesen, dessen Haut die Farbe von zu lange gekautem Kaugummi hatte, neben seinem Bett in einem Rollstuhl und pochte mit einem Stock auf den Fußboden. Mutter schien die zwei nicht zu bemerken. Sie packte wie Rotkäppchen lauter gute Sachen aus einem Korb, die sie der Großmutter zum Tee mitgebracht hatte, und versuchte, ihre Aufmerksamkeit darauf zu lenken – auf den Apfelkuchen, den Zitronenquark, das halbe Dutzend frische Eier. Angela lief hinaus und versteckte sich hinter einer Tür. Sie kauerte sich zitternd in sich zusammen, und als die Mutter herauskam und böse wurde, weinte sie. »Sei doch nicht so herzlos«, sagte die Mutter, »wie *konntest* du nur – einfach wegzulaufen – als ob du dir gar nichts aus Großmama machst.«

Mutter lag weder auf der geriatrischen Station noch im alten Spital, und Angela ließ die gespenstischen Vorstellungen hinter sich, als sie die lange, zu beiden Seiten mit leuchtend roten Geranien gesäumte Auffahrt zu dem neuen Krankenhaus hinaufging. Die großen Fenster ließen die Sonne in jeden Winkel fallen, und Angela lächelte beim Anblick der blitzenden Sauberkeit und der Heiterkeit, die von dem Gebäude ausging. Hier würde Mutter sich gewiß gut aufgehoben fühlen. Sie würde den glänzenden weißen Anstrich bewundern und den blankgebohnerten blauen Fußboden sowie die in gelben und grünen Schattierungen gesprenkelten Vorhänge, welche die Betten voneinander trennten. Angela sah sich alles an, während sie den Wegweisern zur Station Alexandra folgte, und legte sich ihre ersten Worte zurecht. »Hier ist es ja fast wie in einem Hotel«, wollte sie sagen.

Sie sagte es aber nicht. Mutter lag abwesend da, fast wie im Koma, als sie zu ihr kam. In einem kleinen, etwas abseitsgelegenen Zimmer, dessen dichte dunkelgrüne Jalousien vor den Fenstern herabgelassen waren, lag sie verloren auf dem hohen Bett, die Augen geschlossen, das Gesicht zu tausend tiefen Runzeln verzogen. Angelas Herz fing laut und unregelmäßig zu klopfen an. Sie schlich auf Zehenspitzen ans Bett und blickte auf die Mutter herab, deren schönes Haar ungebürstet und hinter die Ohren zurückgestrichen war, und bei diesem

Anblick verspürte sie einen unsäglichen Schmerz. Aus Furcht, sie könnte nicht den Mut haben zu bleiben, sprach sie ganz schnell. »Hallo Mutter«, sagte sie, »rate mal, wer hier ist.« Mutter hielt die Augen geschlossen. Sie zog das Gesicht noch mehr in Falten und sagte: »Ach, geh weg, um Himmels willen – laß mich in Ruhe.« – »Das ist ja eine feine Begrüßung«, sagte Angela, »wo ich extra aus London gekommen bin, um dich zu besuchen.«

»Ist mir doch egal, woher du kommst«, sagte die Mutter, »geh weg – laß mich allein – ich will niemanden sehen.«

Angela fragte sich, wieweit es dem Einfluß von Medikamenten zuzuschreiben war, daß die Mutter so abweisend war und ihr Charakter sich dermaßen verändert hatte. »Weißt du denn nicht, wer ich bin?« fragte sie. »Ich bin's, Angela, deine dich über alles liebende Tochter – Mutter, hörst du mich denn nicht?«

Die Mutter schlug die Augen auf, diese großen blauen Augen, die jetzt blutunterlaufen und entzündet waren, und als sie Angela sah, ging in ihrem Gesicht eine wunderbare Verwandlung vor, und es wurde von Freude verklärt. Beide weinten. Dann lachte Angela und wischte sich mit dem Ärmel die Tränen ab. »Na, das war aber rührend«, sagte sie und bereute es sogleich.

»Ach Angela«, sagte die Mutter, »du ahnst ja nicht, wie das ist, wenn man hier liegen muß, bin eben bloß ein jämmerliches altes Weib.«

»Wenigstens bist du in einem schönen Krankenhaus«, sagte Angela, »eigentlich ist es hier wie in einem Hotel. Und du hast dein eigenes Zimmer.« Der einfache Teil war vorüber. Mutters spontane Wandlung bei ihrem Anblick war verflogen. Der glückliche Ausdruck entschwand und ließ ein verhärmtes und müdes Gesicht zurück. Über Mutters Lippen sprudelten nun Vorwürfe, Ängste und Verdruß, und Angela mußte alles über sich ergehen lassen.

»Es ist wie auf einer Privatstation«, sagte Angela.

»Hier kommt kein Mensch hin«, sagte die Mutter, »die lassen mich einfach allein. Ich kann nicht mal ein Glas Wasser hochheben, aber das kümmert die nicht.«

»Sie werden denken, daß dir Ruhe guttut«, sagte Angela.

»Ruhe? Hier kommt man nicht zur Ruhe. Sobald ich einschlafe, fallen sie über mich her, zerren mich hoch, und ich muß mich bewegen, wenn ich gar nicht will.«

»Du würdest sonst wund vom vielen Liegen.«

»Wund bin ich doch sowieso überall. Wenn dein Vater nicht herkäme, würden sie keinen Finger rühren. Er läßt mich nicht im Stich wie die.«

»Er hat ja auch außer dir niemanden, um den er sich kümmern muß.«

»Aber nicht mehr lange«, sagte die Mutter.

»Ich bin sicher, daß sich wenigstens in dieser Hinsicht was ändern läßt«, meinte Angela.

»Ist mir egal«, sagte die Mutter, »ich will nach Hause.«

»Tee, Mrs. Trewick?« fragte eine Krankenschwester mit liebenswürdigem Lächeln.

»Nein«, sagte die Mutter barsch, »der Tee ist miserabel.«

»Na, na«, sagte die Schwester, »so schlecht ist er gar nicht. Sie müssen Ihren Flüssigkeitshaushalt in Gang halten, das wissen Sie doch.« Angela beobachtete, wie behutsam sie der Mutter die Schnabeltasse an die Lippen hielt, wie vorsichtig sie ihren Kopf anhob. Mutter nahm einen Schluck und zog eine Grimasse.

»Ich muß ihr eine Spritze geben«, sagte die Schwester, »wenn Sie bitte solange draußen –«

»Das ist meine Tochter«, sagte die Mutter, »sie kann ruhig hierbleiben. Bleib da, Angela. Sieh dir an, was die mit mir anstellen. Vielleicht machen sie's besser, wenn du dabei bist.« Die Krankenschwester wurde rot.

»Ich möchte mit der Oberschwester sprechen«, sagte Angela, »dazu ist jetzt die beste Gelegenheit, Mutter. Und wie ich sehe, bist du hier bei der Schwester in besten Händen. Ich bin gleich wieder da. Mach's gut.«

Die diensttuende Oberschwester war ein unansehnlicher, herrischer, dicker kleiner Dragoner von einem Weib, die Angela auf den ersten Blick unsympathisch war. Angela hütete sich, sie sich zum Feind zu machen. Sie war gewillt, sie respektvoll zu behandeln, wohl wissend, daß ihre Sprechweise, ihre Kleidung und ihr ganzes Auftreten ihre Wirkung nicht verfehlen würden.

»Danke, daß Sie mir Ihre Zeit opfern«, sagte sie mit diesem affektierten, einfältigen Charme der Mittelklasse, den sie sich abgeschaut hatte und nun schamlos einsetzte.

»Dazu bin ich schließlich da«, erwiderte die Oberschwester, unbeeindruckt von den scheinheiligen Phrasen.

»Ich wollte mich eigentlich nur erkundigen, was meiner Mutter wirklich fehlt. Mein Vater drückt sich sehr vage aus.«

»Er ist informiert worden«, sagte die Oberschwester.

»Er hat es wohl nicht ganz verstanden.«

»Es ist eine Art Verstopfung, mehr kann ich Ihnen auch nicht sagen. Doktor Farrar wird sie morgen unter Narkose untersuchen, und wenn es notwendig ist, wird er operieren.«

»Kann ich mit Doktor Farrar sprechen?«

»Er ist sehr beschäftigt. Er wird Ihnen auch nichts anderes sagen als ich.«

»Sicher, aber ich würde trotzdem gern mit ihm sprechen.«

»Dann müssen Sie seine Sekretärin um einen Termin bitten. Dritter Stock. Zweite blaue Tür links.« Die Oberschwester stand auf. »Wenn Sie mich jetzt entschuldigen wollen, ich habe zu tun – wenn das alles war.«

»Nicht ganz. Meine Mutter fühlt sich wohl etwas vernachlässigt – sie bildet sich das sicher nur ein, aber ich wollte fragen, ob man sie nicht mit anderen zusammenlegen könnte? Vielleicht geht es ihr dann besser.«

»Aber den anderen geht's nicht besser, wenn sie sich das ewige Gestöhne und Gejammer von ihr anhören müssen. Übermorgen kommt sie sowieso auf die Station, und dann klagt sie bestimmt, daß sie allein sein will.«

»Ich nehme an«, sagte Angela mit ihrem übertriebensten Lächeln, »sie fühlt sich nicht besonders wohl, und das macht sie reizbar.«

»Ach je, wir fühlen uns alle ab und zu nicht wohl«, sagte die Oberschwester stirnrunzelnd, »und führen uns trotzdem nicht so auf. Das Schlimme ist, Ihre Mutter ist verwöhnt. Wir haben alte Leute hier, die zu Hause bloß ein Wohnschlafzimmer haben und keinen, der sich um sie kümmert, und die weinen vor Dankbarkeit, weil wir sie so gut behandeln. Aber Ihre Mutter ist verhätschelt – das ist sonnenklar. Ihr Vater hat sie verwöhnt, und jetzt erwartet sie, daß wir sie auch verwöhnen. Sie hat verlernt, selbständig irgendwas zu tun.«

»Meine Mutter«, sagte Angela, der albernen Verstellung nun doch überdrüssig und willens, den übertriebenen Dünkel der Oberschwester mit ein wenig Schroffheit zu dämpfen, »hat sich ihr Leben lang für andere aufgeopfert. Nie war sie sich selbst die nächste, nie hat sie zuerst an sich gedacht, und nun, da sie alt und krank ist, darf sie doch wohl mit ein wenig Mitgefühl rechnen. Den Vorwurf, verwöhnt zu sein, hat sie nicht verdient.« Sie hatte lauter gesprochen als beabsichtigt, aber die Oberschwester ließ sich nicht einschüchtern.

»Ach, jetzt fangen Sie auch noch damit an«, sagte sie mit einem kurzen bellenden Auflachen, »wie Ihr Vater; ich soll Mrs. Trewick wie eine königliche Hoheit behandeln. Das ist nicht drin – und Sie sollten nicht alles glauben, was sie Ihnen erzählt – kranke alte Leute sind oft ein bißchen wunderlich im Kopf. Meine Mutter ist genauso, bildet sich immer ein, keiner kümmert sich um sie. Gehen Sie nur wieder zu ihr und überlassen Sie uns die Sorgen.«

Angela ging gehorsam zurück. Es war ihr klar, daß die Oberschwester gesiegt hatte, wenn sie auch hoffte, ihr deutlich die Meinung gesagt zu haben. Sie wollte Dr. Farrar jedoch noch nicht aufsuchen. Im Halbdunkel wachte sie bei ihrer Mutter, die nur hin und wieder die Augen öffnete, und wartete beklommen auf die Ankunft des Vaters. Sie hatte ihm nichts von ihrem Kommen gesagt, aus Angst vor dem Aufhebens, das er wegen ihres Blitzbesuches veranstalten würde. Schon vom anderen Ende des langen Korridors hörte sie seine Schritte. Als sie ein kleines Mädchen war, hatte sie versucht, Vaters imponierenden Gang nachzuahmen. Er ging wie ein Polizist, die Füße leicht nach außen gedreht, mit schweren, gemessenen Schritten. Seine Schuhe waren stets auf Hochglanz poliert, robuste Schuhe mit dicken Ledersohlen, die er mit Nägeln beschlug, damit sie länger hielten. Als Angela einmal in den Weihnachtsferien in der Wäscherei arbeitete und früh aufstehen mußte, sah sie zu ihrem Erstaunen den Vater morgens um halb sieben die Schuhe der ganzen Familie putzen, während er darauf wartete, daß das Feuer ordentlich zog und das Wasser im Kessel zu kochen begann. In seiner Arbeitshose saß er auf einem kleinen Holzschemel, vor sich eine Reihe Schuhe, die er mit Bürsten und Lappen bearbeitete. »Du spinnst«, sagte Angela, die kaum fähig war, aufrecht zu stehen und die Augen offenzuhalten. »So eine Schnapsidee, in aller Herrgottsfrühe.« – »Da ist doch nichts dabei«, sagte der Vater und wienerte weiter, offenbar recht zufrieden, sogar glücklich. Schuhe waren sprechende Beweise von Sorgfalt. Ihr Glanz, ihr gesamter Zustand informierten die Leute über alles, was sie über jemanden wissen mußten.

Sie hörte seinen unverwechselbaren herrischen Gang und lächelte sanft – das Lächeln stahl sich auf ihre Lippen, und sie konnte es nicht zurückhalten. »Psst«, sagte sie zur Mutter, die keinen Laut von sich gab, und starrte auf die Tür. Sie wollte ihn unbedingt auffangen – diesen nur einen Sekundenbruchteil sichtbaren erfreuten Schauder, so wie es bei Mutter gewesen war. Aber Vater war aus härterem Holz. Er zuckte kaum merklich zusammen, nur der leiseste Anflug eines Erschreckens wurde erkennbar, und dann sagte er, ohne seinen Ausdruck zu verändern: »Ich dachte mir schon, daß du kommen würdest – gestern hab ich zu Mutter gesagt, es würde mich nicht wundern, wenn wir heute Besuch bekämen.«

»Sie hätte nicht kommen sollen«, murmelte die Mutter, »von so weit her.«

»So ist's recht«, sagte der Vater, »jetzt mach' ihr auch noch Vorwürfe.«

»Aber das tut sie doch gar nicht«, sagte Angela, um seinen Versuch abzublocken, eine dieser gräßlichen Kabbeleien auszulösen, in denen sie sich beide so gern ergingen, »sie ist bloß um mich besorgt, dabei geht's mir blendend.«

»Fein«, sagte der Vater. »Na, was hältst du von ihr?«

Sie unterhielten sich einträchtig über Mutters Zustand. Angela berichtete, daß sie mit der Oberschwester gesprochen hatte, und Vater sagte: »'ne richtige Hexe«, und Angela stimmte ihm zu. Sie sagte, sie wolle Dr. Farrar aufsuchen, falls das möglich sei, bevor sie am nächsten Tag abreise, und Vater war erleichtert. »Wenn die merken, daß wir uns nichts bieten lassen, wird deine Mutter auch richtig behandelt«, sagte der Vater, »das ist doch klar.« Angela sagte, sie wolle nun nach Hause gehen und etwas essen und ein Bad nehmen. Vater war damit einverstanden. Er gab ihr lange, umständliche Anweisungen, wie der Tauchsieder zu bedienen sei und welches Brot sie nehmen solle, und händigte ihr den Hausschlüssel aus mit der eindringlichen Ermahnung, ihn nicht zu verlieren. »Und noch was«, sagte er, als sie bereits im Gehen war, »Valerie wird anrufen. Sie wird sich ärgern, weil du ihr zuvorgekommen bist, aber das ist nicht zu ändern – sag ihr, ich habe nichts davon gewußt.« – »Wird gemacht«, versprach Angela. Sie war wütend; sie konnte es nicht ausstehen, daß Valerie und sie immer für Rivalinnen gehalten wurden. Vater würde nie etwas anderes in ihnen sehen, obwohl Rivalität in ihrem Alter weiß Gott abwegig war.

Sadie war lieb zu Max, bis er vier Jahre alt war, und dann beschloß sie, ihn zu hassen. »Ich hasse Max«, eröffnete sie Fremden, und wenn die den damals engelgleichen, süßen, mädchenhaft wirkenden Max ansahen und meinten, das sei doch unmöglich, niemand könne ihn hassen, widersprach sie ganz entschieden. »Doch, ich«, sagte sie dann, »ich hasse ihn. Immer fängt er Streit an, er macht alles kaputt, was ich gebastelt habe, und Mami ist müde, weil er andauernd aufwacht und die ganze Nacht brüllt.« Wenn Angela sie so hörte, hatte sie Angst, wie das weitergehen mochte. Sie wünschte, daß ihre Kinder sich gegenseitig liebten. Sie bemühte sich nach Kräften, Sadies Feindseligkeit zu bekämpfen, aber gegen die tägliche Auflistung von Max' Schandtaten kam sie nicht an. Es wurde immer schlimmer, je älter Sadie und Max wurden. Sadie sagte nicht mehr, daß sie ihn haßte, sondern zeigte ihm offen ihre Verachtung. Angela wollte nicht Max' Fürsprecherin sein. Sie wollte, daß Sadie ihn liebte. Eines Samstags, als Sadie zwölf war und Max zehn, gingen sie zum Mittagessen aus. Alle waren ermahnt worden, um halb eins fertig zu sein. Um ein Uhr hatte Max seine Schuhe immer noch nicht gefunden, und er tobte auf der Suche nach ihnen durchs Haus, während die übrige Familie bereits seit einer halben Stunde im Wagen saß. »Jetzt hab' ich genug«, sagte Ben. »Soll er doch zu Hause bleiben«, und er ließ den Motor an. Er lenkte den Wagen vom Randstein weg, und plötzlich schrie Sadie: »Nein, laß ihn nicht allein.« – »Geschieht ihm ganz recht«, sagte Angela, »er hat gewußt, daß er vor einer halben Stunde fertig sein sollte – er hat einen Denkzettel verdient für seine ewige Gedankenlosigkeit.« – »Nein«, sagte Sadie, »ihr dürft ihn nicht allein lassen – er fürchtet sich, auch wenn es Tag ist. Ich suche ihm seine Schuhe.« Gesagt, getan. Max fauchte sie an und verdächtigte sie, seine Schuhe versteckt zu haben, und er weigerte sich, danke schön zu sagen, aber beim Essen las Angela aus Sadies geistesabwesendem Schweigen eine tiefe Bedeutung heraus. Die Bindung war vorhanden. Alles andere zählte nicht.

Es war Angela, als gehe sie von der Schule nach Hause; sie schlug genau denselben Weg ein. Sie war immer allein gegangen. Zuweilen schloß sie sich einer Gruppe an, aber das machte ihr keinen Spaß. Sie ging allein und hielt auf dem ganzen Weg Selbstgespräche, dachte über Dinge nach, die sie geärgert hatten, und sonderte aus, was für Mutters Ohren geeignet war. Mutter war immer zu Hause, knietief stand sie hinter dampfenden Kleidungsstücken, die auf einem Trokkenständer rund um den Kamin drapiert waren, schob die trockenen Sachen auf die Seite und die dicken, noch feuchten Handtücher in die Mitte. Wenn alle aus der Schule kamen, machte sie eine Lücke, damit sie ins Feuer schauen konnten, während sie der Kinderstunde im Radio lauschten. Bevor der Vater heimkam, wurde das Trockenreck weggeräumt, damit ihn das Feuer in dem schwarzen Kamin hell lodernd daheim willkommen hieß. Auch Angela hatte stets das Gefühl, willkommen zu sein. Die Mutter küßte sie, tischte ihr Milch und ein Hörnchen auf, und Angela ließ sich von der Atmosphäre des Nach-Hause-Kommens aufsaugen und war für eine Weile glücklich – es ging ein Riß, ein Beben durch den Tag, wenn sie aus einer Welt in die andere trat. Sobald die Anpassung vollzogen war, schwand das Glück. Zu Hause war sie ein anderes Kind. In der Schule war sie aufgeweckt und willig, daheim war sie oft mürrisch und unfolgsam. Außer Mutter gab es zu Hause nichts, woran sie hing. Sie wünschte, die Schule würde nie durch Wochenenden oder Ferien unterbrochen.

Vater hatte das Haus tadellos aufgeräumt hinterlassen. Von dem Augenblick an, als sie die Tür öffnete, war sein Geist allgegenwärtig. Sämtliche Fenster waren trotz des schönen Wetters fest geschlossen – Vater lebte in ständiger Angst vor Einbrechern –, und die Vorhänge waren halb zugezogen. Im Wohnzimmer war das Schutzgitter vor dem Kamin, in dem ein schwaches Feuer glimmte, von kleinen Kohlenstückchen und Kohlenstaub bedeckt, damit es weiterschwelte, bis der Vater es zu neuem Leben entfachte. Vaters Hausschuhe lagen zum Anwärmen auf die Seite gedreht davor. In der Küche fiel Angelas Blick auf das Tablett, auf dem die Dinge für sein Abendbrot bereitstanden – Teller, Messer, Salz, Pfeffer, Tasse und Untertasse, Zucker und Milch. Auf dem Grill lagen eineinhalb Scheiben Toast, mit Käse bestrichen. Angela öffnete absichtslos die Schranktür – sämtliche Vorräte, die sie vor sechs Monaten mit Valerie gekauft hatte, waren aufgebraucht, nur ein paar kümmerliche Päckchen Puddingpulver und ein paar Packungen Stärkemehl waren noch da. Die einstigen Glanzstücke – Reihe auf Reihe von Mutters köstlichen eingemachten Früchten und Marmeladen – waren nirgends zu sehen, und der Gedanke daran schmerzte.

Aber nichts war schäbig oder vernachlässigt. Angela nahm Bettzeug aus dem Wäscheschrank, und obwohl schlecht gebügelt und gefaltet, war es sauber. Sie bezog ihr altes Bett; auf der Matratze lagen die eiskalten Wärmflaschen – Mutter hielt sie geschmeidig, indem sie sie einmal wöchentlich mit heißem Wasser füllte. Es war ganz still im Haus, abgesehen von seltsamen tickenden und knarrenden Lauten, die einst vertraut gewesen, nun aber fremd waren. Früher hatte sie sich das Haus insgeheim leer gewünscht, aber jetzt hätte sie gern jemanden hiergehabt – sie wollte mit jemandem reden, und sei es mit Vater, um die gefährliche Macht der Erinnerungen zu brechen. Es gab nichts, an das sie sehnsüchtig zurückdenken konnte, und das war für sie das schlimmste Eingeständnis. In diesem Haus, das sie stets gehaßt hatte, gab es keine Zeit, die sie sich zurückwünschte. Ihre Nöte und Ängste kamen ihr wieder in den Sinn, als sie ins Bad ging. Sie öffnete das Fenster, drehte die Wasserhähne auf und dachte, daß es nichts gab, weswegen sie die Uhr zurückdrehen mochte, außer Mutters Armen, die sie umfingen, als sie klein war.

Jedesmal, wenn sie von ihren häufigen kurzen Reisen nach Hause kamen, rannte Sadie in ihr Zimmer und tauchte lange Zeit später zufrieden und erleichtert wieder auf. »Was hast du gemacht?« fragte Angela dann, verärgert, weil sie sich allein mit dem Hereintragen und Auspacken der Koffer hatte abmühen müssen. »Nichts – hab bloß geguckt, ob noch alles da ist«, sagte Sadie verschlossen und fast verschämt. Ihr Zimmer bedeutete ihr mehr, als sie zugab. Es war Angela ein Rätsel, daß Sadie es vernachlässigen und doch heimlich daran hängen konnte. Wenn sie und Ben von Zeit zu Zeit einen Umzug erwogen und darüber sprachen, protestierte Sadie jedesmal heftig: »Dies ist unser Haus«, sagte sie, »das könnt ihr doch nicht einfach auf-

geben.« – »Warum nicht?« sagte Angela, die Antwort provozierend, die sie hören wollte, »ein Haus ist ein Haus, weiter nichts.« – »Das stimmt nicht«, sagte Sadie. »Wieso nicht?« – »Ich will hier nicht weg – mir wird schlecht, wenn ich daran denke.« Mehr konnte Angela nicht aus ihr herausbekommen, aber es genügte.

Sie war in Nachthemd und Morgenrock, als Vater um neun Uhr heimkam.

»Nett, Licht zu sehen«, sagte er, »es ist so einsam hier, wenn man allein ist.« Aus Vaters Mund klang diese Feststellung nicht mitleiderregend.

»Soll ich dir was zu essen machen?«

»Nein, nein – ich hab' mein Abendbrot schon fast fertig, laß nur – 'n bißchen Toast mit Käse, das reicht mir heutzutage für den Abend – hat Valerie angerufen?«

»Nein.«

»Komisch.« Während er seinen Mantel auszog, schwieg er nachdenklich. »Möchte wissen, was das bedeutet – sie ruft sonst immer vor neun an, weil ich bis dahin gewöhnlich zurück bin. Da stimmt was nicht.«

»Nach zwei Tagen kannst du kaum von ›gewöhnlich‹ sprechen«, sagte Angela, aber der Vater reagierte nicht darauf. Er ging seinen Mantel aufhängen, und als er zurückkam, stocherte er im Feuer, das sogleich hell aufflammte, und zog seine Hausschuhe an.

»Warum rufst du sie nicht an?« fragte Angela.

»Ach nein – sie hat gesagt, daß sie anruft, da kann ich sie doch nicht anrufen, nachdem sie das gesagt hat.« Sobald er die Hausschuhe anhatte, stellte er seine Schuhe in den Schrank neben dem Kamin, nachdem er sie zuvor kritisch auf Verschleißspuren und fleckige Stellen untersucht hatte.

»Du bist der einzige Mensch, den ich kenne, der seine Schuhe jedesmal, wenn er sie auszieht, auf Leisten spannt«, sagte Angela.

»Du tust das ja nie«, sagte der Vater, »das sieht man gleich – gehst liederlich mit deinen Schuhen um – wie gewonnen, so zerronnen.«

»Ich hätte nicht den Nerv dazu«, sagte Angela.

»Nerv, dazu braucht man keinen Nerv – bloß gesunden Menschenverstand, um seine Schuhe zu pflegen. Wenn das Telefon klingelt, während ich mir mein Abendbrot mache, laß es läuten – ich geh schon dran. Allerdings, wenn sie nicht anruft, könnte das heißen, daß sie hierher unterwegs ist.«

Angela zwang sich, dabeizubleiben, während er seinen spärlichen Imbiß aß. »Die Narkose macht mir Sorgen«, sagte er, als er fertig war, »falls sie operieren, und es sieht ganz danach aus. Ich weiß nicht, ob sie kräftig genug ist, um das zu überstehen.«

»Wenn sie der Meinung sind, daß sie es nicht überstehen könnte, werden sie nicht operieren.«

»Das sagst du so – da sieht man mal, was du für eine Ahnung hast – in Krankenhäusern tut sich mehr, als das Auge sieht.«

Über diese Bemerkung dachte sie vor dem Einschlafen nach. Vater stellte die Nachrichten an, und er schien nichts dagegen zu haben, als sie sagte, sie gehe zu Bett. Er witterte überall List und Tücke, aber er war glücklich dabei. Anders als Mutter, beschäftigte er sich unaufhörlich mit den Millionen Gemeinheiten, die ihnen die Menschheit antun könnte, und die Ideen gingen ihm nie aus. Er hatte zu Mutters Glaube, Hoffnung und Liebe stets den Machiavelli gespielt. Angela erinnerte sich, wie sie eines Tages kurz vor der Schulentlassung nach Hause gelaufen kam und höchst anschaulich einen Unfall schilderte, den sie gesehen hatte. Ein gänzlich unschuldiger Autofahrer hatte einen fahrlässigen Radfahrer angefahren. »Ich muß mich als Zeugin melden«, sagte sie aufgeregt, »der Fahrer konnte gar nicht ausweichen, aber das wird ihm bestimmt keiner glauben.« – »Tu das«, sagte die Mutter, »der Ärmste, steh ihm bei und sag die Wahrheit.« – »Halt dich da raus«, sagte der Vater, »laß dich nie mit der Polizei ein – geh bloß nicht freiwillig zu irgendeiner Verhandlung.« Sie folgte Mutters Rat und ihrer eigenen Eingebung und bereute es. Sie mußte ständig aufs Polizeirevier, um ihre Aussagen zu Protokoll zu geben, und weil sie Wochen später vor Gericht erscheinen mußte, verlor sie ihren Ferienjob, und dann stellte sich heraus, daß der Fahrer, dem sie so unbedingt helfen wollte, keinen Führerschein hatte, so daß er nicht zu retten war. Und wie Vater vorausgesagt hatte, war es nicht gut, sich mit der Polizei einzulassen; die Polizisten nahmen sie allzu gründlich und mit einer Feindseligkeit aufs Korn, die ihr Angst machte.

Sie schlief gut und wachte spät morgens auf, als der Vater längst im Haus rumorte. Er beachtete sie kaum und konnte sie nicht schnell genug aus dem Haus bekommen, was ihr nur recht war. Das Wetter hatte umgeschlagen, und es regnete; trotzdem ging sie wieder zu Fuß zum Krankenhaus und setzte sich zu Mutter, bis man sie zur Untersuchung in den Operationssaal brachte. Als Angela hinkam, war die Mutter nicht im Bett; sie kauerte in sich zusammengesunken in einem Sessel, ihr Kopf hing schlaff auf einer Seite. »Die lassen mich hier seit zwei Stunden so sitzen«, flüsterte sie, »ich hab nicht mal Hausschuhe an, meine Füße sind eiskalt.« Angela zog ihr die Hausschuhe an und machte sich auf die Suche nach einer Schwester. »Meine Mutter möchte wieder ins Bett«, sagte sie. »Die Oberschwester hat gesagt, um elf Uhr«, erwiderte die Schwester, »und jetzt ist es erst Viertel vor.« – »Aber es ist so unbequem für sie«, sagte Angela. »Na gut«, meinte die Schwester, »dann riskieren wir's eben. Aber die Oberschwester wird bestimmt böse.«

Als sie erst wieder im Bett war, sah die Mutter gleich besser aus. Angela redete auf sie ein, bis sie heiser war. Sie berichtete von den Kindern, schilderte Erlebnisse aus ihrem eigenen Unterricht und erzählte Anekdoten von Bens Arbeit. Die Mutter reagierte nicht. Als Angela erschöpft innehielt, sagte die Mutter: »Ich wünsche dir nicht, daß es mit dir mal so weit kommt wie mit mir, Angela.« – »Mir wäre das ganz recht«, meinte Angela, »wenn ich fünfundsiebzig werde, und meine Kinder sind erwachsen und glücklich, und ich habe ein langes und gesundes Leben hinter mir.« Kleine Tränen rannen Mutters Wangen hinab.

Kaum fähig, gegen die Übelkeit und das Zittern anzukämpfen, die sie plötzlich überkamen, beugte sich Angela über die Mutter und sagte: »Hörst du mich, Mutter? Es tut mir leid. Ich wollte nicht grausam sein – es ist bloß –« Sie brach ab. Was war ›bloß‹? Sie tätschelte der Mutter fahrig die Hand. »Sie machen dich hier bestimmt bald wieder gesund«, sagte sie.

Sie sah zu, wie sie Mutter fortrollten. Die Oberschwester war forsch und munter. »Ist bloß eine Kleinigkeit«, sagte sie, »dauert nicht lange. Er operiert jetzt noch nicht, auch wenn er was findet – er hat viel zuviel zu tun – seine Liste für heute ist von oben bis unten voll mit wichtigen Operationen – holen Sie sich eine Tasse Tee und kommen Sie in einer Stunde wieder.«

Angela ging gehorsam weg, aber nicht in die Caféteria. Sie spazierte zum Fluß und wurde naß bis auf die Haut. Hin und wieder drehte sie sich zum Krankenhaus um, wo die Mutter abgetastet und abgeklopft wurde. Was für eine Erleichterung wäre es, wenn sie in aller Stille auf redliche Trewicksche Art auf Dr. Farrars Operationstisch sterben würde. Angela hob einen Stein auf und hielt ihn eine Minute lang in der Hand. Gelang es ihr, ihn ans andere Ufer zu werfen, würde Mutter sterben. Verfehlte sie das Ufer und der Stein fiel in den Fluß, würde Mutter weiterleben. Sie schloß die Augen und schickte sich an, mit aller Kraft zu werfen. Aber sie hatte keine Kraft – ihr Arm war schwach, ihre Kräfte hatten sie verlassen. Sie warf den Stein überhaupt nicht.

11

Vater erwartete sie. »Nichts Schlimmes«, sagte er strahlend, doch als er Angelas Zustand bemerkte, veränderte sich seine Miene. »Verdammt«, sagte er, »du bist ja klatschnaß.« – »Macht nichts«, sagte Angela gleichgültig. »Und ob das was macht – kommst völlig durchnäßt in ein Krankenhaus – übrigens, der Chirurg sagt, es ist nicht das, was er gedacht hatte, und er hat sie beruhigt, und sie kann binnen kurzem nach Hause.« – »Und wie meint er das?« fragte Angela. »Wie er's gesagt hat«, erwiderte der Vater gereizt. Sie hatte ihm mit ihren tropfnassen Kleidern und ihrer ungläubigen Frage die gute Laune verdorben.

»Sadie hat angerufen«, sagte der Vater.

»Weshalb?« Es war unheimlich, wie weit entfernt ihre eigene Familie schien, sobald sie mit Mutter zusammen war.

»Sie sind heute nach der Schule alle eingeladen – sie sagt, du brauchst dich nicht zu beeilen. Du könntest einen späteren Zug nehmen.«

»Nein«, sagte Angela, »ich fahre mit dem, den ich mir ausgesucht habe.«

»Ich dachte bloß, dann könntest du länger bei Mutter bleiben, weiter nichts; ich meinte ja bloß.«

»Nach der Narkose ist sie sicher müde«, sagte Angela, »und nachdem es nichts Schlimmes ist, kann ich doch ruhig fahren.«

»Wie du willst«, sagte der Vater und schüttelte den Kopf über die törichte Welt, wo nicht jedermann einsah, daß seine Ansicht die beste war. »Übrigens«, sagte er, »Valerie kommt morgen.«

»Fein«, sagte Angela. Die Abreise fiel ihr wesentlich leichter, wenn der Vater annahm, daß sie eifersüchtig sei.

Sie ging hinauf auf die Station und verabschiedete sich von Mutter, die soeben zu sich gekommen und noch schläfrig war. Vater begleitete Angela bis ans Ende der Auffahrt. »Das wird wieder eine endlose Strapaze«, meinte er, »aber ich schaff das schon irgendwie.«

»Ja«, sagte Angela.

»Rufst du heute abend an?«

»Natürlich.«

»Wir müssen ihr die Daumen halten. Sie war schlimm dran, das steht fest.«

»Ja«, sagte Angela wieder.

Den Rest des Weges legten sie schweigend zurück. Angela hängte ihre Schultertasche von einer Seite auf die andere. Den Vater zu umarmen stand außer Frage – körperliche Gesten aller Art, selbst ein zufälliges Streifen mit der Hand, hatten stets etwas Verkrampftes. »Denk dran«, sagte sie, »ich kann jederzeit wiederkommen, wenn du mich brauchst. Gib mir nur ohne Bedenken Bescheid.« – »Ich streiche das Schlafzimmer, solange sie noch hier ist«, sagte der Vater, »das hat's nötig.«

»Du solltest dir lieber etwas Ruhe gönnen.«

»Ich find keine Ruhe, wenn sie hier drin ist, und so hab ich wenigstens was zu tun. Wie soll ich's streichen – wieder genauso?«

»Eine Abwechslung wäre ganz schön für sie«, sagte Angela, »wo sie doch soviel Zeit dort verbringt. Wie wär's mit einer Tapete?«

»Tapeten kann man nicht abwaschen. Dispersionsfarbe ist das Beste, was es gibt.«

»Dann nimm Rosa, das blasseste Rosa, das du finden kannst. Ich besorge auf dem Weg zum Bahnhof eine Farbmusterkarte und ruf dich heute abend an.«

»Aber die Daunendecke ist doch blau«, sagte der Vater und schürzte die Lippen, »und die Steppdecke auch. Du weißt ja, wie sie ist – ob Rosa dazu paßt?«

»Ja«, sagte Angela, »das Rosa, das mir vorschwebt, bestimmt – es gibt dem Zimmer Wärme, und Dunkelblau paßt sehr gut dazu. Das leuchtende Gelb ist grauenhaft.«

Vater schritt recht flott die Auffahrt zurück. Ihre Herzen waren Mutters wegen mit Sorge und Schwermut angefüllt, und sie suchten Zuflucht in Farbmusterkarten und Diskussionen über rosa Schattierungen. Angela winkte, ehe sie um die Ecke bog, und Vater winkte heftig zurück, ein enthusiastischer, vitaler Gruß. Sie hätte soviel für ihn tun können und hatte nichts getan, und doch war mit ihm entschieden leichter auszukommen als mit Mutter. Er fand Trost in Euphemismen, Mutter hingegen verachtete sie. Er ließ sich von seinem Jammer ablenken, während sie sich an den ihren klammerte. Wenn die Zeit käme, würde Angela mit Vater recht gut auskommen. Er würde ernten, was er gesät hatte.

Angela sah ein, daß sie in vielen Dingen stets zu streng gewesen war. In gewisser Hinsicht verlangte sie eine ganze Menge von Sadie. Sie war bemüht, ihre Tochter zu einer geradezu widernatürlichen Sorgfalt zu erziehen. »Daß du es ja nicht verlierst«, sagte sie zu Sadie, »behalt es in der Schule in deiner Tasche und verlier's nicht.« Und wenn Sadie nach Hause kam und die Geldbörse verloren hatte und zugab, daß sie sie auf dem Schulhof aus der Tasche genommen und einer Freundin gezeigt hatte, wurde Angela über die Maßen wütend, so daß es zu dem Vergehen in keinem Verhältnis stand. »Wie konntest du nur so dumm sein«, schalt sie, »dabei hab ich's dir extra gesagt – ich hab dich gewarnt«, und so weiter und weiter, viel zu lange. Allmählich wurde Sadie verschwiegen. Sie versuchte es zu vertuschen, wenn sie etwas verloren hatte. Eines Tages rief ihre Lehrerin bei Angela an und fragte, ob Sadie sich jede Woche nach dem Schwimmen mit einem Taschentuch abtrocknen müsse? Angela war fassungslos. Sie konnte es nicht erwarten, bis sie Sadie nach der Schule abholte. »Was hast du bloß angestellt, um Himmels willen? Wo ist dein Handtuch?« Sadie brach in Tränen aus. Sie weinte auf dem ganzen Heimweg. Sie weinte noch eine Stunde, als sie zu Hause war. Schließlich sagte sie mit tränenerstickter Stimme: »Ich hab' gewußt, daß du böse wirst – du hast gesagt, es ist ein besonders gutes Handtuch – ich hab' gewußt, daß du schimpfst.« Angela wurde schamrot. »Ach Sadie«, sagte sie und drückte sie an sich, »es war doch bloß ein besonders großes, hübsches orangenes Handtuch – ich meinte doch nicht, daß –«, aber ihre Stimme erstarb. Sie hatte es so gemeint, und Sadie wußte, daß sie es so gemeint hatte, und aus Kummer darüber, daß sie ihrem Kind eine solche Angst eingeflößt hatte, war sie wochenlang deprimiert. Kinder hörten nur das, was sie hörten, mehr nicht.

»Freut mich, daß es Ihrer Mutter bessergeht«, sagte ihre Nachbarin, »welch eine Erleichterung.«

»Ja«, log Angela, »eine große Erleichterung.«

»Es ist erstaunlich, wie gut sie sich jedesmal erholt.«

»Erstaunlich«, sagte Angela.

»Ich nehme an, Sie fahren wieder hin, wenn sie rauskommt?«

»Nein«, sagte Angela, »ich glaube nicht.«

»Ich möchte ja nicht aufdringlich sein – aber meinen Sie nicht, daß Sie hinfahren sollten?«

»Daß ich sollte?« echote Angela. »Natürlich sollte ich, aber ich muß schließlich an meine Familie denken. Ich bin ja fast das ganze Jahr hin und her auf Trapp. So kann es nicht weitergehen.«

»Aber Sie sind doch nie lange weg, oder?«

Nein, sie war nie lange weg, aber Daisy Bensons junge, hübsche Mutter, die selbst noch eine junge, hübsche Mutter hatte, wußte noch nicht, wie lang einem die Zeit wurde, wenn man mit einer alten kranken Verwandten zusammen war. Die Zeit wurde gemessen an Seufzern und Stöhnen, an Schuld und Trübsal; sie wurde belastet von unausgesprochenen Vorwürfen und uneingestandener Reue. Niemand konnte das begreifen. Auf dem Rückweg im Vorortzug, ehe sie in Exeter umstieg, hatte Angela sich mit einer Frau unterhalten, die sie flüchtig kannte – Olive Wyatt hieß die Frau; sie hatte früher in ihrer Straße gewohnt und war dann weggezogen. Sie erkannte Angela und erkundigte sich nach dem Befinden ihrer Mutter. Angela war sprachlos, als die Frau sich überrascht zeigte, daß Angela ihre Mutter so häufig besuchte. »Es geht nicht anders«, sagte Angela, »sind Sie denn nicht ständig wegen Ihrer Mutter in Sorge?« – »Großer Gott, nein«, sagte Olive Wyatt. »Ich sehe sie einmal im Jahr für einen Tag, und damit hat sich's – aus den Augen, aus dem Sinn.« »Aber sie sind doch so hilflos«, sagte Angela, von soviel Kälte abgestoßen, »und es ist so traurig, wenn jemand, der einen geliebt und umsorgt hat, behandelt wird wie –« – »Sentimentaler Quatsch«, sagte Olive Wyatt und vertiefte sich in ihre Lektüre.

»Du warst aber nicht lange weg«, sagte Sadie, sobald Angela zur Tür hereinkam.

»Wenn ich mir das Haus hier angucke, war ich lange genug weg«, sagte Angela und lenkte ihren Zorn in eine Richtung, wo er begreiflich war. »Hat denn keiner auch nur einen einzigen Teller abgewaschen? Hat keiner auch nur irgendwas aufgeräumt? Muß ich völlig erledigt zurückkommen und dann noch einen Saustall aufräumen?«

»Fang bloß nicht schon an, kaum daß du da bist«, sagte Sadie.

»Was erwartest du denn von mir? Soll ich etwa sagen, danke Sadie, daß du dich so prima um alles gekümmert hast?«

»Okay, okay.«

»Was heißt hier okay – du sagst okay und machst genauso egoistisch weiter wie vorher, und dann bist du eingeschnappt, wenn ich dich kritisiere.«

»Das ist alles, was du kannst«, murmelte Sadie.

»Das ist nicht wahr«, brüllte Angela, und dann setzte sie sich plötzlich hin und bedeckte das Gesicht mit den Händen, wohl wissend, daß solche dramatischen Gesten ihr Sadie nur noch mehr entfremdeten. Es war ganz still in der unaufgeräumten, mit Geschirr und Essensresten übersäten Küche. Nach einer Minute stand Angela auf und begann den Tisch abzuräumen. Sie band sich eine Schürze um, ließ heißes Wasser einlaufen und stapelte das schmutzige Geschirr auf dem Trockenbord. Sadie stand auf und ging.

»Sadie!« kreischte Angela.

»Was?«

»Wo willst du hin, zum Donnerwetter?«

»Hausaufgaben machen natürlich.«

»Deine Hausaufgaben können warten. Du bleibst hier und trocknest das Geschirr ab. Die Spülmaschine ist voll.«

»Wieso ich? Max ist –«

»Ich wünsche keine Diskussion – keine Widerrede – hier ist ein Handtuch – bleib hier und trockne die Sachen schnell und ordentlich ab, bevor ich durchdrehe.«

Dampf stieg aus dem Spülbecken mit heißem Seifenwasser auf und brannte auf Angelas Wangen. Sie tauchte die gummibehandschuhten Hände ins Wasser und spülte das Geschirr systematisch; diese Routinearbeit wirkte wie immer beschwichtigend auf sie. Sadie schnappte sich ein paar soeben gespülte Untertassen und übersah die Teller, die zuerst abgewaschen worden waren, worauf Angela die restlichen Untertassen mit einer Hand festhielt und sagte: »Es ist doch wohl logisch, daß man zuerst die Teile abtrocknet, die schon abgetropft sind.« Sadie nahm die Teller, vier Stück auf einmal. »Kein Mensch«, sagte Angela, »kann vier Teller auf einmal abtrocknen, nimm bitte einen nach dem anderen.«

Schließlich waren sie fertig. Sadie legte das Handtuch hin und wollte aus der Küche gehen.

»Das Zeug bleibt nicht auf einem Haufen da stehen«, sagte Angela. »Alles wird an Ort und Stelle geräumt.«

Mürrisch räumte Sadie das Geschirr weg, wobei sie die einzelnen Teile so fest aufeinanderknallte, wie es ohne Bruchgefahr ging. »Ist das alles?« fragte sie.

»Findest du?« gab Angela zurück. »Würdest du sagen, daß das alles ist, wenn du dich in der Küche umsiehst?«

»Du bist verdammt sarkastisch.«

»Und du bist verdammt rücksichtslos.«

»Danke«, sagte Sadie und ging.

Wie sie das fertigbrachte, war Angela unerklärlich, und es trieb sie zur Verzweiflung. Sie räumte die Küche auf und grübelte die ganze Zeit darüber nach, daß sie in dem Wunsch, Sadie von den erdrückenden Zwängen der Pflichterfüllung zu entbinden, ein Geschöpf gezüchtet hatte, das dermaßen selbstsüchtig war, daß nichts sein Mitleid erregen konnte – jedenfalls nicht, wenn es seine Mutter betraf. Es schien Angela, als hätte sie mit allem Schlechten auch alles Gute ausgetrieben. Sie hatte nicht gewollt, daß ihre Tochter sich ihr so verpflichtet fühlte, wie sie sich ihrer Mutter verpflichtet gefühlt hatte – und das war ihr gelungen. Ihre Tochter hielt sie für stark und unabhängig. Sie hatte nicht durch ihre Tochter leben wollen, wie ihre Mutter durch sie gelebt hatte – und das hatte sie erreicht. Sie hatte gewünscht, daß ihre Tochter sie wie ihresgleichen behandelte, und das war der Fall, doch Angela vermochte das durchaus nicht als Sieg zu erkennen. Sie fühlte sich geschlagen, in die Enge getrieben. Und das war ihre eigene Schuld.

Sie war vor Kummer ganz still. Sie begrüßte die heimkommenden Jungen mit bedrückter Miene und Ben mit einem freudlosen Lächeln. Während des Abendessens hatte sie nur Augen für Sadie, die unempfindlich für jede Spannung zu sein schien. Angela aß und trank und ermahnte sich, Sadie nicht stumm anzuklagen – ihr keine vorwurfsvollen Blicke zuzuwerfen, wie Mutter sie ihr zugeworfen hatte, und Mitleid nicht als Waffe zu benutzen.

»Kann ich eine Party machen?« fragte Sadie aus heiterem Himmel.

»Damit rückst du ja zu einer schönen Zeit raus«, sagte Ben, »wo deine Mutter eben erst von einer anstrengenden Reise zurück ist.«

»Ist schon gut«, sagte Angela schnell. »Natürlich kannst du eine Party machen. Ich habe deine Partys immer gemocht.« Das stimmte – jahrelang hatte sie für Sadie wundervolle Partys arrangiert, einfallsreich und großartig organisiert, von der ganzen Nachbarschaft beneidet. Sadie zuckte zusammen. »Die Sache ist bloß«, meinte sie, »ich möchte es diesmal lieber allein machen – ich meine, ich will dich nicht dabeihaben.«

»Keine schlechte Idee«, sagte Angela vorsichtig.

»Und die Jungs will ich auch nicht dabeihaben. Ich möchte das Haus leer haben. Ich kann keine Party machen, so wie ich sie mir vorstelle, wenn die Jungs hier sind – das würde alles verderben.«

»Wieso?«

»Ich hab' keine Lust, das näher zu erklären – ich will das Haus eben leerhaben. Könnt ihr nicht mit ihnen irgendwohin gehen?«

»Nur weil es dir so paßt?«

»Okay, okay. Vergiß es. Dann mach ich eben keine Party. Ist nicht so wichtig.«

»Sei nicht so empfindlich – natürlich kannst du eine Party machen – ich weiß bloß nicht, wie ich die Jungen ohne großen Aufwand loswerden soll. Reicht es nicht, wenn ich dir garantiere, daß sie alle oben bleiben?«

»Um Gottes willen, versuch doch nicht noch, mit ihr zu feilschen«, sagte Ben.

»Ich denke, das wird gehen«, sagte Sadie mürrisch. »Aber es wird sehr laut – sie können wahrscheinlich nicht schlafen – sie sollen sich bloß nicht beschweren. Und ihr habt doch nichts dagegen, daß getrunken und geraucht wird?«

»Und ob ich was dagegen habe«, sagte Ben.

»Was ist das überhaupt für eine Party?« wollte Angela wissen.

»Eine ganz normale Party halt, wie sie alle machen. Ich räume auch hinterher wieder auf. Ihr müßt gar nichts tun. Aber ich brauche das Haus.«

»Wieviel Leute gedenkst du einzuladen?« fragte Angela.

»Ich möchte die Einladungen sehen«, sagte Ben.

»Aber es gibt keine Einladungen, so eine Party ist das nicht – man sagt den Leuten einfach Bescheid.«

»Ich könnte Pizza machen«, erbot sich Angela.

»Nein«, sagte Sadie, »das wäre bloß Zeitverschwendung, viel zu aufwendig. Ich will kein richtiges Essen.«

»Und ich will keine richtigen Getränke«, sagte Ben.

»Bier ist doch harmlos«, sagte Sadie, »und Apfelmost und Bowle – das darf ich doch, oder?«

»Ich denke schon«, sagte Angela.

»Ich räum' das Erdgeschoß aus«, sagte Sadie, »und wir lassen keinen nach oben. Wo soll ich die Lampenschirme und Bilder und Teppiche hintun?«

»Aber warum mußt du denn die Lampenschirme abmachen?«

»Damit sie nicht kaputtgehen – es sollte so wenig wie möglich rumstehen. Es ist ja nur euretwegen – ich will ja bloß eure Sachen schonen.«

»Was machst du so viele Umstände wegen einer Party?« fragte Mutter am Telefon. »Du verwöhnst das Kind.« Mutter, frisch aus dem Krankenhaus, war schlecht gelaunt. Während der letzten zwei Wochen hatte Angela die Minuten mit Einzelheiten von Sadies bevorstehender Party gefüllt, in der Hoffnung, Mutter zu zerstreuen, aber nein – es ärgerte sie.

»Ich muß gar nichts tun, also mache ich auch keine Umstände«, sagte Angela.

»Du hattest nie Partys«, sagte Mutter vorwurfsvoll, »jedenfalls nicht in diesem Alter.«

»Nein«, sagte Angela, »aber Sadie ist nicht ich. Sie hat Partys gern.«

»Mit Jungen?«

»Aber ja – sonst wär's ja langweilig.«

»Ich finde das skandalös«, sagte die Mutter aufgebracht, »daß sie es so wild treibt – in ihrem Alter – mit Jungen und so – mit so was hast du dich nie abgegeben. Ich hoffe bloß, daß nichts passiert. Dein Vater meint, es passiert bestimmt was.«

»Was meint er?« fragte Angela, dabei wußte sie es ganz genau, und sie wußte auch, daß Mutter die Worte nicht über die Lippen bringen würde.

»Ach, was Gewisses, höchstwahrscheinlich«, sagte die Mutter, »das muß ja kommen, wenn sie mit Jungen zusammen ist.«

Sie meinte, Sadie könnte schwanger werden. *Etwas Gewisses wird passieren* hatte immer nur diese Bedeutung. Nachdem sie nun schon so lange rechtschaffen verheiratet war, hatten sie vergessen, daß sie ihr das auch immer prophezeit hatten. Heute waren sie überzeugt, daß sie nie »an so was« interessiert war, aber als sie achtzehn war, waren sie dessen nicht so sicher. Mutter lebte in tödlicher Angst davor, daß etwas, zumal »etwas Gewisses«, passieren könnte. Jedesmal, wenn Angela von einer vollkommen harmlosen Verabredung nach Hause kam, verdarb Mutters besorgte Miene ihr den Tag. Als sie dann wirklich einen Freund hatte und die Sorge der Eltern berechtigt war, verlegte sie ihre Abenteuer so weit von zu Hause weg und mit solcher Heimlichkeit, daß für die Eltern wenig Hoffnung bestand, sich über ihr Tun auf dem laufenden zu halten. Sie merkten lediglich, daß sie freitags und samstags abends spät nach Hause kam, und sie sagte ihnen nicht, wo sie gewesen war. Wenn sie ihnen nun von Sadie berichtete, so erzählte sie ihnen im Grunde mit jahrzehntelanger Verspätung von sich selbst.

»Es macht ihr Spaß«, sagte sie. »Sie ist jetzt in dem Alter, wo man große und laute Partys gibt. Das ist doch harmlos.«

»Aber das Haus«, sagte Mutter.

»Ach, das räumt sie wieder auf. Es macht nichts, wenn es ein paar Flecken gibt oder was verschüttet wird, das läßt sich nicht vermeiden.«

»Das muß aber nicht sein«, nörgelte die Mutter. »Und du nimmst sie auch noch in Schutz. Die jungen Leute haben heutzutage keine Achtung mehr vor Eigentum.«

»Woher weißt du das?«

»Vom Fernsehen. Da hab ich gesehen, was die alles anstellen – und dein Vater liest mir die schrecklichsten Sachen aus der Zeitung vor.«

»Das ist doch noch kein Beweis.«

»Nein? Hm?« Mutter wurde schnell nervös, wenn ihre Meinung angezweifelt wurde. »Jedenfalls hoffe ich, du mußt es hinterher nicht bereuen, daß du ihr diese Party erlaubt hast.«

»Bestimmt nicht«, sagte Angela.

»Was war denn los?« fragte Sadie.

»Was meinst du?«

»Das ganze Gequatsche mit Oma am Telefon über mich – was geht sie das an, ob ich eine Party mache oder nicht?«

»Über irgendwas muß ich doch mit ihr reden – ich bemühe mich, sie an allem teilhaben zu lassen, was hier vorgeht – sie möchte eben gern Bescheid wissen.«

»Und sie meckert gern.«

»Nein, das ist nicht wahr – es ist für sie nur schwer zu begreifen, was du an so was findest.«

»Und du erklärst ihr natürlich alles haargenau.«

»Ich gebe mir Mühe.«

»Nur keine falsche Bescheidenheit.«

»Was soll das – warum bist du so spitz?«

»Ach, vergiß es.«

»Das würde ich nur zu gern, aber ich kann nicht – immer bist du spöttisch und erklärst nie, warum.«

»Na und, du gleichst das doch wieder aus.«

»Du bist so ungerecht, Sadie – dauernd kritisierst du an mir herum, und in der nächsten Minute heißt es ›kann ich eine Party machen?‹, und dann wird von mir erwartet, daß ich mich mit Feuereifer in die Vorbereitungen stürze, und ich tu alles und –«

»O Gott, darauf hab ich gewartet – du verlangst immer Dank – tust erst ganz lässig, und es heißt, ja natürlich, und dann jammerst du, wenn man sich nicht bedankt und dir sagt, wie großartig du bist.«

»Nun, wenn das wahr ist –«

»Es *ist* wahr.«

» – dann ist das sehr traurig, und ich schäme mich, aber –«

»Komm jetzt bitte nicht mit *der* Leier.«

» – ich glaube nicht, daß das wirklich wahr ist. Du forderst mich ja regelrecht zu solchen Bemerkungen –«

»Dich braucht man nicht erst herauszufordern – du gibst solche verflixten Ergüsse ja pausenlos von dir – ewig diese ellenlangen Vorträge.«

» – heraus, du zwingst mich dazu, du hast ja keine Ahnung, wie das ist, wenn einem jemand sagt, daß man nicht dankbar genug ist.«

Wie Vater. »Du wirst es noch merken«, pflegte er zu schimpfen, »du wirst noch merken, was wir für dich getan haben, wenn deine Mutter und ich drei Meter unter der Erde liegen – dann wirst du es bereuen, daß du uns nicht dankbar warst, du wirst schon sehen.« Sie hatte sich über seinen lächerlichen Auftritt mokiert und so laut gelacht, wie sie sich getraute, und seinen plumpen, absurden Versuch, sie moralisch zu erpressen, offen verachtet. Was hatte er denn je für sie getan? Er sprach, als hätte er sie mit irdischen Gütern überschüttet. Sadie aber war mit irdischen Gütern überschüttet worden und, was viel wichtiger war, mit Toleranz und Vernunft. Es hatte nichts genützt.

»Ach, ich geb's auf«, sagte Angela, »denk, was du willst.« Fast hätte sie gesagt: »Ich tu mein Bestes«, doch sie besann sich gerade noch rechtzeitig, daß dies immer Vaters abwegiges letztes Wort war.

Alle hatten stets bewundert, wie artig Sadie war. Bei den Erzieherinnen im Kindergarten war sie von Anfang an beliebt, weil sie »so gefügig« war. Andere Kinder bekamen Wutanfälle, wollten nicht tun, was man ihnen sagte, aber Sadie gehorchte immer. »Man muß ihr nur alles erklären«, bemerkte Angela stolz. Einigen ihrer Nachbarn war das nicht geheuer. Sie meinten, eine solch sanfte Gefügigkeit sei unnatürlich. Manchmal kam Sadie weinend nach Hause, weil sie gehänselt worden war. »Josie hat gesagt, ich bin ein Duckmäuser«, jammerte sie, »und ihre Mutter sagt das auch.« Und das nur, weil Sadie folgsam nicht mit Turnschuhen in Pfützen ging. Angela hatte ihr eingeschärft, nur mit Gummistiefeln in Pfützen zu gehen. Sie hatte erklärt, daß man mit Turnschuhen a) nasse Füße bekam, was b) unangenehm war, wenn man weit weg von zu Hause war, und c) die Turnschuhe ruinierte, weil sie aus Leinen waren. Sadie hatte das begriffen. Sadie hatte den Sinn der Vorhaltungen eingesehen und war nicht in Pfützen gegangen. »Sag Josie«, riet Angela, »sie ist dumm, und es kann nie schaden, wenn man einsichtig ist.« Das hatte Sadie getröstet, und sie war gehorsam losgezogen, um die Botschaft auszurichten, doch sie kam nur noch verstörter zurück und heulte: »Josie sagt, ich tu alles, was du sagst.« – »Je nun, das ist doch auch recht so.« Aber war es das wirklich?

Am Sonntag morgen nach Sadies Party ging Angela kurz nach acht aus dem Haus. Vor dem Gartentor lagen Glasscherben, eine ganze Menge. Sie blieb stehen und stieß sie mit dem Fuß zur Seite. Als sie das Tor öffnete, spürte sie etwas Klebriges an den Händen und stellte fest, daß es von Eiern stammte. Auf dem Pflaster vor dem Haus lagen Eierschalen und geronnenes Eidotter.

Der Richmond Park war fast menschenleer. Der strömende Regen hatte die frühmorgendlichen Sportler und die Leute, die ihre Hunde ausführten, abgeschreckt. Angela stapfte zum Ponypferch und wandte sich dann nach links, folgte den Bäumen, die sich in lockerer Reihe zum Fluß hin erstreckten. Hier war es richtig ländlich, wogegen drüben auf der zur Straße gelegenen Seite der deprimierende Eindruck eines Stadtparks vorherrschte. Der prasselnde Regen wirkte erfrischend, die Luft war scharf und eisig und schlug ihr ätzend ins Gesicht; sie schmerzte in der Kehle, als Angela sie gierig einsog, um sich von dem muffigen, widerlichen Bierdunst zu befreien, dem sie soeben von zu Hause entflohen war – ein alles beherrschender Modergeruch, von dem ihr übel geworden war. Es war heute nicht möglich, Fenster und Türen aufzureißen, damit der Wind durch die Räume fegen konnte. Tagelang würde der Zigarettenrauch an den Vorhängen haften, und irgendein versteckter Stummel würde stinken, bis sie ihn aufspürte und entfernte. Es war widerlich.

Sie hätte die Jungen mit aus dem verseuchten Haus hinausnehmen sollen, aber sie schliefen noch. Der Lärm war ungeheuer gewesen – die Musik so laut, daß Leute von etlichen Straßen entfernt angerufen und sich beschwert hatten – die drei Jungen hatten sich verstört in Angelas Bett geflüchtet. Unglaublich unflätige Ausdrücke waren durchs Treppenhaus hinaufgehallt, wenn sich die Lümmel in kleinen Gruppen an der provisorischen Schranke vorbeiquetschten, und das Gelächter der anderen, die sich in der Diele drängten, wogte in großen bedrohlichen Wellen nach oben, wo Angela lag, einen Arm um Tim geschlungen, und daran dachte, daß irgendwo da unten Sadie war, in einem viel zu engen T-Shirt aus Goldlurex und schwarzen Satinjeans, die sämtliche Konturen entblößten. Mutter hätte einen Anfall bekommen, aber sie, Angela, sagte nichts. Um elf Uhr hatte Ben genug. Er war hinuntergegangen und hatte sie alle hinausgeworfen, und sie waren gegangen, ohne, wie er es eigentlich erwartet hatte, zu maulen oder Scherereien zu machen. Er kam wütend ins Bett, warf Angela vor, es sei ihre Schuld, sie hätte ein solches unbeaufsichtigtes Chaos niemals zulassen dürfen, und sie habe nur zugestimmt, um Sadie zu gefallen.

Er hatte ja recht – aber war es ein Verbrechen, seiner Tochter gefallen zu wollen? Angela lag noch lange wach, nachdem die Jungen wieder in ihren Betten waren und es still im Haus geworden war. Der Wunsch zu gefallen – sie wollte Sadie nicht in eine bestimmte Richtung zwingen, sie wollte nicht, daß Sadie ihre Lebensweise verheimlichen mußte, weil sie anders war als die ihrer Eltern. Sie hatte Sadie mit ihren beiden Freundinnen, die über Nacht blieben, zu Bett gehen hören, und als gedämpftes Kichern und hastige Psst-Laute aus ihrem Zimmer drangen, hatte Angela, ein wenig aufgeheitert, gelächelt. Wenigstens hatte es Sadie gefallen.

Aber als sie nun durch den Park wanderte, um die unbehagliche Atmosphäre in ihrem Haus von sich abzuschütteln, kehrte die Verzagtheit zurück. Ihre Gummistiefel patschten durch die schlammigen Blätter, als sie vorwärts latschte, und sie wünschte, sie müsse nicht zurück und beim Mittagessen die Szene erleben, die es unweigerlich geben würde, wenn Sadie ohne die schützende Deckung ihrer Freundinnen, die inzwischen gegangen sein dürften, auftauchte. Angela ging zu dem Ausgang, der in ihre Straße führte; sie fragte sich, wie lange sie es sich leisten könnte, wegzubleiben – aber es war gemein, es Ben zu überlassen, mit dem Aufräumen zu beginnen, es war gemein, die Jungen aufstehen zu lassen, wenn noch die Pfützen von Erbrochenem im Wohnzimmer waren.

Das Mittagessen wurde eine verkrampfte Mahlzeit; Sadie saß Angela mit bleichem Gesicht, eingesunkenen Augen und stumm gegenüber. Keiner sprach viel, außer Max, der sich unentwegt über den überall lungernden Gestank beschwerte.

»Du hättest ihnen nicht erlauben sollen zu rauchen«, sagte Max, »es ist ungesund – man kriegt Lungenkrebs davon – schon vom bloßen Einatmen – ich krieg ihn jetzt wahrscheinlich auch –«

»Freut mich«, sagte Sadie.

»Sei du bloß still – deine gräßlichen Freunde – die haben mich mit ihren dreckigen Sprüchen die halbe Nacht wachgehalten.«

»Baby«, sagte Sadie.

»Draußen sind Glasscherben, die müssen weggeräumt werden«, sagte Ben. »Sie sind gefährlich – jemand hat beim Rausgehen absichtlich die Milchflaschen kaputtgeschmissen.«

»Woher weißt du, daß es Absicht war?« fragte Sadie.

»Weil sechs Milchflaschen in einem Holzkasten sich nicht von selbst vor die Haustür stellen und in winzige Stücke zerbrechen.«

»Okay, okay.«

»Und vom Geländer sind zwei Sprossen abgebrochen«, sagte Ben. »Ich hoffe, daß die jemand repariert.«

»Die waren doch schon wackelig«, sagte Sadie.

»So?«

»Was soll eigentlich dieses ganze Theater wegen zwei kaputter Sprossen«, sagte Sadie, die Lippen verächtlich gekräuselt, »du stellst dich an wie beim Weltuntergang.«

»Drinnen haben sie ganz anständig aufgeräumt«, sagte Angela nervös.

»Was heißt hier ganz anständig«, sagte Sadie mit funkelndem Blick. »Wir haben den verdammten Fußboden stundenlang gescheuert.«

»Die Kotze habt ihr ausgepart«, sagte Ben.

»So ein Theater.« Sadie schob ihren Stuhl zurück, bereit, sich gekränkt in ihr Zimmer zu verziehen.

»Du kannst ja wohl kaum behaupten, daß wir Theater machen«, sagte Angela, »ich finde, wir waren sehr großzügig, wenn man bedenkt –«

»Ich hab's ja gewußt!« schrie Sadie, die Augen geschlossen, während sie sich mit der Faust an die Stirn schlug. »Ich hab's gewußt – ich hab bloß darauf gewartet, daß die Selbstbeweihräucherung losgeht – also gut, ihr beide seid Helden, weil ihr mir eine Party erlaubt habt – vielen, vielen Dank – *dankeschön* – ist ja sagenhaft. So, können wir das jetzt ganz einfach vergessen?«

Sie ließen sie laufen. »Sie hat es nicht so gemeint«, sagte Angela schnell, »es ist ihr bloß so rausgerutscht. Sie ist übermüdet – sie merkt gar nicht, was sie sagt.«

»Immer nimmst du sie in Schutz«, sagte Max. »Wenn ich es gewesen wäre, dann wäre das natürlich etwas anderes – dann würdest du schimpfen.«

»Ich hab es wirklich satt mit Sadie«, sagte Ben, »und du hältst immer noch zu ihr.«

»Weil zu mir nie jemand gehalten hat.«

»Das war wirklich ganz was anderes. Du bist zu Sadie nicht so, wie deine Mutter zu dir war.«

»Woher weißt du das?«

»Das liegt doch auf der Hand – die Situation ist völlig anders – deine Mutter war schwach, und du warst stark. Sadie ist so stark wie du – du brauchst sie nicht mit Glacéhandschuhen anzufassen. Ich hab die ganze Geschichte satt – du schonst deine Mutter, du schonst Sadie. Keine von beiden hat das verdient – ich weiß nicht, warum du deine Zeit damit verschwendest – immer kommen sie zuerst – ich meine, was soll das? Bist du etwa eine Art Wohltätigkeitsverein?«

Es kam selten vor, daß er wütend wurde, und wenn, dann war Bens Wut nicht beängstigend, und sie hielt nicht lange an. Das wußten auch die Kinder und nahmen es nicht tragisch, während sie Angelas Wutausbrüche fürchteten. »Bring sie ja nicht in Wut«, hörte Angela häufig ein Kind das andere warnen, und wenn es sie auch beschämte, so mußte sie doch über die Naivität lächeln. Sie wurde nie in Wut ›gebracht‹ – ihre Ausbrüche waren plötzlich da, wie der Wind, und sie erschrak selbst über deren Heftigkeit. Doch jetzt, als sie allen Grund hatte, wütend zu sein und zu toben, war sie ganz ruhig, wogegen Ben wetterte und ganz rot im Gesicht wurde.

Sie setzte sich in die leere Küche und dachte nach über das, was er gesagt hatte. Sie sah sich im Kreuzfeuer zwischen Sadie und Mutter gefangen – sie sah sich von beiden aus verschiedenen Ecken bombardiert – doch Ben sah sie als freiwillige Zielscheibe. Als sie im Sommer krank war, hatte sie kurze Zeit gedacht, er könnte recht haben – sie hatte sich verwundet vom Schlachtfeld zurückgezogen, ihre Gedanken nach innen gekehrt, fort von Sadie und Mutter, und sie hatten ihren Rückzug überlebt. Vielleicht sollte sie sich für immer zurückziehen – vielleicht sollte sie ihr Herz befreien von Mitleid und Reue und Schuldgefühlen, die sie zu Wachs in den Händen der anderen machten, die nicht einmal etwas davon ahnten.

»Die Party war fabelhaft«, sagte sie an demselben Abend am Telefon zur Mutter, wohl wissend, daß Sadie, die hinter ihr in der Küche die Reste des Auflaufs verzehrte, jedes Wort hören konnte. »Sadie und ihre Freundinnen haben hinterher tadellos aufgeräumt.« Sie hörte Sadie unnötig laut auf dem Teller kratzen. »Nein«, sagte Angela, »nichts beschädigt, das der Rede wert wäre.«

»Fein«, sagte die Mutter. Nachdem das Ereignis vorüber und keine Katastrophe eingetreten war, hatte sie das Interesse an dem Thema verloren. Doch Angela, die ihre neue Gelassenheit praktizierte, hatte den Eindruck, daß die Mutter heiterer war als sonst.

»Ich war heute beim Doktor«, sagte die Mutter.

»Ach ja?« sagte Angela beiläufig, entschlossen, nicht weiter als nötig in sie zu dringen.

»Ja, zur Nachuntersuchung, weißt du – ich bin seit sechs Wochen aus dem Krankenhaus –« Vater rief im Hintergrund: »Sechs Wochen und drei Tage« – »und sie haben gesagt, ich soll nach sechs Wochen zu meinem Hausarzt gehen, deshalb hat dein Vater den Termin ausgemacht, und wir haben ein Taxi genommen –«

»Gut gemacht.«

» – und sind hingefahren. Er sagt, mein Herz ist gesund, und mit meinen Lungen ist alles in Ordnung, und mein Blutdruck ist niedriger als seit Jahren, und mein Magen ist so gut wie neu.« Mutter hörte sich aufgeregt und glücklich an. »Das ist natürlich alles Unsinn – ich bin eine alte Frau – mit mir stimmt's hinten und vorn nicht – aber der Doktor hält mich für gesünder, als ich bin, da muß ich ja wohl auf ihn hören.«

»Ja«, sagte Angela mit Nachdruck.

»Er hat gemeint, eine Luftveränderung würde mir guttun.« Vater rief wieder etwas dazwischen. »Was?« sagte Mutter und tat vor Angela so, als könne sie nichts verstehen. »Dein Vater ruft – o nein, das sage ich ihr nicht.« Angela war ängstlich bemüht, nicht in die Falle zu tappen, die sie ahnte – sie mußte Mutter nicht bedrängen, ihr zu sagen, was der Vater rief. Sie wartete schweigend, daß die Mutter fortführe, und verachtete sich wegen ihrer Feigheit. »Dein Vater meint, ich soll dir sagen, daß der Doktor gefragt hat, wann ich denn meine Töchter besuchen würde, wo's mir doch jetzt soviel bessergeht – er sagt, eine kleine Reise wäre genau das Richtige, bevor es Winter wird.«

Es war grausam, auch nur eine Sekunde zu zögern. »O fein«, sagte Angela mit krächzender, schwerer Stimme, »wann? Du weißt, du bist jederzeit willkommen.«

»Hm?« machte die Mutter mit einem abwehrenden leisen Lachen. »Nein, das würde ich nicht schaffen – wenn du nicht so weit weg wärst – und ich wäre ja doch nur lästig –«

»Aber nein«, sagte Angela. »Wenn du meinst, daß du die Fahrt durchhältst, könnte ich dich mit dem Wagen abholen.« Das Anerbieten mußte sein – es mußte sein, weil es der Anstand gebot.

»Hm?« machte die Mutter wieder, und der Hörer blieb einen Augenblick stumm, als sie sich abwandte, um sich mit Vater zu beraten. »Dein Vater sagt, es wäre großartig.«

»Also abgemacht«, sagte Angela, »und zwar so bald wie möglich, bevor es dir wieder schlechter geht. Ich bespreche es mit Ben und ruf dich zurück.«

Sie zitterte, als sie den Hörer langsam sinken ließ. Sie ging in die Küche, wo Sadie inzwischen zu Kuchen übergegangen war, setzte sich, versuchte, sich zu fassen, wartete, daß Sadie ihre Verzweiflung bemerkte und fragte, was ihr fehle, aber sie fragte nicht.

»Oma kommt zu Besuch«, platzte Angela heraus.

»Aha«, sagte Sadie, weder erschrocken noch überrascht. »Wann?«

»Ich weiß nicht. Bald.«

»Kommt Opa auch mit?«

»Ich weiß es nicht. Daran habe ich noch gar nicht gedacht.« Was wäre schlimmer – Mutter allein, oder Mutter mit Vater? Schwer auszumachen.

»Du siehst nicht gerade begeistert aus«, sagte Sadie, während sie ihren Löffel ableckte, auf dem noch Creme von dem Kuchen klebte.

»Du merkst es also doch«, sagte Angela, »du bist nicht aus Stein.«

»Haha.«

»Das sollte kein Witz sein.«

»Was ist denn so schrecklich daran, wenn Oma kommt?«

»Wenn du das nicht von selbst siehst, kann ich dir nicht helfen.«

»Ist doch mal 'ne Abwechslung.«

Angela wußte, daß sie nicht sagen durfte: »Sadie, hast du kein Erbarmen?« oder ähnlich Gefühlvolles, weil das ihre Tochter innerhalb einer Minute aus dem Haus treiben würde, und aus Gründen, die sie nur undeutlich erahnte, war ihr daran gelegen, daß Sadie nicht fortging. Also sagte sie nur: »Ich glaube nicht, daß Oma die Treppen steigen kann, nicht einmal bis zu meinem Schlafzimmer.«

»Kein Problem«, sagte Sadie, »sie kann mein Zimmer haben. Das macht mir nichts aus. Für wie lange?«

»Ich weiß es nicht«, sagte Angela weinerlich, »ach, ich weiß es nicht.«

»Okay, okay«, sagte Sadie, »entschuldige, daß ich gefragt habe.«

Mutter war vor acht Jahren das letzte Mal hiergewesen, ein Jahr vor ihrem Sturz, zwei Jahre vor dem ersten Herzanfall. Sie war mit

Vater für drei Wochen in den langen Sommerferien gekommen; jeder Tag wurde zur Ewigkeit. Windsor Castle, der Whipsnade Zoo, Greenwich, Hampton Court – an jedem Tag ein Ausflug, bloß damit die Zeit verging, bloß um diesem schrecklichen Flattern im Magen zuvorzukommen, wenn die Mutter seufzte: »Ach, was kann ich bloß tun?« Theaterabende – Sadlers Wells, D'Oyly Carte Opera, »Die Mausefalle« – alles, was für sie geeignet war. Unmengen von Delikatessen, die sie noch nie gekostet hatten – Pudding massenweise – Schlemmerimbisse mit selbstgebackenen Hörnchen und Kuchen, spätabendliche Mahlzeiten und literweise Tee dazu. Plötzliche Vorliebe für Fernsehsendungen, die sie sich sonst nie ansahen, und während der ganzen Zeit das überwältigende Unbehagen, das Gefühl, Mutter bei allem, was sie unternahmen, zu enttäuschen, mochte sie sich auch noch soviel Mühe geben.

»Das ist zuviel«, sagte Ben, als sie endlich aufstand, um es ihm zu sagen, »das kannst du nicht verkraften – und es sind nicht mal Ferien.«

»Nächste Woche gibt es Herbstferien. Einfach ideal.«

»Eine Tortur«, sagte Ben, »du kannst sie unmöglich hierhaben.«

»Mach dich nicht lächerlich«, sagte Angela. Sie hörte die Hysterie in ihrer Stimme, aber sie konnte sich nicht beherrschen. »Ich soll meine Mutter unmöglich hierhaben können, die zum erstenmal seit acht Jahren herkommt? Weißt du überhaupt, was du da redest? So was Absurdes – meine eigene Mutter – wie könnte ich die arme Seele nicht hierhaben wollen, wenn sie kommen möchte? Was wäre denn das für eine beschissene Welt, wenn Töchter nach Ausreden suchen müßten, um die eigene Mutter abzuweisen – und dazu noch eine Mutter wie meine – so gut und so lieb – nicht irgendein böser alter Drachen, der sich in alles einmischt.«

»Sie ist eine Märtyrerin«, sagte Ben, »das ist viel schlimmer. Und außerdem kommt es nicht darauf an, wie deine Mutter ist, sondern wie du bist, wenn sie hier ist.«

»Ach, ich will nichts davon hören! Das ist doch kein Argument. Mutter kommt her, und ich werde es ihr schön machen. Das ist das wenigste, was ich tun kann – und ich freu mich auf sie, wirklich, bloß – bloß –«

»Die Strapazen bringen dich um«, beendete Ben ihren Satz.

»Strapazen? Es ist beschämend, das Wort auch nur zu erwähnen – ich sollte begeistert sein, jauchzen vor Freude –«

»Tust du aber nicht.«

Sie setzte sich in Sadies Zimmer. Es war wirklich sehr klein, kleiner, als ihr bewußt gewesen war. Sie blickte sich bekümmert um.

Mutter würde das Bambusrouleau am Fenster nicht mögen, ohne dichte Vorhänge würde sie sich nicht wohlfühlen, aber es gab ja massenhaft alte Vorhänge im Haus. Auch mit den fleckigen Dielenbrettern zu ihren Füßen würde sie sich nicht wohlfühlen, aber ein Teppich aus den oberen Räumen könnte den ganzen Fußboden bedekken. Das Bett stand außer Frage. Sadie schlief auf einer Matratze – das Bettgestell stand in Plastikfolie gehüllt in der Garage, weil Sadie der Meinung war, richtige Betten seien spießig. Es gab überhaupt nichts, um Kleider unterzubringen. Sadie warf alles über einen alten Gasthaus-Kleiderständer. Mutter brauchte eine Kommode, falls die überhaupt hier hineinging. Die vielen ausgeschnittenen Bilder, meist Darstellungen nackter Körper, mußten von den Wänden, und die nackte Glühbirne in der Ecke bedurfte ebenfalls eines spießigen Attributs, nämlich eines Lampenschirms. Das Zimmer war eigentlich für Mutter gänzlich ungeeignet, aber es lag gleich neben dem Bad im Parterre und war ohne hinderliche Stufen zu erreichen. Mit wenig Aufwand würde es sich passabel herrichten lassen.

Vater hatte durchaus nicht die Absicht mitzukommen. Es war allerdings eine verzwickte Angelegenheit, das herauszufinden. Mutter, sagte er, würde es mehr Spaß machen, wenn sie die Reise ganz allein genösse, und nachdem er das Schlafzimmer glücklich gestrichen habe, könne er sich nun das Wohnzimmer vornehmen, solange Mutter fort sei. »Ihr seid ja genug Leute, die sich um sie kümmern«, sagte er. Valerie meinte dasselbe. »Du hast weiß Gott genug am Hals«, sagte Valerie, als sie anrief, »aber Sadie wird dir ja helfen.«

»Helfen?« sagte Angela. »Sadie? Sie hat ihr Zimmer zur Verfügung gestellt, und damit hat sich's.«

»Wird sie denn Mutter nicht helfen?« fragte Valerie. »So ein großes Mädchen? Kann sie ihr nicht beim Anziehen helfen oder so?«

»Valerie«, sagte Angela, »wie oft haben wir unserer Großmutter beim An- oder Ausziehen geholfen?«

»Aber Mutter ist doch nicht Großmama«, sagte Valerie, »das ist doch ganz was anderes.«

»Für Sadie ist es dasselbe.«

»Wie *kannst* du so was sagen?« ereiferte sich Valerie. »O nein, du irrst dich – Mutter ist ganz anders – ich bin überzeugt, Sadie wird ihr mit Freuden behilflich sein.«

»Es lohnt nicht, darüber zu diskutieren«, sagte Angela.

Sadie hatte lange gebraucht, um zu begreifen, daß Mutter Angelas Mutter war. Die Vorstellung belustigte sie, aber sie glaubte es nicht. »Sie ist doch so alt«, sagte Sadie, »sie kann nicht deine Mutter sein.«

»Als ich so klein war wie du«, sagte Angela, »war sie nicht alt. Sie war so, wie ich jetzt bin.« Sadie gab sich nicht zufrieden. Sie baute sich vor Mutter auf und fragte sie aus – war sie wirklich Angelas Mami? Als sie sich schließlich damit abfand, war sie nicht glücklich darüber. Sie flüsterte Angela ins Ohr: »Ich wollte, sie wäre nicht deine Mami.« – »Aber warum denn? Du hast Oma doch gern – sie ist eine reizende Dame.« »Ja«, flüsterte Sadie, »aber sie ist alt – ohne Strümpfe hat sie ganz verschrumpelte Beine, und die Adern stehen vor.«

12

Angela gab sich redlich Mühe, einen Vergnügungsausflug daraus zu machen. Ben wollte sie nicht die ganze Strecke hin und zurück allein fahren lassen, und sie wollte nicht, daß Ben Mutter allein abholte, und daher brachen sie, nachdem die üblichen komplizierten häuslichen Arrangements getroffen waren, am Montag morgen zusammen auf, sobald die Kinder in der Schule waren. »Das wird bestimmt herrlich«, sagte Angela, »wir zwei allein unterwegs.« Ben sagte nichts. Sie wollten am Abend in einem Hotel am Rande der Dartmoor-Heide absteigen und Mutter am nächsten Tag abholen. »Es ist eine Ewigkeit her, seit wir allein in einem Hotel übernachtet haben«, sagte Angela. »War das nicht eine glänzende Idee von mir?« »Glänzend«, sagte Ben lustlos.

Der Gedanke, daß sie verunglücken oder sich unverhofft verirren oder verspäten könnten, ließ sie nicht los. Vielleicht ließe sich die bevorstehende Prüfung abwenden; allerdings konnte Angela, obwohl eine geborene Trewick, aus dieser Vorstellung keinen Trost gewinnen. Während sie die Autobahn Kilometer um Kilometer am Wagenfenster vorüberflitzen sah und sich im stillen sorgte, ob das Au-pair-Mädchen der Bensons wirklich zuverlässig genug war, um für eine Nacht die Stellung halten zu können, versuchte sie sich einen Unfall auszumalen, bei dem sie nicht verletzt, sondern einfach lahmgelegt wurde – gezwungen, monatelang in einem weißen Zimmer zu liegen, von sanfter Musik berieselt, von freundlichen Schwestern umhegt, die ihr von Zeit zu Zeit lächelnd versicherten, sie könne unbesorgt sein, zu Hause gehe es allen bestens, ihr selbst gehe es auch bestens, auf der ganzen Welt sei alles bestens, und sie brauche nichts anderes zu tun als dort zu liegen, sich nicht zu rühren und nicht zu denken. Gelegentlich erschien eines der Kinder an ihrem Bett, prächtig gesund und glücklich aussehend, und sogar Mutter nahm teil an diesem wunderlichen Ritual, indem sie Angela gute Besserung wünschte und ihr versicherte, daß es ihr selbst großartig gehe.

Ihre Augen waren feucht, als Ben zum Tanken anhielt und ihre Träumerei unterbrach. Sie blinzelte hastig, um die Tränen zu verscheuchen. Wie verabscheuenswert war es doch, sich dermaßen selbst zu bedauern, wie unwürdig, sich eine Flucht aus einer alltäglichen unangenehmen Situation auszumalen. Der Lärm der Tankstelle mit den dröhnend vor- und abfahrenden Lastwagen wirkte wie eine Befreiung. Sie durfte sich nicht in Trübsinn und Schwermut ergehen. Sie stieg aus, reckte sich und schritt forsch auf und ab. Das bange Vorgefühl war der bei weitem schlimmste Abschnitt – war Mutter erst einmal im Wagen und der Besuch nahm seinen Lauf, würde die Furcht ein wenig verblassen, und sie würde viel zu beschäftigt sein, um sich zu quälen. Sie summte vor sich hin, als sie wieder ins Auto stieg, und schenkte Ben ein strahlendes Lächeln, als er vom Bezahlen kam. »Das ist schon besser«, sagte er und fing zu pfeifen an; er setzte sich entspannt hin, auf diese lockere Art, um die Angela ihn so beneidete, sein Gesicht ganz ruhig und fast faltenlos. Ihr Gesicht war nie ruhig. Ein unvermuteter Blick in einen Spiegel oder ein Schaufenster zeigte ihr immer ein verkrampftes und befangenes Gesicht. Die Spannung schadete ihrem Aussehen. Sie hatte diesen finsteren Blick, der Frauen vorzeitig alt erscheinen ließ.

Sie erreichten Drewsteignton am Rande des Dartmoor-Gebietes vor drei Uhr nachmittags und fuhren umgehend bis zu dem Fußpfad, der in die Heide führte. Der Weg stieg steil an, und schon bald hatten sie einen freien Ausblick auf die Landschaft unter ihnen. Angela eilte Ben voraus, der kein geschickter Kletterer war. Gut hundert Meter vor ihm blieb sie stehen, drehte sich um, hielt sich die hohlen Hände vor den Mund und stieß einen Schrei aus. Die Schafe stoben erschreckt auseinander, und Ben setzte sich hin und hielt sich die Seite. Angela lief zu ihm und zog ihn hoch und wies auf die höchste Erhebung der Heide. »Rund um mich kreischten die Adler«, deklamierte sie lachend, plötzlich übersprudelnd von Energie und Vitalität. »Nein, das ist falsch – ›Alles war still, nur hie und da kreischte der Adler, und rundum hallte das Echo.‹«

»Aha«, sagte Ben. »Erster Preis, zweifellos.«

»Nein, ich war bloß Zweite im Schulwettbewerb beim Gedichtaufsagen. Die Siegerin bekam einen Pokal.«

»Die gute alte Zeit«, sagte Ben.

»Nein, die gute Zeit ist jetzt.«

»Heute morgen hast du das aber nicht gesagt.«

Es war zu spät, um noch weiter hinauf zu klettern. Sie folgten einem Bachlauf hinab; das Wasser war schwarz und trübe in dem verblassenden Licht. Sie blieben stehen, um die feinen braunen und grauen Farbabstufungen von Erdboden und Himmel zu betrachten. Es war so still, daß sie das Gras unter ihren Füßen rascheln hörten, und jeder Kieselstein, der sich unter ihren Schritten löste, donnerte wie ein Felsbrocken. Dennoch fühlte Angela sich nicht richtig befreit. Visionen von den Kindern vermengten sich mit den Wolken, dazwischen schob sich ein Bild der Mutter, die wartend in ihrem Sessel saß. Aber Angela sprach nicht darüber. Sie erwähnte ihre Visionen nicht, als sie ins Auto stiegen und zum Hotel fuhren. Sie erzählte nichts davon, als sie sich wuschen, zum Abendessen umzogen und Sherry trinkend am Kamin saßen. Ben fragte »Glücklich?« – und sie sagte laut und deutlich »Ja«.

Sie speisten vorzüglich, tranken zwei Flaschen Wein, und Angela redete sich ein, daß sie das Fest genieße.

Mutter hatte so etwas nie gehabt. Sadie konnte nicht darauf bauen, daß ihr dergleichen einmal vergönnt sein würde. Wenn Mutter aus irgendeinem Grund deprimiert war, hatte sie niemanden, der ihr verständnisvoll beistand und sie, wenn sie sich zu einem Lächeln aufraffte, lobte: »Das ist schon besser.« Mutter mußte allein damit fertigwerden.

Sein Fahrrad die schmale Seitengasse hinaufschiebend, spähte Vater in seiner Arbeitshose schmutzig und müde zum Küchenfenster hinein, und wenn er Mutters bekümmertes Gesicht sah, kam er herein und sagte: »Na, was ist? Wo drückt dich denn heute der Schuh?« In grimmigem Ton sagte er das.

Mutter antwortete ihm nie. Mit starrer Miene und vielleicht ein oder zwei Tränen verdrückend, setzte sie ihm sein Essen vor, und weil Vater nichts aus ihr herausbekommen konnte, sagte er: »Ich begreif das nicht – du tust dein Bestes – du rackerst dich ab – und wenn der Tag rum ist, stehst du so da.«

Das bewog Mutter schließlich, sich ihm anzuvertrauen, worauf Vater stets sagte: »Nun, da kann ich nichts machen, Mädchen«, um sogleich in seinen eigenen, trüberen und bedrohlicheren Kummer zu versinken, aus welchem ihn dann die Mutter errettete. Mutter wußte, wenn ihre Traurigkeit anhielt, würde Vater alle anderen anschreien. »Seht euch eure Mutter an«, würde er schimpfen, »sie hat genug von euch Bagage – laßt sie bloß in Ruhe.« Dabei war es Vater, vor dem sie ihre Ruhe haben wollte.

»Wenigstens«, sagte Angela, »hat sie eine Zeitlang Ruhe vor Vater. Mutter, meine ich.«

»Verschon mich damit«, sagte Ben. »Verdirb uns nicht diesen herrlichen Tag.«

»Nein«, sagte Angela, »ich hör schon auf.«

»Laß uns doch ein paar Wochen wegfahren und die ganze Zeit so leben wie jetzt«, sagte Ben. »Irgendwohin, wo die Sonne scheint, nur wir zwei –«

»Und wer kümmert sich um die Kinder?«

»Wir könnten jemanden anheuern.«

»Wen denn?«

»Ich weiß nicht – jemand könnte uns vielleicht sein Au-pair-Mädchen ausleihen – die Bensons verreisen doch auch immer – die ganze Nachbarschaft fährt weg. Ich meine, Tim ist sechs – die Kinder sind keine Babys mehr.«

»Sie haben es nicht gern, wenn ich weg bin«, sagte Angela, »und dann, wenn wir fliegen – alle beide – die Angst –«

»Ich hab gewußt, daß du nein sagen würdest.«

»Ich habe nicht nein gesagt. Aber das bringt so viele Probleme mit sich – du redest, als wäre das alles ganz einfach – es ist schlimmer, als eine Expedition zum Mount Everest vorzubereiten – schon der bloße Gedanke –«

»Vergiß es.«

»Jetzt verdirbst *du* uns den Tag. Ich will's ja gar nicht vergessen. Es wäre wundervoll. Ich werde darüber nachdenken. Es wäre himmlisch, ganz unter uns, wie am Anfang.«

»Und am Ende.«

»Wie bitte?«

»Am Ende sind wir wieder unter uns – wenn deine Eltern tot sind und die Kinder erwachsen und aus dem Haus.«

Sie starrte ihn entgeistert an. »Komische Vorstellungen hast du«, sagte sie.

Sie dehnten den Abend aus, sie dehnten die Nacht aus, sie dehnten das Frühstück am nächsten Morgen aus, aber am Ende standen sie doch vor dem Haus in St. Erick. Je trostloser ihr zumute war, um so mehr lächelte Angela. Je mehr ihr zum Weinen war, um so mehr lachte sie. Die panische Angst, der Wunsch davonzulaufen paarten sich mit einer äußeren Lässigkeit, über die sie selbst staunte. Sie hatte nur das eine Ziel, Mutter zu beschwichtigen und Vater zu beruhigen, und ihre eigenen Ängste durften auch nicht in der leisesten Form in Erscheinung treten.

Sie hatten im Laderaum des Kombi ein Bett hergerichtet, ungeachtet Mutters Beteuerungen, daß sie es unter keinen Umständen benutzen würde; ihr Rücken lasse das gar nicht zu, sie werde nie wieder hochkommen, und vom Schaukeln des Wagens werde ihr übel, wenn sie sich langlegte. »Keine Bange«, sagte Ben, »du mußt dich nicht hinlegen, wenn du nicht willst, aber es ist da, wenn du es brauchst.« Der Gedanke, daß sie es eventuell brauchen könne, machte Mutter noch ängstlicher. »Es wird doch hoffentlich alles gutgehen – hm?« sagte sie ständig, als ob irgendwer Zweifel geäußert hätte. Je länger sie den Aufbruch hinausschoben, um so unruhiger wurde sie, und doch konnten sie Mutter nicht einfach in den Wagen setzen und losfahren, weil Vater unentwegt polterte: »Drängt sie doch nicht so – Zeit genug, Mädchen – kein Grund zur Eile.« – »Ach, sei um Himmels willen still«, sagte die Mutter. »Da seht ihr's«, sagte der Vater, »ihr macht sie ganz nervös.«

Doch der endgültige Abschied hatte etwas Triumphierendes. Mutter saß vorne. Sie sah hübsch aus in ihrem neuen, mit Federn garnierten Hut, den Valerie nach langem Suchen gekauft hatte. Vater stand lässig ans Gartentor gelehnt und machte ein ganz vergnügtes Gesicht, so daß es keinen Grund gab, sich seinetwegen Sorgen zu machen. Alle winkten, und Mrs. Collins kam heraus und winkte ebenfalls, und der Postbote blieb stehen und winkte auch, bevor er zum nächsten Haus ging. Der Wagen startete leise, und sie fuhren los. So einfach hatte Angela es sich nicht vorgestellt. Ben sang und ging ohne großes Getue auf Mutters Bedürfnisse ein, und Angela saß auf dem Rücksitz und gönnte sich ein wenig Entspannung, bis Mutter beim Einbiegen in die Autobahn mit ihrem leisen Auflachen sagte: »Ich hätte vorher nochmal aufs Klo gehen sollen.«

»Kein Problem«, sagte Angela viel zu schnell, »fahr zur nächsten Tankstelle, Ben.«

»Können wir nicht einfach am Straßenrand anhalten?« sagte Ben unbedacht und ohne Angelas warnenden Blick im Rückspiegel zu bemerken.

»Tut mir leid, daß ich so viele Umstände mache«, sagte die Mutter.

»Du machst überhaupt keine Umstände«, sagte Angela. »Ben war mit den Gedanken woanders.«

»Ich meinte ja nur –«, begann Ben, doch Angela unterbrach ihn.

»Da«, sagte sie, »Rasthaus zwei Kilometer. Halt dort an.«

Sie hielten dort an, und nach zehn Minuten wieder, und dann noch einmal nach zwanzig Minuten, und Mutter wurde immer verzweifelter über ihr Unvermögen, ihre Blase zu kontrollieren. So unbekümmert Angela sich auch gab, Mutters Verlegenheit ließ nicht nach, sondern nahm eher noch zu. Angela versicherte ihr, daß sie mit den Kindern genauso oft anhielten, doch ihre eigene Schwäche deprimierte sie.

Und kaum war das eine Problem überstanden, tauchte ein anderes auf. Mutter begann einzunicken und kam alle fünf Minuten mit einem schreckhaften Ruck ihres zarten Halses wieder zu sich, und sie wollte ihrer offensichtlichen Erschöpfung partout nicht nachgeben. Das Bett hinten im Wagen wurde strikt abgelehnt. Das war was für Kranke. Überdies war es irgendwie unschicklich, sich hinten in einem Auto auszustrecken. Es zeugte von Schwachheit, und Mutter wollte unbedingt stark sein. Sie war einverstanden, sich zu Angela nach hinten zu setzen, den Kopf auf Kissen zu betten und die Füße hochzulegen, aber das war auch alles. »Ein Glück, daß dein Vater nicht hier ist«, sagte sie mehrmals.

»Wieso?«

»Ach, du weißt schon«, sagte Mutter bedeutungsvoll, »wenn er mich so sähe – falls etwas passiert.«

Angela sagte nicht »Wenn es passiert, dann passiert es eben«. Sie war stolz, daß sie es schaffte, sich einen Ausspruch zu verkneifen, den Mutter empörend finden würde. Doch je mehr sie über das nachdachte, was die Mutter soeben gesagt hatte, um so mehr stieß es sie ab. Am liebsten hätte sie Ben aufgefordert, Gas zu geben und mit hundertdreißig Stundenkilometer loszubrausen, ohne Rücksicht auf Mutter – Fuß aufs Gaspedal, so schnell wie möglich, ohne sich darum zu scheren, ob es Mutter paßte. Mutter war ohnehin nie länger als eine Minute zufriedenzustellen. Sie war durch nichts zu beruhigen. Sie war fünfundsiebzig und unheilbar krank an Sorge und Zweifeln wegen allem, was mit der Zukunft zusammenhing.

»Fahr ein bißchen schneller, Ben«, sagte Angela. »Mutter hat nichts dagegen, nicht wahr, Mutter?«

Mutter hörte nicht. Sie war eingenickt. Ben steigerte das Tempo, bis sie mehr als hundertzehn fuhren, und Angela verspürte einen leisen Schauder der Befriedigung. Sie hatte Mutter überlistet, ohne daß Mutter es merkte.

Über einen langen Zeitraum – zwei, drei Jahre – ersann Sadie für sich die unsinnigsten Befürchtungen, die fast immer mit der Schule zusammenhingen. Nach dem Abendessen quälte sie sich mit Dingen, die sie getan oder nicht getan hatte. »Miss Newton hat gesagt, ich soll die Kreide in die Schublade von ihrem Pult legen, und ich hab's vergessen, und jetzt ist sie sicher böse.« – »Sei nicht kindisch«, sagte Angela dann, »sie ist ganz bestimmt nicht böse.« – »Was weißt denn du *– sie trägt mir nie wieder was auf«, und Sadie begann zu weinen. »Um Gottes wille, Sadie, sei doch nicht so dumm.« – »Das* ist *nicht dumm – sie hat es mir aufgetragen – sie hat gesagt, ich bin die einzige, auf die* *sie sich verlassen kann – jetzt verläßt sie sich nie mehr auf mich.« – »Hör auf, Sadie«, sagte Angela streng, »das ist doch lächerlich – du regst dich unnötig auf – und du kannst es ohnehin nicht mehr ändern.« – »Ich weiß«, und Sadie weinte heftiger. Angela stand auf. Sie ging zum Telefon. Sie nahm den Hörer ab und tat so, als ob sie wählte. »Hallo?« sagte sie, »Miss Newton? Hier spricht die Mutter von Sadie Bradbury – Sadie hat vergessen, die Kreide in Ihre Schublade zu legen, und das macht ihr Kummer. Ja, das habe ich auch gesagt. Ja, vielen Dank – das ist sehr nett – guten Abend.« Angela kam an den Tisch zurück. Sadie war mucksmäuschenstill und starrte sie ehrfürchtig an. »Miss Newton sagt, es ist überhaupt nicht schlimm«, sagte sie. Mit dieser Taktik kurierte sie Sadie jedesmal. Angelas Bluff kam später nie zur Sprache, ihre Täuschung wurde nie aufgedeckt. Und nach und nach verlor sich Sadies Besessenheit von banalen Pflichten, weil sie einsah, daß sie nicht von Belang waren.*

Sie riefen Vater an, sobald sie im Haus waren, sogar noch bevor sie die Kinder richtig begrüßten und den Wagen ausluden. »Wollte bloß schnell Bescheid geben«, sagte Angela, »daß wir gut angekommen sind.«

»Fein. Wie geht's deiner Mutter? Wie hat sie die Fahrt überstanden?«

»Sehr gut.«

»Seid schön langsam gefahren, hm?«

»Natürlich. Jetzt muß ich für Mutter Tee kochen. Mach's gut.« Und damit hängte sie ein. Wenn sie ihn nicht von vornherein in die Schranken wies, würde Vater während der ganzen Zeit das Telefon nicht aus der Hand geben.

Mutter saß hinten in dem großen Wohnzimmer auf dem Sofa. Sie wirkte verloren und klein, zu einem bloßen Häufchen zerknitterter Kleider zusammengeschrumpft. Das Sofa war nichts für sie. Fünfzehn Jahre Kindergehopse hatten Sitz, Rücken- und Seitenlehnen jeden Halt genommen. Angela schickte Max nach oben, um den einzigen passablen Sessel zu holen, den sie besaßen, einen hohen Ohrensessel, der mit Kleidern überhäuft in ihrem Schlafzimmer in der Ecke stand. »Das war doch nicht nötig«, sagte die Mutter, setzte sich jedoch gleich freudig hinein, »ihr müßt keine Rücksicht auf mich nehmen.«

Doch Angela wußte, daß sie damit nur zum Widerspruch herauszufordern hoffte. Sie erwartete, daß ihr Leben sich verwandelte, da sie nun bei ihrer geliebten Tochter war. Doch schon machte es sich bemerkbar, daß es keinen großen Unterschied zu ihrem sonstigen

Leben geben würde: im Sessel sitzen und andere Menschen bei ihrem Tun beobachten.

»Was ist dir lieber«, fragte Angela, »wenn du jetzt mit den Kindern ißt oder später mit Ben und mir?«

»Ich esse nicht viel«, sagte die Mutter.

»Gut«, sagte Angela, »und wann möchtest du nicht viel essen?«

»Mir egal. Wie's euch am besten paßt.« Sie hatte es nicht gern, wenn man sie neckte.

»Dann iß mit uns«, sagte Angela. Sie fürchtete, daß es kränkend wirken könnte, wenn sie mit den Kindern aß.

Mutter setzte sich zu den Kindern und sah ihnen beim Essen zu. »Keiner hat sich die Hände gewaschen«, sagte sie, »nicht einmal Sadie.«

»Oooh, Oma ist eine Petzliese«, sagte Sadie.

»Und lügen tut sie auch«, sagte Tim. »Ich hab meine Hände gewaschen.«

»Tim«, rügte Angela, »du darfst niemals sagen, daß Oma lügt.«

»Wieso nicht? Sie hat doch gelogen.«

»Hat sie nicht – sie hat sich bloß deine Hände angeguckt, und die sind schmutzig. Wenn du sie gewaschen hast, dann hast du sie eben nicht richtig gewaschen.«

»Verdammter Mist«, schimpfte Tim.

»Tim, du sollst in diesem Haus nicht fluchen.«

»Tust du ja auch – das tun doch alle.«

»Ich nicht.«

»Du darfst doch deine Mutter nicht so anschreien«, sagte Mutter, »du ungezogener Junge. Meine Buben haben mich nie angeschrien.«

Niemand, erinnerte sich Angela, hatte Mutter jemals angeschrien, die Jungen nicht, Valerie nicht und sie auch nicht, aber Mutter hatte sie auch nie angeschrien. Sie war eine Mutter, die zwanzig Jahre lang Kinder aufgezogen hatte, ohne sie jemals anzubrüllen.

»Ich verstehe nicht«, sagte Angela, als die Kinder vom Tisch aufgestanden waren und sich im Haus verstreut hatten, »wie du es fertiggebracht hast, uns nie anzuschreien.«

»Ich kann Schreien nicht leiden«, sagte die Mutter, »es ist schrecklich. Ich mag keine Unbeherrschtheit, schon gar nicht innerhalb einer Familie.«

»Ich auch nicht«, sagte Angela, »aber ich brülle dauernd – und unbeherrscht bin ich auch – ich haue den Jungen oft eine runter und verdresche sie, wenn ich wütend bin. Kein Wunder, daß meine Kinder zurückbrüllen. Ich gerate immer so leicht in Rage.«

»Du hast ja auch schwierige Kinder«, sagte die Mutter. Angela musterte sie scharf und glaubte, sie tatsächlich leicht erröten zu sehen.

»Inwiefern sind sie schwierig?«

»Ja nun, sie sind nicht gerade leise, nicht wahr – sie sind sehr ausgeprägte Persönlichkeiten – du läßt sie machen, was sie wollen – sie behandeln dich wie ihresgleichen.« Vor Aufregung darüber, daß sie Kritik zu äußern wagte, errötete Mutter noch tiefer.

»Aber ich lasse sie doch gar nicht machen, was sie wollen – das ist ja gerade das Dilemma.«

»Ach so«, sagte die Mutter. »Laß gut sein. Wäscht Sadie ab?«

»Nein«, sagte Angela. Sie wollte das Thema nicht wechseln. »Sie sind sicher nicht so geboren«, sagte sie, »sie sind wohl so aufsässig geworden, weil ich sie so erzogen habe.«

»Man kann eben nicht alles richtig machen«, sagte die Mutter. »Wo ist Sadie? Sie geht dir ja gar nicht zur Hand.«

»Sie ist vermutlich weggegangen.«

»Aber sie hat dir nichts davon gesagt –«

»Sie braucht mir nicht jedesmal Bescheid zu sagen, wann sie kommt oder geht.«

»– und es ist dunkel draußen – abends um diese Zeit –«

»Es ist erst sieben.«

»Du müßtest doch aber wissen, wo sie ist.«

»Nein«, sagte Angela. »Sie kann allein auf sich aufpassen. Ich will nicht, daß jede von uns immer im Bilde ist, was die andere tut. Sie muß ihr eigenes Leben leben.«

»Aber Angela«, sagte die Mutter.

»Was?«

»Du bist doch ihre Mutter – sie ist erst fünfzehn – du meine Güte –«

In ihrer Nachbarschaft war es üblich, die Kinder allein in Ferienlager zu schicken, sobald man es ihnen zutrauen konnte. Nicht so, wie Angela allein in die Ferien geschickt wurde, indem man sie in den Zug setzte und am Ziel von Verwandten abholen ließ, sondern wirklich vollkommen selbständig. Es sei gut für sie, hieß es, was Angela jedoch im stillen bezweifelte. Trotzdem fragte sie, als Sadie acht Jahre alt war: »Möchtest du gern für eine Woche in ein Ferienlager?« – »Mit wem?« – »Ganz allein.« – »Nein«, sagte Sadie entschieden. »Was soll ich da?« – »Ich dachte, du fändest es vielleicht spannend, eine Woche in den Sommerferien dort zu verbringen – es würde dir bestimmt gefallen – dort sind lauter Kinder in deinem Alter – es würde dir sicher Spaß machen.« – »Ich will nicht«, sagte Sadie. »Als ich in deinem Alter war, hätte ich so was ganz toll gefunden«, sagte Angela. Hinterher schalt sie sich wegen ihrer

Dummheit. Sadie war trotzig; sie war sich bewußt, daß sie irgendwie feige und zu anhänglich war und keinen Unternehmungsgeist hatte und daß Angela sie womöglich deswegen verachtete.

Angela starrte, ohne etwas sehen zu können, in den dunklen Garten hinaus, als Sadie heimkam und die Lampe anknipste.

»Warum hast du kein Licht gemacht?« fragte Sadie. »Wo ist Oma? Wo ist Papa?«

»Ich wollte kein Licht. Mir war nicht danach.«

»Aha, miese Laune.« Sadie fing zu summen an. Sie schnappte sich die Zeitung und schlug das Fernsehprogramm auf.

»Oma ist im Bett«, sagte Angela. »Papa macht einen Spaziergang im Park.« Aber Sadie hörte nicht zu. Ihre Frage war reine Konversation gewesen, und sie erwartete keine Antwort.

»Meinst du nicht«, sagte Angela, um einen beiläufigen Ton ohne jeden Anflug von Wehleidigkeit bemüht, »daß du Oma ein bißchen helfen könntest, solange sie hier ist?«

»Ja, okay«, sagte Sadie. »Vergiß nicht, ich hab ihr mein Zimmer gegeben.«

»Aber das ist nur eine passive Hilfe«, sagte Angela. »Ich dachte mehr an eine aktive Art von Hilfe.«

»Zum Beispiel?« Sadie blickte auf; ihr Gesicht zeigte bereits diesen unwilligen Ausdruck, den sie jedesmal annahm, wenn von Helfen die Rede war. »Unterhalte dich mit ihr – laß sie teilhaben an dem, was du tust – gib ihr einfach das Gefühl, daß sie zu uns gehört. Es ist so traurig, wie sie den ganzen Tag dasitzt – mit ihren schlechten Augen kann sie nicht lesen – sie kann eigentlich gar nichts Richtiges tun, und sie langweilt sich so, und –«

»Ja, okay«, sagte Sadie. »Also dann, gute Nacht.«

»Geh noch nicht«, bat Angela.

»Ich geh ins Bett – was dagegen?«

»Und ob – immer, wenn wir gerade anfangen, etwas Wichtiges zu besprechen, läufst du weg.«

»O *Gott*«, sagte Sadie und setzte sich wieder hin, die Augen geschlossen, die Hände um die Sessellehnen geklammert. »Also schieß los. Was willst du sagen?«

»Tut dir Oma denn nicht leid?«

»Himmel – jetzt geht das wieder los – klar tut sie mir leid – aber so ist nun mal das Leben, oder? Mach doch nicht so 'ne rührselige Schnulze daraus – dieses ewige Gejammer – Oma ist nun mal alt und 'n bißchen hilflos, und sie tut allen leid, aber daran kann keiner was ändern, oder?«

»Wir können rücksichtsvoll und lieb zu ihr sein.«

»Okay – ich bin rücksichtsvoll, aber das ändert auch nicht viel. Alt ist alt.«

»Und wenn du einmal alt bist«, sagte Angela, »findest du dich einfach damit ab, ja? Bist nicht verbittert und erwartest von keinem was – sitzt bloß in deinem Rollstuhl und fuchtelst mit deinem Blindenstock und sagst alt ist alt, so ist nun mal das Leben, Leute.«

»Du bist verdammt sarkastisch«, sagte Sadie.

»Und du redest kompletten Unsinn. Du *weißt*, daß du für Oma eine ganze Menge ändern könntest, wenn du dir Mühe gibst – so wie ich mir Mühe geben muß –«

»Du bist ja sooo gut. Ich wußte, daß du bald bei diesem Thema landen würdest.«

»Sadie, ich bemühe mich.«

»Nur nicht so bescheiden. Wie rührend.«

»Ich *bemühe* mich«, schrie Angela. »Ich weiß, daß ich nicht so bin, wie sie mich gern hätte – ich würde von dir nie verlangen, daß du so oder so bist –«

»Keine Bange«, sagte Sadie, »da besteht keine Gefahr.«

»Nein. Das nehme ich auch nicht an. Du fühlst dich doch in keiner Weise verpflichtet, nicht wahr – ich meine, mir gegenüber.«

»Nein. Warum sollte ich?«

»Sollst du ja gar nicht. Es ist genau so, wie ich es haben wollte.«

»Dann ist es ja gut. Kann ich jetzt gehen?«

Es war ein Anfang gewesen, und Angela wußte, daß sie alles verdorben hatte. Sadie war immerhin geblieben, sie hatte immerhin angefangen, von ihren Empfindungen zu sprechen, und Angela war auf Sadies Gefühlen herumgetrampelt. Sie mußte lernen, behutsam vorzugehen. Sie mußte auch lernen, heiter zu sein und nicht der ganzen Familie Schuldgefühle einzuimpfen. Sie mußte jeden Tag ein gutgelauntes Gesicht aufsetzen und es behalten, bis sie abends zu Bett ging – Heiterkeit um jeden Preis.

»Du siehst überanstrengt aus«, sagte die Mutter eines Abends.

»Unsinn«, sagte Angela, und sie sprang auf, um irgendwas in Angriff zu nehmen, das von ihrem Tatendrang zeugte, »mir geht's fabelhaft.«

»Du schuftest zu schwer«, sagte die Mutter vorwurfsvoll, »du bist immerzu auf Trapp, morgens, mittags, abends.«

»Du warst genauso«, sagte Angela, »du bist nie zur Ruhe gekommen.«

»Aber ich hatte kein großes Haus und bin nicht zur Arbeit gegangen«, sagte die Mutter.

»Und du hattest keine Waschmaschine und kein Auto«, sagte Angela, »und keins von den arbeitssparenden Geräten, die ich habe. Du warst eine regelrechte Sklavin.«

»So?« sagte die Mutter. Es war schwierig, ihren Tonfall zu deuten. »Selbst wenn es stimmt, war mein Leben leichter als deins.«

»So ein Schwindel«, sagte Angela; sie vergaß, daß Heftigkeit Mutter nur abstieß und eine interessante Unterhaltung im Keim erstickte, »meins ist viel leichter als deins. Hast du mich schon mal in einer eiskalten Waschküche bis zu den Ellbogen im Waschzuber stecken sehen? Hast du mich schon mal einen schmutzigen Kaminrost mit Ofenschwärze abreiben sehen?«

»Meine Roste waren nicht schmutzig.«

»Du weißt, wie ich das meine – und dann die Schrubberei von den Steinfußböden, bis deine Hände blutig waren.«

»Sie waren nie blutig.«

»Ich hab *gesehen*, wie sie geblutet haben –«

»Vielleicht, weil ich mich mal geschnitten habe –«

»Mutter, du hörst nicht richtig zu – du tust immer noch, als wüßtest du nicht, was ich meine.«

»Ich weiß bloß«, sagte die Mutter mit erstaunlicher Bestimmtheit, »daß du mit deinem schönen Haus und dem Auto und dem sogenannten modernen Komfort anscheinend mitgenommener und abgehetzter bist, als ich es je war. Ich hatte jedenfalls immer Zeit für eine Tasse Tee mit meinen Nachbarinnen.«

»Ich mag nicht mit meinen Nachbarinnen Tee trinken«, sagte Angela.

Mutter hatte sich in dem Ohrensessel zurückgelehnt, das weiße Haar lag in struppigen kleinen Büscheln über den dunkelgrünen Brokat gebreitet. Während des Gesprächs hielt sie die Augen geschlossen und die Hände adrett im Schoß gefaltet. Es sah aus, als schliefe sie. Angela fiel auf, wie vernachlässigt sie fern von Vaters übertriebener Fürsorge wirkte – ihr Haar war nicht ordentlich frisiert, und die Kleiderverschlüsse waren nicht richtig zugemacht. Sie anzukleiden war eine schwierige Prozedur, und sie ließ sich nur zu leicht überreden, ihren Morgenrock anzubehalten oder die Sachen zu tragen, die ihr nicht so gut standen und in denen sie sich nicht besonders wohlfühlte, die aber einfach an- und auszuziehen waren. Angela mochte sie nicht demütigen, und ihre Kleidungsstücke waren demütigend – unendliche Mengen von Unterhemden, die einen für die Nacht, die anderen für den Tag – diese für warmes, jene für kühles Wetter; sie mußten in regelmäßigen Abständen gewechselt werden und gaben Mutters welke Haut preis, deren sie sich schmerzlich bewußt war.

»Sieh mich an«, sagte sie dann, »sieh mich doch an – was für ein Anblick«, und Angela, die sich nur zu gern in Lügen oder in Herzlichkeit flüchtete, war zu Platitüden gezwungen. Am meisten graute ihr vor dem Korsett; rosa und gesteppt, stramm um Mutters Mitte geschnürt, wirkte es irgendwie absurd. Angela schlug jeden Tag von neuem vor, sie solle es weglassen, aber Mutter bestand darauf – es gehe nicht ohne, sie würde sich unangezogen und unsicher fühlen. Die Strumpfbänder baumelten wie schmale Streifen gesunder Haut vor Mutters weißen, bleichen Schenkeln mit den scharf hervortretenden Krampfadern. Zwei Schlüpfer, einer drunter, einer drüber, aus Baumwolle und Seide, und damit war nach einer erschöpfenden halben Stunde das Schlimmste überstanden.

Leise, ebenso bedacht, Mutter nicht aufzuwecken, wie sie ehemals bedacht war, die schlafenden Babys nicht zu stören, schnippelte Angela Gemüse für eine Suppe und überlegte dabei, was sie morgen unternehmen könnten. Seit ihrer Ankunft vor vier Tagen hatte sie sich verzweifelt bemüht, Mutter zu zerstreuen, aber es war ihr nur unzureichend gelungen. Einkaufen hatte sich als zu anstrengend erwiesen, und am Ende hatte Mutter im Wagen gesessen, wie sie sonst zu Hause saß. Sie besuchten ein nettes Café an der Hauptstraße von Richmond und verzehrten Kaffee und Gebäck, und Angela war bemüht, ein Ereignis daraus zu machen, doch Mutter zeigte sich sowohl an der Umgebung als auch an den anderen Gästen ausgesprochen uninteressiert und wollte bald wieder gehen. Tim von der Schule abzuholen brachte keineswegs die Ablenkung, die Angela sich davon versprochen hatte – sie selbst konnte die herausströmenden Kinder stundenlang beobachten, doch Mutter fand es langweilig. Weder den strahlenden Gesichtern von Tim und seinen Freunden noch ihren Faxen konnte sie etwas abgewinnen. »Da drüben«, sagte Angela, »ist das Schwimmbad der Schule.« – »Ach ja«, sagte die Mutter, »sehr schön.« Keine Fragen, keine Neugier. Es schien wenig sinnvoll, hier zu verweilen.

Kaum atmend, damit Mutter ja nicht aus ihrem Nickerchen erwachte und die gesegnete Ruhepause beendete, schalt Angela sich wegen ihrer verwerflichen Gedanken. Sie war eine intelligente und einfallsreiche Frau. Das Problem, Mutter zu erfreuen und ihre Tage mit Leben zu füllen, dürfte für sie nicht unlösbar sein. Mutter brauchte Unterhaltung, Abwechslung, aber nichts Ermüdendes, und Leute um sich herum, die ihre vor langem verschüttete Vitalität wieder ans Licht holten. Angela schnitt die Karotten ganz vorsichtig in Scheiben, um ja kein Geräusch zu machen, und sie blickte wieder zur Mutter hinüber und wurde plötzlich von Gewissensbissen überwältigt. Mutter konnte nichts für ihre Apathie. Sie konnte nicht mit reiner Willenskraft in Schwung gebracht werden – sie war zu alt und zu müde und zu krank. Sie war eine arme ausgelaugte Seele, die Liebe brauchte und die Gewißheit, daß sie auf Erden noch eine Rolle zu spielen hatte. Aber welche? Was war Mutters Rolle, nun, da sie alt und verbraucht war, da das Werk, sie alle großzuziehen, vollendet war? Jeden Tag hatte Angela Mutter ein paar Kleinigkeiten zu tun gegeben, lauter Dinge, von denen sie beide wußten, daß sie überflüssig waren, oder die Angela innerhalb einer Sekunde selbst hätte erledigen können, und die Vorspiegelung, daß dieser Zeitvertreib notwendig sei, war eine Kränkung für Mutters Würde. Sie konnte sich nicht nützlich machen, dabei wollte sie es so gern etwas Sinnvolles tun.

Sadie buk leidenschaftlich gern. Hingebungsvoll vermengte und knetete sie mit ihren dicken kleinen Händen Mehl, Butter, Zucker und Kakao. Angela, die als Kind während des Krieges bei Lebensmittelkartenrationen gedarbt hatte, ließ ihre kleine Tochter großzügig gewähren. Bevor Sadie in die Ganztagsschule ging, ließ Angela sie an jedem regnerischen Novembernachmittag beim Backen »helfen«. Sie buken Kuchen und Pasteten. Sadies Produkte kamen neben Angelas gekonnteren Werken in den Ofen. Beim Abendessen kosteten sie, was sie gebacken hatten, machten sich gegenseitig Komplimente, und Ben fand Sadies Kuchen, Plätzchen oder Pasteten immer ein kleines bißchen gelungener als Angelas. Bis Sadie mit einemmal unzufrieden wurde. Sie sah ihr Gebäck flacher und nicht so schön rund und im ganzen nicht so perfekt wie Angelas aus dem Ofen kommen. Ihre Pastete war grau, Angelas dagegen goldbraun. »Ich will was Gescheites backen«, sagte sie. »Aber du backst doch was Gescheites«, sagte Angela. »Nein«, sagte Sadie, »meine Sachen sehen nicht gescheit aus – ich will dasselbe machen wie du.« Von da an verliefen die Backtage anders. Mit Tränen in den Augen bemühte Sadie sich tapfer, alles genauso zu machen wie Angela – ohne Erfolg. Die Resultate waren kaum besser als vorher. Angela versuchte ihr unauffällig zu helfen, doch Sadie tobte vor Wut. »Du hilfst mir ja – du sollst mir nicht helfen – ich will ganz alleine backen.« Aber es gelang ihr nicht. Bis sie sieben Jahre alt und in der Lage war, etwas Ordentliches zustandezubringen, beteiligte sie sich nicht mehr beim Backen. Das machte Angela traurig. »Ist es denn nicht egal, solange es dir Spaß macht?« – »Nein«, fauchte Sadie wütend, den hübschen Mund zu einem grimmigen Flunsch verzerrt.

Am Ende der ersten Woche, zu Beginn der kleinen Ferien, kam Valerie für einen Tag. »Um auszuhelfen«, sagte sie.

»Ich mußte um sechs aufstehen«, verkündete sie sogleich, als Angela sie am Bahnhof abholte, »im Zug war es eiskalt.«

»Wie selbstlos«, murmelte Angela. »Mutter wird dir dankbar sein.«

»Geht es ihr gut?« fragte Valerie. Sie rieb sich die großen, roten Hände, um sie zu wärmen und um Angela zu zeigen, welch ungeheurer Kälte sie ausgesetzt waren.

»Ich denke schon. Es ist schwer zu sagen – du kennst Mutter ja.«

»Sie ist aber doch keine richtige Belastung, oder?« wollte Valerie wissen.

»Das kommt darauf an, was du unter Belastung verstehst.«

»Nun, sie ist leicht zufriedenzustellen.«

»Ich finde es nahezu unmöglich, sie zufriedenzustellen.«

»Wir plaudern einfach nett miteinander, und ich sorge dafür, daß sie nachmittags ausruht.«

»Wann findet das statt?«

»Was meinst du?«

»Diese gemütlichen Plauderstündchen und die himmlische Mittagsruhe – du hast Mutter doch seit einer Ewigkeit nicht bei dir gehabt.«

»Das ist nicht meine Schuld, ich –«

»Niemand sagt, daß es deine Schuld ist, Valerie. Ich wollte dich bloß darauf aufmerksam machen, daß das, was du sagst, Vergangenheit ist. Du ahnst ja nicht, was es heißt, Mutter in ihrem jetzigen Zustand dazuhaben, und es stört mich einfach, daß du so tust, als wüßtest du Bescheid.«

»Ich verstehe gar nicht, warum du so wütend bist.«

»Ich bin nicht wütend. Es ärgert mich bloß, daß du meinst, du wüßtest alles besser. Laß uns davon aufhören – Mutter ist das letzte, worüber ich sprechen möchte. Wie geht's dir so?«

»Soweit ganz gut. Wir hatten Personalprobleme.«

»Aber wie geht es dir persönlich?«

»Unverändert. Ich bin ganz zufrieden mit meiner Wohnung und meiner Katze und beim Kirchenchor – aber das wirst du kaum begreifen, du als hektische Londonerin. Ich bin wie Mutter – ich liebe Ruhe und Frieden und mag keinen Trubel.«

Valeries Worte enthielten stets einen doppelten Vorwurf. Angela dürfte nicht diejenige sein, die einen Mann und vier Kinder hatte, und Angela dürfte sich nicht um Valerie sorgen. Diese Funktionen standen von Rechts wegen Valerie zu. Valerie war es gewesen, die als kleines Mädchen immer in Kinderwagen gespäht und gebettelt hatte, Babys auf den Arm nehmen zu dürfen – Angela fand Babys langweilig.

Valerie war es auch, die mit Mutter am Kamin saß und Tee trank und ihr lauschte, wenn sie sich voller Mitgefühl über Freunde und Nachbarn ausließ. Valerie war es, die sich mit besorgter Miene nach dem Befinden der Leute erkundigte. Angela hatte für niemanden Zeit. Sie wollte eine Karrierefrau werden und allein leben und die mütterliche, fürsorgliche Rolle offen verachten. Es war für Valerie unerträglich, daß es umgekehrt gekommen war und daß sie unverheiratet war und offen bemitleidet wurde.

»Die Mühe hättest du dir sparen können«, sagte die Mutter, sobald sie Valerie erblickte, »wirklich, diese weite Reise.« Dennoch war sie glücklich, daß Valerie sie hier in anderer Umgebung sah, inmitten einer Kinderschar, ganz so, als gehöre sie hierher, jedenfalls in den Augen derer, die sich bereitwillig täuschen ließen. Zum erstenmal in einer endlosen Woche – was Valerie natürlich nicht wissen konnte – zeigte sich Tim als der kleine Junge, der an seiner Oma hing. Als Valerie ankam, saßen sie zusammen und spielten Teekesselchen raten, und Mutter lachte laut heraus. Tims Hand ruhte auf Mutters, und er schaute mit einem Ausdruck inniger Zuneigung zu ihr auf. »Sie braucht Kinder um sich«, flüsterte Valerie, »das ist das ganze Geheimnis«, und sie lächelte ihrem Neffen zärtlich zu. Später, als sie außer Mutters Hörweite zusammen das Mittagessen zubereiteten, kam sie auf das Thema zurück. »Wie wohl das tut«, sagte sie, »Mutter bei ihren Enkelkindern zu sehen – genau das hat sie sich immer gewünscht – sie ist ja so gern mit Kindern zusammen.«

»Ach, tu doch nicht so dämlich«, sagte Angela in dem schroffen Ton, mit dem sie Valerie immer abkanzelte, wenn sie besonders gefühlsduselig wurde, »Mutter ist mit Kindern auch nicht anders als sonst. Sie macht sich absolut nichts aus ihnen – sie findet sie laut, schmutzig, wild, eine ständige Enttäuschung, und vergleicht sie immerzu mit uns, weil sie sich heute einbildet, wir wären die reinsten Engel gewesen.«

»Oh, du irrst dich, ganz bestimmt – Mutter liebt Kinder über alles.«

»Ist ja nicht wahr. Sie liebt Kinder rein theoretisch – sie mag sie nur, wenn sie nicht sprechen können und sauber und zufrieden glucksend im Kinderwagen liegen. Mit richtigen Kindern kann sie nichts anfangen.«

»Na ja«, seufzte Valerie, »so wird es uns wohl allen gehen, wenn wir in Mutters Alter kommen. Dann wird uns eben alles zuviel.«

»Mir nicht«, sagte Angela verächtlich.

»Woher weißt du das? Das kann man doch nicht vorhersagen.«

»Klar kann man das«, fuhr Angela sie an. »Gib mir mal das Messer rüber – danke – nein, ich werde nicht wie Mutter. Mutter ist nicht bloß durch Alter und Krankheit und aus ihrer Veranlagung so abgeschlafft – sie hat einfach nichts mehr zu tun gehabt, als wir alle aus dem Haus waren. Als wir gingen, kam die große Leere, und seitdem kommt sie sich betrogen vor. Ich werde nicht so. Meine Kinder sind nicht mein ein und alles. Wenn sie weg sind, packe ich die anderen Seiten des Lebens an.«

»Na fein«, sagte Valerie verdrießlich, »wie schön für dich. Aber wenn du alt bist, brauchst du trotzdem jemanden, der sich um dich kümmert – dann möchtest du doch, daß Sadie dir hilft.«

»Sadie?« sagte Angela. »Sei nicht kindisch. Sadie wird mir nicht helfen. Das will ich nicht. Ich habe sie absichtlich so erzogen, daß sie nicht meint, sie wäre dazu verpflichtet.«

»O fein«, sagte Sadie, als sie in die Küche trat. »Wann gibt's was zu essen? Ich sterbe vor Hunger.«

»Na, freust du dich, daß die Oma hier ist?« fragte Valerie. Angela sah, daß Sadie bei dem salbungsvollen Ton zusammenzuckte.

»Sicher«, sagte Sadie. Sie stibitzte ein wenig von dem Käse, den Angela Valerie zum Reiben gegeben hatte. »Es ist richtig nett, daß sie bei uns ist.«

»Wirklich?« fragte Angela spitz.

»Mm«, machte Sadie, plötzlich auf der Hut, nicht gewillt, sich aushorchen zu lassen. »Wo ist die Zeitung?«

»Ich weiß nicht«, sagte Angela. »Ich konnte mir den Luxus noch nicht leisten, auch nur einen Blick hineinzuwerfen.«

»Groß ist sie geworden«, sagte Valerie, als Sadie davonlatschte. »Sie ist ja schon größer als du. Hilft sie nicht beim Mittagessen machen? Du solltest sie zum Helfen anhalten, Angela, wirklich. Wenn ich eine Tochter hätte, dann hätte ich sie genauso erzogen, wie Mutter uns erzogen hat.«

»Ich will nicht, daß sie mir hilft, außer sie tut es freiwillig«, sagte Angela, »sie ist nicht mein Dienstmädchen.«

»Mutter hat uns zum Helfen angehalten, und wir haben uns nie beklagt.«

»Sie hat uns *nicht* zum Helfen angehalten – da läßt dich dein Gedächtnis im Stich, Valerie – wir haben ihr aus Mitleid geholfen.«

»Aber ich finde das nicht richtig«, beharrte Valerie. »Ich meine, ein großes Mädchen nichts im Haushalt tun zu lassen, während du dich abrackerst und alles für sie tust.«

»Ich habe mich freiwillig dazu entschieden. Ich mach's gern.«

»Aber was will sie anfangen, wenn sie mal ein eigenes Haus hat? Was hätten wir ohne Mutters Schulung getan?«

»Dann hätten wir sie nicht imitiert«, sagte Angela, »und das wäre vielleicht ganz gut gewesen.«

»Ach, ich weiß nicht«, sagte Valerie, und sie zog sich in ihre innere Welt zurück, genau wie Mutter, wenn sie sich Angelas unverblümten Bemerkungen nicht mehr gewachsen fühlte. Angela sehnte sich danach, daß Valerie sie angriff, daß sie genau so stark und aufrichtig sei wie sie und ihr eindeutig zu verstehen gab, daß sie unrecht hatte. Sie hätte eine Auseinandersetzung genossen, doch statt dessen zog ihre Schwester sich zurück. »Jedenfalls«, sagte Valerie, und ihr Gesicht hellte sich auf, »bin ich gekommen, um dir zu helfen. Den Käse hab ich fertig – was soll ich jetzt tun? Ich möchte mich wirklich nützlich machen.«

»Dann bleib bei Mutter«, sagte Angela verzweifelt, »beschäftige dich ausschließlich mit ihr. Lieber mache ich Mittagessen für viertausend Leute und wasche hinterher alles ganz allein ab, als daß ich mich eine halbe Stunde zu Mutter setze.«

»Aber Angela«, sagte Valerie und zog kopfschüttelnd ab.

13

Den ganzen Tag über beobachtete Angela, wie Valerie mit Mutter umging, und bei jedem Schritt sah sie sich selbst. Wenn Valerie der Mutter behutsam auf ihre unsicheren Füße half – den Arm um Mutters Taille, die Beine fest auf den Boden gestemmt, um Mutters Gewicht zu halten, einen Ausdruck unendlicher Besorgnis im Gesicht –, merkte Angela, wie unerträglich diese übertriebene Fürsorge für Mutter war, weil dies ihre Beschwerden noch unterstrich. Valeries Gehabe wirkte wie eine groteske Parodie auf das, was sie hätte tun sollen – Mutter brauchte zum Aufstehen weiter nichts als eine dargereichte Hand, an der sie sich hochziehen konnte. In der Art, wie Valerie den Kopf neigte, wenn sie sich zur Mutter beugte, lag etwas Verletzendes – als befolge sie Regieanweisungen für ein geschmackloses, grellbuntes Varieté. Nichts war spontan. Selbst Valeries Sprechweise hatte einen Beigeschmack von Herablassung, wenn sie ihre wohlüberlegten, eigens für Mutter kurzgehaltenen Sätze von sich gab. Lebhaft plaudernd saß sie Mutter gegenüber, lachte an geeigneter Stelle und seufzte schwer, wenn Erschütterung angezeigt war. Diese fünfunddreißigjährige Frau hatte nichts mehr von dem kleinen Mädchen, das daumenlutschend seine halbe Kindheit auf

Mutters Knie verbracht und ihr alle möglichen Geheimnisse anvertraut hatte, nichts mehr von dem pickeligen, pummeligen Teenager, der sich sonntags vor und nach der Kirche lieber bei Mutter einhängte, statt mit gleichaltrigen Mädchen zu gehen. Auch war nichts mehr davon zu spüren, daß es Mutter war, zu der Valerie als frischgebackene Sozialarbeiterin ging, als ihr Bräutigam, gleich nachdem sie das College abgeschlossen hatte, die Verlobung löste. Alles, was zwischen Valerie und Mutter bestanden hatte, war ebenso ausgelöscht wie das, was zwischen Mutter und Angela bestanden hatte.

Bedrückt wandte sich Angela von dem unerträglichen Getue ab. Nach dem Mittagessen sagte sie, sie gehe nach oben, um sich auszuruhen. Valerie und Mutter redeten ihr eifrig zu. Auf dem Weg in ihr Schlafzimmer kam sie an Bens Arbeitszimmer vorüber, wo Sadie bäuchlings auf dem Boden lag und telefonierte. Die Hand auf dem Geländer, blieb Angela stehen, gefesselt von der Anmut und Lässigkeit, wie Sadie in knallroten Jeans und leuchtend blauem Hemd hingestreckt lag und einen Apfel aß, während die andere Hand sie gleichzeitig stützte und den Hörer hielt. Angela lächelte ihr zu, drauf und dran, ins Zimmer zu treten. »Sekunde«, sagte Sadie in den Hörer, und dann zu Angela: »Willst du was?« Angela schüttelte den Kopf. Sie hatte nur das Übliche zu sagen – was sie wollte, war undefinierbar. Träge, möglicherweise unbewußt, tippte Sadie sacht mit dem Zeh an die offene Tür; Angela wich zurück, und die Tür fiel mit einem ganz leisen Klicken vor ihrer Nase ins Schloß.

In ihrem Schlafzimmer, von wo man schräg hinüber in Bens Arbeitszimmer blicken konnte, zog Angela die Vorhänge zu, um den Anblick der noch immer in ihr Telefongespräch vertieften Sadie zu verbannen. Angela wollte ihre Tochter nicht sehen, nicht einmal von weitem. Es tat ihr weh, daß Sadie so unbekümmert war, daß ihre Tochter unempfindlich war für ihr Elend. Dies war die Falle; sie war immer so stolz gewesen, daß sie nicht hineingetappt war, doch nun fühlte sie sich von den widerwärtigen Schlingen aus Selbstmitleid und Groll umgarnt. Es war sinnlos, sich vor Valerie zu brüsten, daß sie Sadie anders erzogen hatte – es war sinnlos, sich selbst zu belügen –, sie erkannte jetzt, daß sie sich dasselbe wünschte, was Mutter sich gewünscht hatte.

Kurz nachdem Sadie auf die Gesamtschule übergewechselt war, bekam Ben Gelbsucht. Er lag sechs Wochen im Bett. Danach wankte er noch drei weitere Wochen mager und abgehärmt umher, immer noch gelb im Gesicht. War Angela auch eine noch so gute Krankenpflegerin, es war trotzdem aufreibend für sie. Sadie, elf Jahre alt und voller

Tatendrang, schien das nicht zu bemerken. »Ich kann nicht«, sagte Angela, »treppauf und treppab rennen und mich um Ben kümmern und mich dann noch hier unten um euch alle kümmern. Siehst du das denn nicht?« – »Ich kann nichts dafür«, sagte Sadie, »ich bin doch nicht schuld, daß Papa krank ist. Immer meckerst du an mir rum.« – »Ich meckere nicht an dir rum. Ich bitte nur um ein bißchen Rücksicht. Ist das zuviel verlangt? Macht es dir überhaupt nichts aus, daß Papi krank ist?«

Offensichtlich nicht. Es war höchst befremdlich, wie sie morgens weggehen und nachmittags aus der Schule kommen konnte, ohne ein einziges Mal zu fragen, wie es ihm ging. Als er sich später im Bademantel unten aufhielt, sagte Sadie »ach, hallo« und ging gleich zu anderen Dingen über. Dabei hatte sie Ben sehr gern, sie verstand sich gut mit ihm, sie unternahmen vieles gemeinsam, und damals gab es nie Streit zwischen ihnen – es schien ihr lediglich an ganz normalem Mitgefühl zu mangeln. Aber war das wirklich das Problem? Angela war unsicher. Eines Tages hörte sie mit an, wie Sadie sich über die Gartenmauer mit den Carriers, ihren Nachbarn zur anderen Seite, unterhielt. »O wie furchtbar«, sagte Sadie, »das ist ja schrecklich – Sie Ärmste – falls ich irgendwas tun kann – ich gehe für Sie einkaufen – nein wirklich, das tu ich doch gern – es macht überhaupt keine Mühe.«

Dabei hatte Mrs. Carrier sich lediglich den Fuß verstaucht.

Bevor Valerie aufbrach, war sie doch noch von größerem Nutzen, als sie selbst ahnte. Es war nett von ihr, fand Angela, ihr die Frage abzunehmen, die sie selbst nicht stellen konnte, die jedoch die ganze Zeit in der Luft hing. »Wann fährst du nach Hause, Mutter?« erkundigte sie sich, während sie ihren Mantel anzog. »Bald«, sagte die Mutter mit einem verstohlenen Seitenblick auf Angela. »Ich kann Angela nicht länger auf der Pelle hocken – sie hat es satt, sich um eine alte Frau zu kümmern.«

»Bitte nicht«, sagte Angela, »ich kann es nicht ertragen, wenn du so etwas sagst, und du weißt genau, daß es nicht stimmt.«

»Dein Vater meckert ohnehin schon«, sagte die Mutter. »Ich muß bald zurück. Mal sehen, was er ohne mich alles ausgefressen hat.« Das war zumindest ein Versuch zu einem wenn auch lahmen und bitteren Scherz, und alle nahmen die Gelegenheit wahr, sich in weiteren, ebenso ärmlichen Scherzen zu ergehen.

»Ich schreibe wie immer«, sagte Valerie schließlich, »und ich rufe an. Paß gut auf dich auf.« Mutter gab ihr einen Kuß. Abschiedsszenen jeder Art erinnerten sie daran, wie gefährlich das Leben war.

»So, jetzt ist sie weg, und damit basta«, sagte die Mutter, sobald

Valerie und Ben das Haus verlassen hatten, und ließ sich schwerfällig in ihren Sessel fallen. »Basta«, wiederholte sie. »Wann sehe ich sie wohl wieder? Und dann die lange Rückfahrt – was das kostet – das war's doch kaum wert, wenn man's recht bedenkt.«

»Oh, so darfst du das nicht sehen«, sagte Angela, »natürlich war es das wert. Sie hatte einen schönen Tag. Sie hat ihn genossen.«

»Aber die lange Rückfahrt«, sagte die Mutter wieder, »und wohin? Niemand, der sie erwartet. Ach, ich mag gar nicht daran denken – diese schreckliche Wohnung, in der sie haust – niemand dort, der sie begrüßt – leer und still – was soll aus ihr werden, wenn sie mal alt und hinfällig ist, ohne Mann und ohne Familie? Es macht mich krank, wenn ich daran denke, ehrlich. Manchmal liege ich nachts wach und frage mich, was aus der armen Valerie wird, so ganz allein – ach, es ist schrecklich. Schrecklich.«

»Das ist bloß, weil du dich nicht damit abfinden könntest«, sagte Angela. »Du siehst dich in ihrer Lage, aber sie ist nicht wie du.«

»Sie hat Kinder doch immer so gerngehabt – warum hat sie nur nicht geheiratet – sie war ein hübsches Mädchen –«

»Das war sie nicht«, sagte Angela.

»Sie war jedenfalls hübscher als viele andere und ein liebes Mädchen, so umgänglich – ich kann es nicht verstehen – warum hat sie nicht geheiratet?«

»Weil sie nach dem ersten Mal keiner mehr gefragt hat.«

»So ganz allein –«

»Sie ist zufrieden. Sie hat ihre Arbeit, sie kennt alle Leute in ihrer Gegend, sie fährt mit ihrem Auto zu ihren Veranstaltungen, und manche Leute beneiden sie vielleicht um ihre Unabhängigkeit.«

»Das kann ich mir nicht vorstellen – ich könnte so nicht leben.«

»Aber du bist nicht Valerie – sie ist nicht wie du.«

»Keine von euch ist wie ich, keine.«

»Dann mach dir auch deswegen keine Sorgen.«

»Immerzu mach ich mir Sorgen«, sagte die Mutter, »du hast ja keine Ahnung von all den Dingen, die mir Sorgen machen – die gehen mir im Kopf rum, bis mir ganz schwindlig wird.«

»Das führt doch zu nichts«, sagte Angela, »du mußt dir diese sinnlosen Sorgen aus dem Kopf schlagen.«

»Ach, du hast gut reden«, sagte die Mutter in einem plötzlichen Temperamentsausbruch, den sie hinterher jedesmal bereute, »du machst dir ja nie Sorgen. Du weißt gar nicht, was Sorgen sind.«

Angela mußte idiotischerweise lächeln – ein breites Grinsen, um ihre Verwirrung zu verbergen. Mutter glaubte, was sie gesagt hatte. In ihren Augen war Angela unverzagt und furchtlos, sie nahm die sorgfältig konstruierte Fassade für bare Münze. Es wäre grausam, ihr die Illusion zu rauben – wenn Mutter sie so haben wollte, dann mußte sie eben so sein.

»Stimmt«, sagte Angela, »so was ist mir fremd.«

»Ich kann nichts dafür«, sagte die Mutter beinahe stolz, »ich war von Geburt an so – hab mir immer Sorgen gemacht und hatte immer Grund dazu. Nie hatte ich mal richtig Glück.«

»Aber auch nie richtig Pech«, sagte Angela. »Dein Mann ist nicht gestorben, du hast lauter gesunde, kräftige Kinder großgezogen –«

»Das hast du alles schon mal gesagt«, unterbrach die Mutter.

»Ich weiß.«

»Gut, dann reite auch nicht dauernd darauf rum.«

»Recht so, Oma, schimpf nur mit ihr«, sagte Sadie, die gerade hereinkam und Mutters letzte Worte gehört hatte. »Immer reitet sie auf allem möglichen Kleinkram rum, aber das will sie nicht wahrhaben. Sie ist langweilig.«

»So hatte ich das nicht gemeint«, sagte die Mutter. Solidarität unter Erwachsenen war für sie selbstverständlich. »Deine Mutter ist nicht langweilig, Sadie, das kannst du nicht sagen.«

»Kann ich doch«, und mit einem feixenden Blick zu Angela: »Mami, du bist langweilig.«

»Danke«, sagte Angela, »wahrscheinlich hast du recht.«

»Alle Mütter sind langweilig«, sagte Sadie.

»Meine Mutter ist sehr interessant«, sagte Angela.

»Aber nein, das bin ich nicht«, protestierte die Mutter.

»Für mich schon.«

»Komplimente, Komplimente«, sagte Sadie. »Gibt's irgendwas zu futtern?«

»Mach dir selbst was, aber räum die Küche wieder auf.«

»Okay«, sagte Sadie und zog ab.

»Du läßt ihr zu viele Frechheiten durchgehen, Angela«, sagte die Mutter, »daß sie so mit dir spricht – das ist nicht recht.«

»Mir ist es lieber, wenn sie mir ins Gesicht sagt, was sie denkt.«

»Aber sie ist so unverschämt.«

»Das finde ich nicht.«

»Ich verstehe nicht, wieso du sie auch noch verteidigst.«

»Das ist nun mal typisch für eine Mutter«, sagte Angela, »weißt du noch, wie du mich verteidigt hast?«

Vor allem gegen Tante Frances, die Schneiderin, die in Angela vernarrt war, solange sie ein kleines Mädchen war, aber mit der heranwachsenden Angela fortwährend Streit bekam. Angela erinnerte sich, wie Tante Frances zu ihnen zu Besuch kam und auf der Stelle zu kritisieren anfing. »Also wie du dir den Schal gebunden hast – du mußt ihn vorne binden – wie Prinzessin Margaret Rose«, und sogleich versuchte Tante Frances, ihren Rat in die Tat umzusetzen, doch Angela stieß ihre Hand einfach weg. »Oh, wie ungezogen«, sagte Tante Frances dann, »du mußt sie besser erziehen, damit sie sich anständig benimmt, Mary.« – »Laß sie doch«, sagte die Mutter, »ist doch egal, wie sie ihren Schal bindet.« Aber Tante Frances wollte den Wink nicht verstehen. Erbarmungslos fiel sie über Angelas Frisur her – »so ein gewöhnlicher Haarschnitt« – und ihre Redeweise – »so was Vulgäres« – und über alles, was an ihrer Nichte nicht ihren Beifall fand.

Nur ein einziges Mal gab die Mutter ihr nach. »Wenn du von der Schule kommst«, sagte sie zu Angela, »sag bitte ›Guten Tag, Tante Frances‹. Es ist ja nur eine Kleinigkeit.« – »So was Dummes«, sagte Angela. »Was ist denn schon dabei, wenn ich ›hallo‹ sage?« – »Nichts«, erklärte die Mutter, »die meisten Leute finden nichts dabei, aber Tante Frances möchte nun einmal von jungen Leuten gern förmlich begrüßt werden, und es schadet doch nicht, wenn wir ihr diesen einen Gefallen tun.« Angela fügte sich, indem sie Tante Frances' Wunsch weitgehend parodierte. Es war tröstlich und erfreulich zu spüren, daß ihre Mutter insgeheim auf *ihrer* Seite stand.

»Nun denn«, sagte die Mutter soeben, und Angela stellte erschrocken fest, daß sie schon seit geraumer Zeit sprach, »das wär's. Wieder ein Tag zu Ende.« Sie seufzte tief. »Nächste Woche«, sagte Angela, »machen wir ein paar Ausflüge.«

Sie hatte sie eigens für die Herbstferien aufgespart – eine Reihe kleiner Spritztouren, um sowohl Mutter wie auch Tim eine Freude zu machen. Als erstes ging es zum Safaripark von Woburn; eine Stunde Fahrt, dann ein Rundgang durch das Tiergehege und anschließend ein herbstliches Picknick im Park. Sie verkündete es beim Mittagessen, mit aller Begeisterung, die sie aufbringen konnte, aber sie löste damit keine Freudenschreie aus. »Ich komme nicht mit«, sagte Sadie geradeheraus, »und du brauchst nicht zu denken, daß du mich dazu zwingen kannst.« – »Da waren wir doch schon«, sagte Max, »es ist so langweilig.« – »Hast du was von Tieren gesagt?« fragte Mutter. »Ich mach mir nichts aus Tieren.« – »Es ist anders als im Zoo«, erklärte Angela, »es wird dir gefallen. Ein schöner Ausflug aufs Land – mitten in der Woche, und im Oktober, da ist es nicht so überlaufen – wir machen uns einen schönen Tag.«

Es wurde ein Reinfall, noch bevor unmittelbar darauf die letzte schwere Prüfung folgte. Dummerweise hatte sie, gegen Bens Rat, Sadie gezwungen, mitzukommen, indem sie behauptete, daß sie unbedingt ihre Hilfe brauche, und Sadie entlud ihren Unmut und ihren Zorn in gemeinen Ausfällen gegen Max, worauf es im Wagen zu Geschrei und Gezänk kam, was Mutter zutiefst bedrückte. Obwohl die Sonne hell schien und der Himmel strahlend blau war, war die Stimmung von Anfang an miserabel. Gleichgültig, wie sehr Angela lächelte und sang und sich bemühte, Ferienstimmung zu verbreiten – keiner ging darauf ein außer Tim, der noch jung genug war, um einen Ausflug, egal wohin, jederzeit zu genießen. Sie waren viel zu bald da. Die Tiere waren viel zu bald besichtigt, die Lunchpakete viel zu bald verzehrt. Schon nach kürzester Zeit gab es nichts mehr zu tun, und dabei war es erst halb zwei. Angela brachte einen Ball zum Vorschein und schlug ein Spiel vor, aber keiner wollte mitmachen. Sie nahm ihre Kinder eins nach dem anderen beiseite unnd beschwor sie, sich ›Oma zuliebe‹ fröhlich zu zeigen, aber ihre Bitte machte sie nur noch gereizter. Es sei allein ihre Schuld, hielten sie ihr vor. Sie hatten ihr gesagt, daß sie nicht mitkommen wollten, sie hatte sie gezwungen, warum konnten sie nicht einfach nach Hause fahren?

Während der Rückfahrt fragte sich Angela, wieso sie sich eigentlich eingebildet hatte, ein gemeinsamer Tagesausflug sei vergnüglicher oder angenehmer, als sie alle zusammen im Haus zu haben. Mutter hatte kaum was davon gehabt. Sie war den ganzen Tag still und nervös gewesen, sogar mehr als sonst. Von derart lauten Kindern umgeben, schien sie sich bedroht zu fühlen, das schloß Angela jedenfalls aus der Art, wie sie während der zahlreichen Zankereien von einem zum anderen geblickt hatte. Auf wen konnte sie sich verlassen? An wem hing ihr Herz? Nur an Angela, doch Angela konnte sich nicht ausschließlich ihr widmen. Sie sprach es nicht aus, aber Angela hatte den Eindruck, daß Mutter den Vater vermißte. Statt fern von ihm aufzublühen, verblaßte sie zu einem Nichts.

Als sie ihr zu Hause aus dem Wagen half, fiel Angela wieder einmal auf, wie gebrechlich die Mutter war. Wie oft hatte sie Vater und Valerie, wenn sie deren Getue beobachtete, sagen wollen, sie sollten Mutter zufrieden lassen, sie werde ganz gut allein fertig, aber nun, da sie ihre einzige Stütze war, erschrak sie über Mutters Schwäche. Auf der kurzen Strecke vom Auto zur Haustür stolperte die Mutter zweimal und verlor die Balance, und sie wäre gestürzt, wenn Angelas Arm sie nicht gehalten hätte. Die beängstigende Hinfälligkeit ihres Körpers ließ sich nur bei unmittelbarem Kontakt ermessen.

»Das war ein schöner Ausflug«, sagte die Mutter leicht keuchend, als sie wieder heil in ihrem Ohrensessel saß. Die Kinder eilten nach oben, um fernzusehen, und die plötzliche Stille war eine Wohltat.

»Es war nicht besonders amüsant für dich«, sagte Angela, müde und bedrückt, unfähig, ihre gespielte Gelassenheit beizubehalten.

»Ach, mach dir meinetwegen keine Gedanken«, sagte die Mutter, »ich amüsiere mich doch nie.«

»Mutter«, sagte Angela, die Augen von der Anstrengung, sich zusammenzunehmen, zu schmalen Schlitzen verengt, »bitte sag so etwas nicht.«

»Ist doch wahr.«

»Gerade, wenn es wahr ist. Sag so etwas nicht.«

Danach sprach die Mutter nicht mehr. Sie trank den Tee, den Angela ihr brachte – gierig, hastig –, und dann nickte sie ein. Angela legte Mutters Beine auf einen Hocker, zog ihr behutsam die Hausschuhe an und deckte sie zu. Dann setzte sie sich an den Küchentisch, bekümmert und mutlos, und behielt die Teetasse noch lange, nachdem sie ausgetrunken hatte, in der Hand. Sadie, die auf der Suche nach ihr hereinkam, strahlte Energie und Vitalität aus. Ihre Wangen glühten von dem erzwungenen Aufenthalt in der frischen Herbstluft – ihre Augen glänzten, und sie war hübsch trotz des häßlichen, ausgefransten Männerpullovers und der zu engen, schmutzigen Hose.

»Ich übernachte bei Sue – bloß, damit du Bescheid weißt – okay?«

Angela zuckte die Achseln. Das Gesicht der Mutter war unterdessen in sich zusammengefallen.

»Also, kann ich gehen?«

»Ich weiß nicht, warum du fragst«, sagte Angela, »das tust du doch sonst nicht.«

»Kann ich gehen?«

»Geh, wohin du willst. Es hat ja wohl keinen Zweck, daß ich versuche, dich hierzubehalten, nicht? Den Fehler habe ich heute schon einmal gemacht, und ich habe dafür büßen müssen.«

»Wieso büßen? Ich finde, ich war sehr lieb zu Oma. Was hab ich denn nun schon wieder falsch gemacht?«

»Es hat keinen Sinn, darüber zu sprechen.«

»Gut, lassen wir das. Ich bin irgendwann morgen zurück – es sind ja Ferien, da ist es doch egal, oder?«

»Ja. Mir ist alles egal.«

»Um Himmels willen.«

»Geh schon – mach, daß du wegkommst. Du gehst mir hier sowieso nicht zur Hand – da kannst du ebensogut verschwinden.«

»Was soll ich denn tun – was *willst* du von mir?«

»Hilf mir.«

»Also gut – und wie?«

»Ganz allgemein. Hilf mir.«

»Ich weiß nicht, wovon du redest.«

Sie zögerte. Angela beobachtete, wie sie herumtrödelte, Gegenstände aufhob und wieder hinstellte, auf und ab ging, um den Tisch herumschritt, sich nicht ganz zum Gehen entschließen konnte. Angela wußte, daß sie Sadie mit ihrem unverhüllten Jammer unsicher gemacht hatte. Das verstieß gegen die Regeln. Sadie wußte nicht recht, ob sie gehen durfte oder nicht, und die Ungewißheit hielt sie hier fest.

»Ach, hau schon ab«, sagte Angela. »Ich hab's einfach satt und könnte jedem an die Gurgel springen. Viel Spaß.«

Sadies Miene hellte sich augenblicklich auf. »Tschüß«, sagte sie.

»Knall die Haustür nicht zu, wenn du rausgehst«, sagte Angela, »sonst wacht Oma auf.«

Doch als der Vater zwei Stunden später anrief, schlief Mutter immer noch.

»Wir waren den ganzen Tag in Woburn«, sagte Angela, »und jetzt macht Mutter ein Nickerchen.«

»Hast sie überanstrengt, was?« argwöhnte der Vater.

»Bestimmt nicht.«

»Hast sie zu weit laufen lassen, wetten – wie weit hast du sie gehen lassen, hm? – sie kann nicht weit laufen, sie wird schnell müde, das solltest du doch wissen, du hast ja erlebt, was dabei rauskommt.«

»Sie ist fast gar nicht gelaufen.«

»Du hast sie doch nicht etwa den ganzen Tag im Wagen sitzen lassen? Das ist nicht gut für ihren Rücken.«

»Nein. Sie ist ein bißchen gesessen und ein bißchen gelaufen.«

»Wieso schläft sie dann um diese Zeit?«

»Weil sie müde war.«

»Kommt mir komisch vor.«

»Nach der vielen frischen Luft könnte ich auch schlafen.«

»Hast du sie zugedeckt?«

»Ja.«

»Ich ruf später noch mal an, um zu sehen, ob alles in Ordnung ist.«

»Das ist wirklich nicht nötig, Vater.«

»Was nötig ist, bestimme ich – das kann ich besser beurteilen«, und er knallte den Hörer auf die Gabel.

Um neun Uhr, kurz nachdem Ben nach Hause gekommen war, rief Vater wieder an.

»Nein«, sagte Angela, »sie schläft noch friedlich, und ich möchte sie nicht wecken.«

»Du solltest sie nicht so schlafen lassen«, sagte der Vater, »zusammmengekrümmt in einem Sessel schlafen, das tut ihr nicht gut – sie muß flach liegen.«

»Sie sitzt ganz bequem«, sagte Angela.

»Du wirst sie jetzt aufwecken«, sagte der Vater, lauter werdend. »Weck sie auf, laß sie ein paar Schritte gehen, und dann bringst du sie richtig ins Bett – verstanden?«

»Ist gut«, sagte Angela.

»Ich ruf nochmal an, bevor ich ins Bett gehe, nur zur Sicherheit. Also paß auf – du läßt sie ein paar Schritte gehen und bringst sie dann richtig ins Bett – du darfst sie nicht im Sessel schlafen lassen – und sie ist jetzt bestimmt die ganze Nacht wach, ihr ganzer Rhythmus ist zum Teufel.«

»Das tut mir leid.«

»Damit ist es nicht getan.«

»Was soll ich denn sonst tun?«

»Du kannst verdammt besser auf sie aufpassen, jawohl, Mädchen.«

Sie standen oben auf einer Klippe, sie und Sadie, ganz dicht am Rand, wo das Gras in den Ritzen verschwand. Tief unten peitschte die See die schwarzen gezackten Felsen, und die Gischtwolken sprühten so hoch, daß sie die Nässe hundert Meter darüber in ihren Gesichtern zu spüren meinten. Hand in Hand blickten sie hinab, tief einatmend, um nicht schwindelig zu werden, und lachten über das Geschrei der Jungen hinter ihnen, die sich nicht zu ihnen trauten. Sadie war stolz, daß sie die Mutige war, doch ihre Hand in Angelas war feucht und zitterte leicht, und ihre Augen waren schmal vor Angst. Sie wollte zurückweichen. Angela spürte es, sie wußte, obwohl darüber kein Wort gesprochen wurde, daß Sadie wünschte, sie, Angela, möge als erste zurückweichen, doch sie blieb, wo sie war, und versuchte, ihre Zuversicht auf ihre Tochter zu übertragen. Sie drückte Sadies Hand, sie lächelte und nickte ihr zu und trat noch einen kleinen Schritt näher zum Rand hin, doch das war zuviel für Sadie, und plötzlich löste sich ihre Hand von ihrer Mutter, sie riß sich los, und Sadie taumelte zurück und rief: »Du hast mich gezwungen! Du hast mich gezwungen!« Sie floh zu Ben und weinte, und als Angela zurückkam, sagte er: »Das war doch lächerlich. Was wolltest du damit beweisen?« Angela lächelte und zuckte mit den Schultern. »Nichts«, sagte sie, »sie hat gewußt, daß ihr nichts passieren kann, wenn ich dabei bin.« – »Ich glaube nicht«, sagte Ben, »daß sie das gewußt hat.«

Als sie Mutter schließlich wachrüttelten, machte sie einen verwirrten Eindruck. Sie verdrehte die Augen, ihr Mund klaffte auf, und sie hatte sich offenbar nicht unter Kontrolle. Sie war mürrisch und weinerlich und reagierte unwirsch auf Bens und Angelas vereinte Bemühungen, sie auf die Beine zu bringen, wie Vater es befohlen hatte. »Ach, laßt mich doch«, sagte sie immer wieder, »laßt mich in Ruhe.« Sie schleppten sie in ihr Zimmer, und weil Angela die Prozedur, ihr die Unterwäsche auszuziehen, nicht ertragen konnte, ließ sie die Sachen an und begnügte sich damit, ihr aus Rock, Pullover und Korsett zu helfen. Sie steckten sie ins Bett und ließen eine kleine Lampe brennen, damit sie sich zurechtfand, wenn sie richtig zu sich kam.

»Davor hatte sie Angst«, sagte Angela, »daß sie hier krank wird.«

»Davor hatten wir alle Angst«, sagte Ben finster. »Gott, ist das ein Kreuz.«

»Sie kann nichts dafür – denk doch mal, wie dir zumute wäre, wenn –«

»Jetzt sprichst du wie Valerie.«

»Ich fühl mich auch so – morbid und deprimiert, und am liebsten würde ich wie Valerie sagen, ›es war nicht meine Schuld‹ und ›warum muß das ausgerechnet mir passieren‹.«

Ihre Niedergeschlagenheit nahm im Laufe der Nacht immer mehr zu. Zweimal sah sie nach der Mutter, erschrocken über ihr fahlgraues Gesicht und ihren keuchenden Atem. Zärtlichkeit hatte keinen Sinn – dafür war es zu spät, die hätte sie sechzig Jahre früher erfahren müssen, als Mutter ein junges, großäugiges Mädchen war, das so lieblich im Kirchenchor sang und immer in die erste Reihe gestellt wurde, weil sie wie aus dem Ei gepellt war mit ihrem strahlend weißen Kragen. Damals hätte jemand ihr Zärtlichkeit schenken müssen, bevor die Melancholie sich in Mutters empfindsame Seele senkte und ihr Leben vergiftete. Behutsam strich Angela die Bettdecke glatt. Sie war selbst schon halbwegs in diesem trostlosen Zustand. Langsam stieg sie die Treppe wieder hinauf, der Teppich fühlte sich kalt und rauh an unter ihren bloßen Füßen, ihre steifen Gliedmaßen schmerzten, als sie sich schwerfällig vorwärts schleppte. Verzagt, niedergedrückt von einer Verantwortung, der sie sich unmöglich entziehen konnte, hatte sie das Gefühl, daß sie durch jeden Tag schlich und auf den nächsten Schicksalsschlag wartete. Eine Mutter zu sein bedeutete anscheinend, überall Gefahr zu sehen – man sah sie und bemühte sich, sie abzuwehren, und gab die Witterung an die Kinder weiter. Sie schlief zusammengerollt, fand Trost in der Berührung ihrer Gliedmaßen, und als der Morgen kam, sträubte sie sich, sie auszustrecken.

Sobald Angela in Mutters Zimmer die Vorhänge zurückzog, bemüht, zu lächeln und heiter zu scheinen und alles für Mutter zu tun, was in ihren Kräften stand, wachte die Mutter auf, heiser und klebrig von Schweiß. Mutter konnte nur mit ihrer trockenen Zunge über ihre aufgesprungenen Lippen fahren. Sie konnte – oder wollte – nicht sprechen, sondern antwortete auf alle Fragen mit einem Kopfschütteln. Angela rief ihren Hausarzt an, der es ablehnte zu kommen. »Sie müssen herkommen«, sagte sie, bei dem Gedanken an Vaters nächsten Anruf von Hysterie ergriffen, »bitte – ich mache mir solche Sorgen – ich brauche eine ärztliche Diagnose.« Er kam am späten Vormittag, als sie schon fast nicht mehr mit ihm gerechnet hatte, und sagte, die Mutter sei lediglich erkältet und erschöpft. Ein paar Tage Bettruhe – leichte Kost – Wärme – das sei alles. Als sie es Vater berichtete, hörte es sich schlimm und gefährlich an, obwohl sie sich ganz vorsichtig ausdrückte.

»Verdammt«, sagte er, »verdammt und zugenäht – ich hab' geahnt, daß das passiert – ich hab dir gesagt, du sollst auf sie aufpassen – jetzt haben wir die Bescherung.«

»Sie hat bloß eine Erkältung«, sagte Angela.

»Was heißt hier ›bloß‹«, sagte der Vater wütend, »in ihrem Alter. Das gefällt mir nicht. Eine Erkältung ist für sie eine schlimme Krankheit, das steht fest. Und wie kommt sie überhaupt an eine Erkältung, frage ich dich –«

»Eine Erkältung kann jeder kriegen.«

»Ja, wenn man nicht aufpaßt – wenn man die Leute zu lange im Feuchten rumsitzen läßt oder so was.«

»Eine Erkältung kommt von Viren.«

»Und von Feuchtigkeit«, sagte der Vater.

»Es steht jedenfalls nicht besonders schlimm um sie.«

»Was weißt denn *du*, wie's um sie steht«, sagte der Vater, »ich kann das sehen, du nicht. Ich komme am besten rauf. Ich kann nicht einfach hier rumhängen.«

»Das ist wirklich nicht nötig«, sagte Angela. »Ich kann sie allein pflegen – sie würde sich bloß aufregen, wenn du kämst, sie würde denken, sie ist kränker, als sie wirklich ist. Willst du nicht lieber abwarten, wie sich ihr Zustand entwickelt?«

»Ist vielleicht besser«, sagte der Vater zu ihrer Verblüffung, ohne zu zögern. Machte er ihr etwas vor? Hatte er nur gesagt, er käme, um den Schein zu wahren? Trotz der unendlichen Erleichterung war sie seltsamerweise enttäuscht.

Sie saß fast den ganzen Tag bei der Mutter, achtete nicht auf das Kommen und Gehen der Kinder, die regelmäßig in fünfminütigen Abständen sämtliche Türen im Haus zuknallten. Mutter schienen die Geräusche im Hintergrund nichts auszumachen. Angela war wie hypnotisiert von der Herbstsonne, die durch die orangefarbenen Vorhänge hereinfiel, aber Mutter schien die blendende Helligkeit nicht zu stören. Hin und wieder öffnete sie die Augen und sah Angela mit leerem Blick an. Sie nahm ein paar Schlucke Wasser zu sich, sonst nichts. Sie schlief sehr viel, und Angela mußte sich mit der trivialen und dennoch wesentlichen Frage befassen, ob sie der Mutter aufhelfen sollte, um zur Toilette zu gehen. Was war vorzuziehen – nasse Laken und Kleidungsstücke zu entfernen, oder Mutters schlaffen Körper in Bewegung zu bringen? Sie brauchten eine Bettpfanne, aber sie hatten keine. Die Geschäfte in der Nachbarschaft hatten bestimmt keine vorrätig. Sie würde Mutter Sadies Obhut überlassen und sich auf die Suche nach einer Bettpfanne begeben müssen. Sie würde diese unumgänglichen Verrichtungen, wie Mutter auf eine Bettpfanne zu setzen, lernen müssen – Dinge, die andere Leute ganz selbstverständlich erledigten, vor denen ihr jedoch graute. Es war keine Lösung, eine Krankenschwester ins Haus zu holen, wie Ben leise vorschlug – Krankenschwestern waren nicht leicht zu bekommen, und selbst wenn sie eine fänden, wäre dies ein feiger Ausweg.

»Wie geht's der Oma?« fragte Sadie. Sie goß sich Orangensaft ein, den sie schwungvoll mit Limonade und Eiswürfeln mixte.

»Nicht besonders«, sagte Angela. Sie hatte sich für fünf Minuten in die Küche zurückgezogen, um der unbarmherzigen Fixierung ihrer Gedanken auf Mutter zu entrinnen, und da stand sie nun, aufgewühlter und verwirrter denn je, unfähig, etwas zu tun, obwohl das Geschirr vom Mittagessen noch überall verstreut war und ein halbangerührter Kuchen auf der Anrichte herumstand.

»Arme Oma«, sagte Sadie.

»Arme Oma, wie wahr«, sagte Angela. Es war falsch, sie wußte es, es war falsch und kindisch und kleinlich, aber sie konnte es sich nicht verkneifen hinzuzufügen: »Und ich, bin ich etwa nicht arm?«

»Wieso?« sagte Sadie, »was fehlt dir denn?« Ihr gereizter Ton folterte Angelas ohnehin schon strapazierte Gefühle.

»Ich muß Oma pflegen«, sagte Angela.

»Du pflegst Kranke doch gern.«

»Ja, wenn Hoffnung auf Besserung besteht, dann schon – wenn es jemand ist, der im Grunde gesund ist –«

»Gibt's bei Oma keine Hoffnung auf Besserung?«

»Doch, aber –«

»Na also. Dann sehe ich nicht, wo da der Unterschied sein soll, ehrlich.«

»Ich bin müde«, sagte Angela, »und ich mache mir Sorgen, und ich weiß nicht mehr aus noch ein.«

»Weiß Opa Bescheid?«

»Natürlich.«

»Was meint er dazu?«

»Er möchte herkommen.«

»Oh, das ist gut.«

»Gut? Wie kommst du denn darauf?« sagte Angela, und auf einmal fand sie die Kraft, wütend zu werden. »Wieso ist das gut? Denkst du überhaupt richtig nach – versetz dich doch mal in meine Lage – jetzt bist du die Güte selbst, was, stellst besorgte Fragen, obwohl du dir nicht die Bohne daraus machst – du willst oder kannst dir nicht vorstellen, wie mir zumute ist. Ich will nicht, daß Opa hier herumschusselt – dann müßte ich mich um alle beide kümmern, nicht wahr – dann hätte ich alle beide auf dem Hals.«

»Du hast keinen von beiden lieb, nicht wahr«, sagte Sadie. Sie stellte ihr leeres Glas hin und stand auf. »Alles bloße Pflichterfüllung. Schauderhaft.«

»Du hast ja keine Ahnung«, sagte Angela. »Das ist alles viel zu kompliziert. Man kann nicht einfach so ohnehin von Liebe und Pflichterfüllung reden – ich weiß nicht, was ich empfinde, außer daß ich mich schuldig und verantwortlich fühle.«

»Aber du *machst* dir nichts aus ihnen«, sagte Sadie, »du jammerst immer nur – daß du sie anrufen mußt und daß du hinfahren mußt – du jammerst und jammerst und hörst nie auf. Ich weiß nicht, warum du dich so verstellst – warum du die Verbindung nicht einfach abbrichst – das wäre dir doch das liebste, oder? Sie nie besuchen, höchstens einmal im Jahr für einen Tag oder so.«

»Ja, ja, ja«, kreischte Angela, »genau – am liebsten wäre ich in Australien bei meinen Brüdern und würde alles bloß aus zwei Wochen alten Luftpostbriefen erfahren – ich wollte, ich wäre den ganzen Schlamassel los – ich halte das keine Minute mehr aus – es geht ewig so weiter, und ich weiß nicht, was ich tun soll.«

»Heiliger Bimbam«, sagte Sadie.

»Was?« schrie Angela. »Was? Was soll das Gefeixe? Nein, geh nicht weg – *GEH JETZT NICHT* – du verdrehst alles, was ich sage – ich gebe dir ehrliche Antworten, und du verachtest mich – du fällst über mich her, wenn –«

»Wer fällt hier über wen her, hm?«

» – ich doch bloß Mitgefühl will und ein bißchen Verständnis und – und – und das Gefühl, daß ich mit dem ganzen Kram nicht allein dastehe.«

»Tust du aber«, sagte Sadie. »Ich kann dir absolut nicht helfen – sag bloß nicht, ich kann das Geschirr spülen – ich *werde* das verdammte Geschirr spülen, und ich gehe einkaufen und was du willst – aber davon wird es auch nicht besser.«

»Mir ist zum Heulen«, sagte Angela.
»Ich denke, Oma ist bloß erkältet?«
»Du redest anscheinend absichtlich an der Sache vorbei.«
»Ich geh sowieso gleich weg – ich will in die Oxford Street – ich nehme an, jetzt ist nicht die richtige Zeit, um zu fragen, ob ich das Geld für die Stiefel haben kann? Du hast doch gesagt, daß ich sie mir kaufen darf.«
»Hol mein Portemonnaie.«
»Ich kann auch an einem anderen Tag gehen – ich dachte bloß, weil Ferien sind – und Sue geht sowieso –«
»Hier – nimm.«
»Danke.«
Sie stand unschlüssig da, mit dem Geld in der Hand, und Angela wußte, sie wartete nur auf ihr Zeichen, und dann wäre sie wie der Blitz aus dem Haus, ohne Mantel, an einem kalten Tag, die häusliche Langeweile hinter sich lassend.
Mutter hatte Angela nie gehen lassen – sie hatte das Zeichen nie gegeben. In heimlichem Kummer über das Feuer geduckt oder unglücklich durch den windigen Garten stapfend, um vor dem drohenden Regen die Wäsche abzunehmen, war sie stumm geblieben. »Also, ich gehe jetzt«, sagte Angela. Die Mutter sagte nichts. »Ich gehe – ich bin heute abend zurück.« Schweigen, außer einem gelegentlichen, in bedrücktem Ton geäußerten »dann geh nur – viel Spaß«. Das hatte ihr stets die erste Hälfte jeder Unternehmung verdorben, und wenn es später Zeit zur Heimkehr wurde, hatte der Gedanke an Mutters Niedergeschlagenheit ihren Schritt gelähmt.
»Viel Spaß«, sagte Angela, krampfhaft um ein Lächeln bemüht, »mach dir meinetwegen keine Sorgen. Ich hab einfach die Nase voll – ich komm schon drüber weg – laß dir deswegen nicht die Laune verderben.«
»Bist du sicher?« fragte Sadie erleichtert.
»Ja, ganz sicher. Kauf dir schöne Stiefel, und wenn du zurückkommst, heiterst du mich auf – okay?«
»Okay.«
Bestechung und Korruption, würde Ben sagen, aber schon fühlte Angela sich besser. Sie wollte ihre Trübsal nicht weitergeben – besser, viel besser war es, ihren Jammer für sich zu behalten, statt ihn herausströmen zu lassen, wie sie es soeben vor Sadie getan hatte. Die Methode war auch nicht besser als Mutters – ihre Probleme zu erklären und zu rechtfertigen war genauso unselig wie sie zu verbergen. Mutter hatte sie auf diese Weise verloren. Sie war entschlossen, Sadie nicht zu verlieren, koste es, was es wolle.

*Mit sechs Jahren, lange bevor sie mit Sue und Joanna verkehrte, die später, als sie heranwuchs, ihre besten Freundinnen wurden, machte sich Sadie über ihre Spielgefährtinnen lustig. Sie brachte sie anscheinend nur mit nach Hause, um sie zu quälen. »Du mußt alles nachsagen, was ich sage«, befahl sie Alison, die zu ihren beständigen Opfern zählte. »Ist gut, Sadie.« – »Nein, du Dummkopf, du sollst es nachsagen – du mußt alles sagen, was ich sage.« Wenn Alison endlich begriffen hatte, was Sadie wollte, dachte sich Sadie boshafte Kränkungen aus. »Alison ist eine fette, pickelige Ziege«, und Alison wiederholte es und begriff nur verschwommen, daß der Spaß auf ihre Kosten ging. »Warum«, fragte Angela hinterher, »warst du so gemein zu Alison? Warum hast du dich über sie lustig gemacht? Und alles, was sie spielen wollte, wolltest du nicht.« – »Mir egal«, sagte Sadie. »Aber es ist dir nicht egal«, sagte Angela, »wenn sie nicht mehr deine Freundin sein will. Wenn du deine Freundinnen nicht verlieren willst, mußt du lieb zu ihnen sein.« Sadie funkelte sie mit gehässigen Blicken an. »*Du *bist nicht lieb zu mir, wenn du so was sagst.«*

Am Abend nahm Mutter ein wenig Suppe und eine Scheibe trockenen Toast zu sich, von Angela einladend auf einem Zinntablett angerichtet. Mutter konnte Zinn nicht leiden, aber Angela hatte aus einer Schublade ein weißes Deckchen hervorgekramt, das sie einstmals gestickt hatte; die Ecken waren bogenförmig mit einem Muster aus blauen Vergißmeinnicht verziert. Das gefiel der Mutter. Trotz ihrer Krankheit befingerte sie das Deckchen und sagte, wie hübsch, heutzutage mache niemand mehr so etwas, und sie freute sich über die rosa Leinenserviette in dem silbernen Ring und über die zierliche Porzellanteekanne, alles Dinge, von denen Angela fast vergessen hatte, daß sie dergleichen besaß. Mutters matte Augen glitten über das Tablett und verharrten auf der weißen Rose im Glaskrug, und sie sagte: »O wie hübsch – eine Rose – um diese Jahreszeit«, und dann, nach einer Pause: »Ich hab' hübsche Dinge so gern. Dein Vater wirft einfach alles auf ein Tablett, daß es nie nach was aussieht – das Brot schneidet er krumm und schief, und er achtet nie darauf, daß Tasse und Untertasse zum Teller passen.« – »Aber er macht es recht gut – für seine Verhältnisse – tagaus, tagein«, sagte Angela. »O ja«, sagte die Mutter, »sehr gut, wenn man bedenkt, was er alles zu tun hat, ein Mann wie er.« Ihr Blick wanderte vom Tablett zum Fenster; ein Zweig des Birnbaums schlug leicht gegen die Scheibe. »Hübsch«, sagte die Mutter, »der Baum – sogar kahl sehen die Zweige noch schön aus. Erinnert mich ans Land. Ich war immer gern auf dem Land.«

Angela schwieg. Die Mutter kannte das Land kaum. Immer, wenn sie mit ihr einen Ausflug in die Umgebung von St. Erick machten, zeigte sie sich lauthals entzückt von den Ausblicken, von der Ruhe und dem Frieden, doch wenn nirgends ein Dorfladen in Sicht kam, wurde es ihr langweilig. Doch sie bildete sich ein, daß es auf dem Land hübsch sauber und sicher war, und deshalb fand es ihren Beifall. Soweit Angela wußte, war sie nie in Gummistiefeln über ein schlammiges Feld gestapft. Sie hatte die Familie selten in die Bodmin Heide begleitet, und wenn, blieb sie im nächsten Dorf, während die anderen kletterten und wanderten. Vater dagegen liebte das Land wirklich.

»Wir haben früher herrliche Ausflüge gemacht«, sagte die Mutter, »den ganzen Tag über Felder und Hügel.«

Aber die ›Ausflüge‹ waren Motorradfahrten; sie brausten durch die Stille, die sie angeblich genossen, verpesteten die Luft, die sie angeblich mit Behagen geschnuppert hatten.

»Ich mache dir soviel Mühe«, sagte die Mutter auf einmal, und ihre Stimme, die zuvor gezittert hatte, klang scharf und fest. »Ich hätte nicht herkommen sollen – und jetzt bin ich auch noch krank – ich hab' gebetet und gebetet, daß alles gutgeht und ich keinem zur Last falle, und jetzt das.«

»Du fällst keinem zur Last«, sagte Angela. »Schau, wenn du im Bett liegst, kann ich mich hinsetzen, und das tut mir gut. Und du hast dir die richtige Zeit ausgesucht – keine Schule, und die Kinder kommen und gehen, wie es ihnen paßt.«

»Immer mußt du mich pflegen«, sagte die Mutter.

»Das ist doch selbstverständlich. Du bist meine Mutter. Wenn ich nicht mal meine Mutter pflegen könnte – wen denn dann?«

»Ich hab' meine Mutter nicht gepflegt. Ich hätte es getan, aber sie ist so plötzlich gestorben, so jung, genau wie deine Tante Sally. Sie ist nicht alt geworden, meine Mutter, mit ihr ist es nie so weit gekommen wie mit mir – das ist ihr erspart geblieben.«

»Ja, ich weiß«, sagte Angela, »aber ihr ist auch eine Menge entgangen – so mußt du das sehen.«

»Ja?« Mutters Unterlippe zitterte.

»O ja«, sagte Angela entschieden, »deine Mutter hatte nicht das Glück, ihre Enkelkinder zu sehen – jedenfalls nicht deine Kinder. Sie hat mich nie gesehen. Sie hat nicht erlebt, wie du eine gesunde, glückliche Kinderschar aufgezogen hast.«

Die Mutter schwieg. Sie schloß die Augen, und nach einer Weile sagte sie: »Hast du deinem Vater erzählt, daß ich krank bin?«

»Natürlich – das mußte ich doch – er ist böse mit mir, weil ich mich nicht besser um dich gekümmert habe – weil ich dich mit nach Woburn geschleppt habe.«

»Mir war schon nicht gut, bevor wir losfuhren.«

»Warum hast du nichts gesagt?«

»Ach, ich fühle mich doch nie richtig wohl – es mußte ja nichts Schlimmes sein, bloß das Übliche – und dann immer Spielverderberin sein – ich hab das satt.«

»Es war ohnehin ein verpatzter Ausflug – und Vater hat recht – ich hätte mich mehr um dich kümmern müssen.«

»Du kümmerst dich so lieb um mich – du bist immer so gut – so –« Angela sprang auf. Mutters Augen waren voller Tränen.

»Willst du heute abend mit Vater telefonieren?« fragte sie.

Doch als der Abend kam, nachdem es ihr tagsüber bedeutend besserging und sie wach geblieben und einigermaßen munter war, schlief Mutter wieder tief, und lautes Schnarchen drang aus ihrem offenen Mund. Vater nahm diese Nachricht mißmutig auf.

»Bist du sicher, daß sie bloß schläft?« sagte er vorwurfsvoll. »Du hast dich doch richtig um sie gekümmert, hm?«

»Vater, der Doktor war da, und sie war heute nachmittag auf und hat sich unterhalten und was gegessen.«

»Gut. Aber ich will sie zu Hause haben, sobald sie wieder auf dem Damm ist. Hab' ihr ja gesagt, daß ihr das Hin und Her nicht guttut, aber sie ist so stur, und dann hat unser Doktor ihr auch noch zugeredet. Sag ihr, Mrs. Collins hat nach ihr gefragt, und Mrs. Graham und alle vom Damenkränzchen – und von Tom ist ein Brief gekommen, was soll ich damit machen?«

»Schick ihn her«, sagte Angela. Jetzt war er wenigstens wieder bei seiner gewohnten Geschäftigkeit angelangt.

»Sag ihr, ich bin mit dem Wohnzimmer fertig – ist richtig schön geworden – und ich hab' den Spiegel geputzt und wieder hingehängt – das Staubtuch war hinterher vielleicht schmutzig, das hätte sie sehen sollen – ich hab' die Bilder wieder an Ort und Stelle gehängt, und alles ist tipptopp. Als nächstes kommt das Badezimmer dran – frag sie, ob ich diesselbe Farbe nehmen soll – sie ist der Boss.«

»Ich werd' sie fragen«, versprach Angela gähnend.

»Bei euch«, sagte der Vater, »hat sie wenigstens Gesellschaft.«

»Ja«, sagte Angela, »wir gehen alle ständig bei ihr ein und aus.«

»Und Sadie ist dir sicher eine Hilfe.«

»Ja.«

Sadie war gar nicht da. Die Herbstferien waren die Zeit, um durch Läden und über Märkte zu bummeln, in Trödelkram zu stöbern und mit lauter Plunder heimzukommen und um sich gegenseitig zu besuchen und Platten anzuhören. Morgens und abends begrüßte Sadie ihre Großmutter mit ›hallo‹, – das war alles. Die Jungen waren anhänglicher, sie kamen oft hereingestürmt, um etwas zu fragen oder zu zeigen, völlig ungehemmt von der Krankenzimmeratmosphäre. Alles, was Sadie an Hilfe geleistet hatte, war, dem Arzt die Tür zu öffnen.

14

Ich habe mich, sagte Sadie, als sie endlich wieder zu Hause war, »am Wochenende mit Sue und Joanna zu einer Wanderung verabredet. Wir übernachten in einer Jugendherberge. Okay?«

»Im Oktober?« sagte Angela.

»Wieso nicht – du hast gesagt, das Wetter wäre prima, als du uns nach Woburn geschleppt hast – herrlich gesunde, frische Luft, hast du gesagt.«

»Ja, tagsüber – und hinterher hattest du ein warmes Haus und ein Bett.«

»Ich pfeif' auf Häuser und Betten.«

»Aber was willst du denn den ganzen Tag *machen* – du kannst wandern nicht ausstehen – und wenn das Wetter plötzlich umschlägt?«

»Das ist unser Problem.«

»Wo wollt ihr denn hin? Du hast keine Erfahrung mit Wanderungen.«

»Man muß doch keine Erfahrung haben, um eine Wanderung zu machen. Wir wissen noch nicht, wohin.«

»Das hört sich alles sehr fragwürdig an.«

»Aber ich darf doch?«

»Ja, ich denke schon.«

»Ich meine, du hast nichts dagegen? Dann hast du wenigstens eine Person weniger auf dem Hals.«

»Wie rücksichtsvoll«, sagte Angela.

»Und du hast nichts dagegen?«

»Warum sollte ich?«

»Das sagst du immer, und dabei hört es sich so an, als ob du doch was dagegen hättest.«

»Nein, ich habe nichts dagegen. Ich bin bloß zu kaputt, um Begeisterung zu zeigen. Und vielleicht bin ich auch ein bißchen neidisch – ich wollte, ich wäre fünfzehn und unterwegs zu einem verrückten

Wochenende und nicht fast vierzig und mit einer kranken Mutter zu Hause angehängt. Deshalb höre ich mich wohl so trübsinnig an. Aber du weißt, ich gönn's dir, daß du dich amüsierst.«

»Danke«, sagte Sadie, und dann, im Weggehen: »Ich wollte, du könntest dich auch amüsieren.«

Angela hielt inne in ihrer tristen Arbeit, die Wäsche für die Waschmaschine zu sortieren. Auch sie hatte gewünscht, ihre Mutter möge sich amüsieren, aber das tat sie fast nie. Tom konnte sie zum Lachen bringen und sogar zu Albernheiten verleiten, so daß sie mit ihnen Faxen machte, aber das kam selten vor, und weitere Erinnerungen an eine ausgelassene Mutter waren verblaßt und zählten nicht. Mutter war keine Frohnatur, Überschwenglichkeit lag ihr nicht. Und jetzt dachte Sadie, sie, Angela, sei genauso – jemand, der offenbar unfähig ist, sich zu amüsieren. Angela stopfte schmutzige Socken und Hosen in die Maschine, erschüttert über den Eindruck, den ihre Tochter von ihr hatte – mit Recht. Seit Monaten war sie nicht mehr sorglos und unbekümmert gewesen, und ihr eigenes Lachen klang ihr fremd. Es war trostlos. Es war eine Anklage gegen ihre ganze Lebensweise, schlimmer, als Mutters Melancholie für sie gewesen war; denn während Mutter einfach traurig war, auch wenn keines ihrer Kinder den Grund kannte, so war sie selbst bissig und schlecht gelaunt und schlicht und einfach unausstehlich.

»Du darfst nicht auch noch deprimiert sein über deine Deprimiertheit«, sagte Ben, »das fehlte gerade noch. Was erwartest du denn – wie könntest du zur Zeit ein Ausbund an Fröhlichkeit sein? Du sorgst dich mit gutem Grund um deine Mutter, du sorgst dich mit weniger Grund, aber immerhin einiger Berechtigung um Sadie. Da ist es doch selbstverständlich, daß du nicht am laufenden Band Witze reißt.«

»Sadie denkt, daß ich mich nie amüsiere – nicht bloß, daß ich nicht lustig bin – sie denkt, ich habe überhaupt kein Vergnügen.«

»Das denken alle Heranwachsenden – mit fünfzehn begreift man nicht, daß Vergnügen nicht unbedingt mit Radau und Feten und Remmidemmi verbunden sein muß. Mit fünfzehn kann man sich nicht vorstellen, daß sogar Arbeit ein Vergnügen sein kann.«

»Ich sehe keinen Ausweg. Ich kann Mutter nicht vernachlässigen.«

»Das brauchst du auch nicht. Sie wird bald wieder auf dem Damm sein, und dann fährt sie nach Hause, und du hast mehr als deine Schuldigkeit getan – dann hast du's leichter.«

»Ich mach's mir doch ohnehin schon viel zu leicht – ich besuche meine Eltern so selten – verschanze mich hinter Briefen und Telefongesprächen.«

»Die meisten Leute«, sagte Ben, »rufen ihre Mutter nicht jeden Tag an, schreiben nicht jede Woche und verbringen nicht mindestens vier kostbare Urlaubswochen mit ihr.«

»Die meisten Leute haben nicht so eine Mutter wie ich.«

Schon als kleines Mädchen ließ Sadie öfter eine Freundin bei sich übernachten. Weil Angela in ihrer ganzen Kindheit und Jugendzeit nie eine Freundin über Nacht bei sich haben konnte, förderte sie diese Gewohnheit. Sie sah die Spannung und das Vergnügen, und obwohl es ziemlich oft zu einer Katastrophe ausartete – Sadie geriet um zwei Uhr nachts mit der Freundin in Streit –, wußte sie, daß es sich lohnte. Das Schönste war das Schwätzen vor dem Einschlafen. Sadie und ihre Freundin plauderten stundenlang, und wenn Angela Max und Saul zu Bett brachte, hörte sie amüsiert das Geplapper der Mädchen. Oft schwätzten sie bis zehn oder elf, wenn sie selbst schlafen ging, und dann mußte sie hinaufgehen und ein ernstes Wort mit ihnen reden. Eines Abends sprachen sie so laut, daß sie Angela nicht die Treppe hinaufkommen hörten. Angela hörte die Freundin sagen: »Sadie, haßt du deine Mutter?« Angela blieb stehen, sie wußte, daß sie nicht lauschen sollte, aber sie wollte unbedingt die Antwort hören und unterdrückte ihre Skrupel. »Manchmal«, sagte Sadie bedächtig. »Meinen Papi hab' ich am allerliebsten«, sagte die Freundin. »Hast du deinen Papi auch am liebsten?« – »Manchmal«, sagte Sadie. »Meine Mutter«, sagte die Freundin, »ist die schrecklichste Frau auf der ganzen Welt. Sie ist böse und gemein zu mir – sie hat mich überhaupt nicht lieb. Hat deine Mami dich lieb?« »Ich glaube schon«, sagte Sadie. »Ich wollte, meine Mutter wäre nicht meine Mutter«, sagte die Freundin. »Ich wollte, Susie Barkers Mutter wäre meine Mutter. Möchtest du nicht Susie Barkers Mutter als deine Mutter haben? Die ist hübsch und freundlich und so lieb – möchtest du die nicht als Mutter haben?« Es entstand eine lange Pause. Angela machte sich bereits auf Sadies »manchmal« gefaßt. »Nein«, sagte Sadie bestimmt. »Magst du deine *Mutter lieber als Susies?« fragte die Freundin erschüttert. »Ja«, sagte Sadie. »Ich mag meine Mutter lieber als ihre Mutter, weil sie eben meine ist.«*

Angela war so erleichtert und so froh, daß sie die Treppe hinunterschlich, ohne ein Wort zu sagen, und noch Wochen und Monate danach beglückte sie Sadies Eröffnung und trieb ihr jedesmal, wenn sie daran dachte, Tränen in die Augen.

Sadie war zeitig auf. Als Angela so früh am Morgen gedämpftes Poltern hörte, galt ihr erster Gedanke der Mutter, und sie war schon halb aufgestanden aus Angst, die Mutter sei aus dem Bett gefallen, als ihr einfiel, daß Sadie auf eine Wanderung ging. Sie legte sich wieder zurück und genoß das wohlige Gefühl, das sich nach einem unerwartet guten Schlaf in ihr ausbreitete. Sie war so deprimiert und elend zu Bett gegangen, von Angst um all ihre Lieben gepeinigt, den Kopf voll absurder Bilder, in denen sie sich als Blitzableiter sah für alles, was ihnen schaden könnte, und sie wußte nicht, wie lange sie sich so stark und aufrecht halten konnte. Sie hatte die Augen fest zusammengekniffen, um den Schlaf herbeizuzwingen, und war überzeugt, daß er ihr lauter Alpträume bescheren würde, in denen ihre wimmernden Kinder flehend die Arme nach ihr ausstreckten, während sie in einem tiefen, finsteren Grab versank, in dem die Mutter bereits lag. Aber nein. Sie hatte tief und traumlos geschlafen und war nun, im morgendlichen Zwielicht, imstande, über ihre Einschlafhysterie zu lächeln. Sie berührte den noch fest schlafenden Ben sacht mit einer Hand, dann stand sie auf, schlüpfte in ihren Morgenrock und verließ das Schlafzimmer ganz leise, um Ben nicht aufzuwecken.

Unten in der Diele mühte Sadie sich mit ihrem geliehenen Rucksack ab und versuchte vergeblich, ihn zuzuschnallen.

»Ich krieg' das verdammte Scheißding nicht zu«, sagte sie.

»Sprich nicht so ordinär«, sagte Angela automatisch, aber ohne das übliche Gefühl der Machtlosigkeit.

»Ich komme zu spät – verdammter Mist«, sagte Sadie und versetzte dem Rucksack einen Tritt. Sie sah noch ungekämmter aus als gewöhnlich, und durch die schwarze Masse, die sie sich rund um die Augen gekleistert hatte, wirkte ihr Blick abschreckend und böse.

»Hast du was gegessen?« fragte Angela, indem sie sich hinkniete und trotz Sadies abwehrender Geste den Rucksack auszupacken begann.

»Ich mag nichts essen.«

»Mach dir einen Toast und was Warmes zu trinken, und ich verspreche dir, bis du fertig bist, hab ich das hier erledigt.«

»O *Gott*«, sagte Sadie, doch sie gehorchte, und Angela hörte sie den Wasserkessel aufsetzen und vernahm das Klicken des Deckels, als sie den Brotkasten aufmachte.

Das Kind hatte keine Ahnung. Sie hatte kein Trewicksches Erbgut in sich. Ein grauenhaftes Durcheinander von bereits schmutzigen Kleidungsstücken, die in die Wäsche gehörten, kam zum Vorschein, dazu die schweren schmutzverkrusteten Sportschuhe, die sie eigentlich an den Füßen haben sollte, ein Sammelsurium von Landkarten und Kekspackungen, bereits zerdrückt und unappetitlich, ehe Sadie überhaupt aufgebrochen war, der wasserdichte Anorak, den sie ohne Max' Wissen genommen hatte und der griffbereit obenauf liegen sollte, und eine mit Metallplättchen verzierte Weste, von der Angela sich nicht erklären konnte, was die im Rucksack zu suchen hatte. Aber sie wollte Sadie keine Vorhaltungen machen. Rasch und geschickt packte sie die Sachen wieder in den Rucksack und hatte ihn fertig, als Sadie, eine Tasse Tee in der Hand und sich ein Stück Toast in den Mund stopfend, zurückkam.

»So«, sagte Angela, »jetzt ist es besser.«

»Danke.«

»Viel Spaß. Ruf an, wenn irgendwas ist. Hast du genug Geld?«

»Ja.«

»Und fahr nicht per Anhalter – auf gar keinen Fall. Verstanden?«

Sie stand eine Minute auf der Türschwelle und blickte Sadie nach, wie sie die Straße entlanglatschte und bereits mit den Rucksackriemen zu kämpfen hatte, ehe sie auch nur zwanzig Meter gegangen war. Es war ein dunstiger Herbstmorgen, noch kalt und feucht um sieben Uhr, doch bis zum Mittag würde die Sonne durchbrechen. Angela hätte alles darum gegeben, wenn sie jetzt unterwegs zu einer Wanderung im New Forest wäre; es blieb allerdings abzuwarten, wie weit Sadie tatsächlich wandern würde. Bevor Sadie auf dem Weg zu Sue um die Ecke bog, drehte sie sich um und winkte und zog ein komisches Gesicht, und dann war sie verschwunden. Angela hob eine umgekippte Milchflasche auf und stellte sie ordentlich zu den anderen auf die Türschwelle. Gott weiß, wo Sadie am Abend landen würde, denn Organisationstalent gehörte ebenfalls zu den Eigenschaften, an denen es ihr mangelte, aber Angela hatte es sich verkneifen können, sie einem Kreuzverhör zu unterziehen. Sadie stand auf eigenen Füßen.

Angela war fest entschlossen, wegen Sadies Abenteuer keine Höllenqualen zu leiden, so wie Mutter wegen Angelas Abenteuer gelitten und dadurch alles verdorben hatte. Wenn Sadie zurückkäme, mußte sie mit einem Lächeln begrüßt und ihre abgerissene Erscheinung durfte nicht kritisiert werden.

Leise, aufgrund ihrer neuen Entschlossenheit fast beschwingt, den ausgeruhten Körper für einen neuen anstrengenden Tag bereit, ging Angela bis ans Ende des Flurs, wo das kleine Zimmer der Mutter lag, und öffnete vorsichtig die Tür. Eine ganze Nacht nicht nach einer Kranken zu schauen war eine lange Zeit, und ein leichtes ahnungsvolles Stechen rührte sich in ihrem Magen. Doch die Mutter sah ganz wohl aus. Sie schlief noch. Behutsam, um sie nicht zu stören, befühlte Angela die Bettwäsche; sie war ziemlich trocken. Sie zog den Vorhang zur Seite und betrachtete die Mutter – sie war bleich, aber schließlich war sie krank gewesen, und ihr Gesichtsausdruck war steinern wie so oft, aber ihr Atem ging nicht mehr schwer. Nachher, wenn sie den Frieden des frühen Morgens noch ein wenig genossen hätte, wollte sie die Mutter wecken, falls sie dann noch schlief, und sie waschen, und vielleicht wäre sie heute kräftig genug, um ein Weilchen aufzustehen und eventuell mit Vater zu sprechen, der sonst ungeduldig und mißtrauisch würde.

Sie hatte Zeit genug, um richtigen Kaffee aufzubrühen, die Bohnen zu mahlen, die Kanne vorzuwärmen, die Milch heiß zu machen und – das Beste, der größte Luxus von allem – sich an den Küchentisch zu setzen und ihn ohne Hast und ungestört zu trinken. Sie war viel zu selten allein. Sie hatte nie allein gelebt. Im Lehrerbildungskolleg hatte sie von Anfang an mit jemand zusammengewohnt, und unmittelbar danach hatte sie Ben geheiratet, und ihr fehlte die Erfahrung, zwischendurch, wie die meisten ihrer Zeitgenossen, ein paar Jahre allein in einem Einzimmer-Appartement gelebt zu haben. Oft malte sie sich den Zustand des Alleinseins aus und fragte sich, was sich dadurch für sie geändert hätte. Sie stellte sich eine tadellos aufgeräumte Wohnung vor, Mahlzeiten, wann sie Lust hatte, und lange Spaziergänge zu ausgefallenen Zeiten. Ihr fiel ein, was Valerie einmal nach einem hektischen Wochenende bei ihnen gesagt hatte: »Wirklich, Angela, ich möchte um keinen Preis leben wie du – du hast ja nicht eine Minute für dich allein.«

Mutter dachte natürlich das Gegenteil. Mutter pflegte wiederholt zu sagen: »Und dann seid ihr alle erwachsen und geht fort, und ich bleibe ganz allein.« Das sagte sie sogar, wenn sie sonntags weggingen. »Ich war den ganzen Tag allein«, klagte sie. Einsamkeit versetzte Mutter in Panik. Mutter hatte sich nie in ihrem Leben Kaffee gekocht und sich hingesetzt und ihn allein getrunken und dabei vor sich hin geträumt. Sie hatte hastig eine Tasse Tee hinuntergestürzt zwischen ihren häuslichen Pflichten, die ihre ganze Hingabe erforderten, und wenn sich in ihrem beschwerlichen Tagewerk einmal ein Lücke auftat, so füllte sie die automatisch aus. Nicht nachdenken, das war Mutters Devise – nur schaffen und im Schaffen den eifersüchtigen Teufel in ihrem Inneren austreiben, der ihr einflüsterte, daß sie für ein solches Leben nicht bestimmt sei.

Sobald sie hörte, daß die Jungen sich oben rührten, war Angela auf den Beinen. Welch ein Unsinn, Mutter derartige Gedanken zu unterstellen. »Ich bin nicht so klug«, sagte die Mutter immer, wenn sie genötigt wurde, sich zu etwas zu äußern, zu dem sie nicht Stellung nehmen wollte, »ich bin nicht so klug wie du – es hat keinen Sinn, mich zu fragen, was ich denke.« Kein Gespräch, kein richtiges Gespräch, nur eine Kette von mit Seufzern und Protesten aneinandergereihten

Banalitäten, aber vielleicht sollte man dafür dankbar sein. Falls Mutter sich jemals entschließen sollte, ihr Herz auszuschütten, wäre es womöglich zuviel, um es zu ertragen. Angela stellte Cornflakesschüsseln, Milch und Marmelade auf den Tisch und fragte sich, ob diese Befangenheit zwischen Eltern und ihren erwachsenen Kindern am Ende nicht doch ihr Gutes habe. Das hemmende Element war möglicherweise nur ein Vorteil. Vielleicht hatte sie einen großen Fehler gemacht, als sie in all den Jahren Mutters Zurückhaltung bedauerte, und sie hätte sie lieber gutheißen sollen – vielleicht war Zurückhaltung auf beiden Seiten das einzige, was die Mutter-Tochter-Beziehung erträglich machte. Da sie nun merkte, daß mit Sadie das gleiche geschah, obwohl sie glaubte, ganz andere Voraussetzungen geschaffen zu haben, sollte sie es vielleicht einfach geschehen lassen und es nicht bekämpfen, es nicht als Maßstab für ihr eigenes Versagen begreifen. Vielleicht sollte sie erkennen, daß eine Mauer entstanden war, und, anstatt mit den Fäusten dagegenzuhämmern, sich einfach dankbar daran anlehnen. Warum eigentlich die Familien bewundern, wo Mutter und Tochter sich eine an der Schulter der anderen ausweinten und täglich Zeugen ihrer ganz persönlichen Nöte wurden?

»Du machst ja so ein fröhliches Gesicht«, sagte Ben, als er zum Frühstück hinunterkam, »und richtiger Kaffee – das ist ja heute ein Glückstag für mich.«

»Und Sadie ist weg«, sagte Max, »Gott sei Dank.«

»Bist du aber herzlos«, rügte Angela, »Sadie sagt so was nie, wenn du weggehst.«

»Ich geh ja nie weg«, sagte Max.

»Wie wahr, wie wahr«, sagte Ben, »du liebst uns zu sehr, um dich loszureißen.«

»Wollt ihr denn, daß ich weggehe?«

»Die seltene Stunde der Trennung ist nicht zu betrauern«, deklamierte Ben.

»Vielen Dank.«

»O je, kannst du keinen Spaß vertragen?« sagte Angela.

»Das war kein netter Spaß.«

»Ich muß weg«, sagte Ben. Er küßte Angela aufs Haar.

»Bleib so«, sagte er, »es gibt eine Belohnung, wenn du heute abend, wenn ich heimkomme, dasselbe Gesicht machst wie heute morgen.«

»Ich will's versuchen.«

Sie blieb noch eine Weile sitzen, plauderte mit den Jungen, hörte sich ihre Tagespläne an, versuchte träge zu analysieren, warum sie mit den Jungen so gänzlich unbefangen sein konnte und mit Sadie nicht. Die Buben machten ihr keine Schwierigkeiten. Im Umgang mit ihnen war sie zwanglos und sicher. Sie konnte ihnen ihre Zuneigung ungehemmt zeigen und fühlte sich wohl in ihrer Gesellschaft. Sadie, scharfsinnig und hochsensibel, sah das vermutlich, aber wie interpretierte sie es? Sah sie den Unterschied bei sich selbst, oder fand sie, daß Angela sie anders behandelte? Oder machte sie sich womöglich gar keine Gedanken darüber?

Angela war Toms Frau nie begegnet – keiner von ihnen hatte sie je gesehen. Tom hatte sie zwei Jahre, nachdem er ausgewandert war, in Brisbane kennengelernt. Sie hieß Jo-Ellen, ein ausgefallener Name, wie Mutter fand. Sie unterhielten keine rege Korrespondenz – eine Karte zu Weihnachten, gelegentlich ein kurzer, schlecht formulierter Brief und ein Foto von jedem neugeborenen Kind. Jo-Ellen bekam nacheinander im Abstand von exakt zwei Jahren vier Mädchen. Angela, die Sadie in demselben Monat zur Welt brachte wie Jo-Ellen ihre erste Tochter, zeigte Sadie die Fotos von ihren Cousinen und bemühte sich, ihr beizubringen, etwas für sie zu empfinden. Da Ben ein Einzelkind, Valerie unverheiratet und Harry, von dem sie nie etwas hörten, kinderlos geblieben war, waren Toms Töchter Sadies einzige Cousinen. Als das letzte von Toms Mädchen geboren wurde, war Sadie sechs Jahre alt.

Angela öffnete den Umschlag mit der australischen Briefmarke und sagte, ohne zu überlegen: »Ach wie schrecklich – die arme Jo-Ellen hat schon wieder ein Mädchen.« – »Warum ist das schrecklich?« fragte Sadie, während sie die Fotografie mit dem fremden Baby betrachtete. »Na ja, sie hat schon drei – vier Mädchen – eine reine Mädchenfamilie, ganz ohne Buben.« – »So?« sagte Sadie, die Augen rund und glänzend, die Stirn finster gerunzelt. »Es ist schön, wenn man beides hat«, sagte Angela mit aufkeimender Scham. »Ich möchte nicht nur Mädchen oder nur Buben haben.«

»Wäre das schlimm?« fragte Sadie mit diesem weltklugen Blick, für den sie in der Verwandtschaft schon bekannt war (»sie ist alt geboren«, behauptete die Mutter).

»Eigentlich ist es gar nicht schlimm«, sagte Angela matt, und dann: »Ich bin jedenfalls froh, daß ich beides habe.«

»Fast hätte es nicht geklappt«, meinte Sadie, »mit drei Jungen und einem Mädchen. Beinahe hättest du nur Buben gehabt.«

»Ja«, sagte Angela, »ist es nicht ein Glück, daß ich dich zuerst bekommen habe? Papi hat immer gesagt, laß uns zuerst ein Mädchen kriegen, um ganz sicherzugehen. Es wäre fürchterlich gewesen, eine Mutter ohne Tochter zu sein.«

Sadie lächelte, ein verhaltenes, zufriedenes Lächeln. Angela war erleichtert, wußte aber, daß Sadie, wäre sie nur ein wenig älter gewesen, sie durchschaut hätte.

»Mutter«, flüsterte Angela, und sie legte ihre kalte Hand auf Mutters noch kälteren Arm. »Hörst du mich, Mutter? Ich hab' dir Tee gebracht.« Sie setzte die Teetasse und Untertasse mit dem Rosenmuster, das die Mutter so gern mochte, auf dem Nachttisch ab und trat ans Fenster, um den Vorhang aufzuziehen. Die letzten Blätter waren vom Birnbaum gefallen. Sie blieb einen Augenblick stehen und blickte hinaus, und sie wünschte, die Blätter wären braun und golden statt verdörrt und schwarz. Birnbäume im Herbst hatten etwas Trauriges. Hier und da unter dem Baum sah sie eine von Wespen zerfressene Frucht auf der Erde verrotten, ein häßliches, glitschiges Etwas. Im Frühling war der Baum immer noch schön, mit weißen Blüten übersät, jede einzelne vollkommen, manche so groß wie Rosen, doch das Obst fiel immer schon herab, ehe es reif war, weil der Baum, so alt wie das Haus, von einer mysteriösen Krankheit befallen war, die Jahr für Jahr die Früchte ungenießbar machte. Ben meinte, sie sollten den Baum abholzen und einen neuen pflanzen, aber sie wollte nichts davon hören. Für sie war der Baum wunderschön.

»Mutter«, sagte sie lauter und verlieh ihrer Stimme einen energischen, autoritären Ton – ihren Lehrerinnenton – »Mutter, komm, wach auf. Trink den Tee, ehe er kalt wird. Es ist ein herrlicher Morgen – schau, ein bißchen nebelig, aber jeden Augenblick kommt die Sonne durch. Sadie ist schon weg – du hättest sie sehen sollen mit ihrem Rucksack – ich kann mir nicht vorstellen, daß sie mehr als hundert Meter an einem Stück wandert – von Café zu Café.«

Sie plauderte drauflos, räumte dabei das Tischchen mit Mutters Sachen auf, zupfte die verwelkten Blumen aus der Vase auf der Fensterbank, zog an der Bettdecke, strich sie glatt und wartete, daß die Mutter ein Lebenszeichen von sich gab. Sie rührte sich nicht. Angela stellte sich ans Fußende des Bettes und betrachtete sie. Ihre Augen waren noch geschlossen, die Lider stark geädert, die grauen Wimpern an den Spitzen struppig und verklebt. Unter jedem Nasenloch war ein einzelner geronnener Blutstropfen, der ihre Nase völlig verstopfte.

Einen leisen Laut der Verärgerung über ihre eigene Unachtsamkeit ausstoßend trat Angela mit einem Taschentuch ans Kopfende des Bettes und wischte die Blutstropfen weg. Durch den dünnen Stoff des Taschentuches fühlten sie sich hart und fest an. Sie rieb heftiger, den Widerwillen unterdrückend, der sie zu überwältigen drohte, und plötzlich schoß ein dunkler, dicker Blutstrom hervor, durchtränkte das Taschentuch, sickerte in Mutters halbgeöffneten Mund, rann in die rosa Spalte, wo gewöhnlich ihre Zähne saßen, und in die Mundwinkel und strömte dann wie ein giftiger, brackiger Fluß ihren Hals hinab auf die weiße Bettdecke, und ein großer länglicher Fleck breitete sich rasch auf Laken und Decke aus.

Das durchweichte, klebrige Taschentuch in der Hand, sah Angela wie hypnotisiert zu, wie Mutters Blut das Bett durchtränkte. Nervös, obwohl sie einsah, daß es sinnlos war, tupfte sie Mutters Nase wieder und wieder ab, schaute nach, ob das Bluten aufgehört hatte, zerrte an den befleckten Laken, um das erschreckende Rot aus Mutters Blickfeld zu bringen, weil Mutter besudeltes Bettzeug zuwider war. Irgendwo, weit weg, hörte sie die Jungen herumtoben. Sie konnte niemanden zu Hilfe rufen, selbst wenn ein Laut aus ihrem trockenen Mund gedrungen wäre. Ein Schaubild aus einem Erste-Hilfe-Buch kam ihr in den Sinn – jemand, der Nasenbluten hatte, sollte flach auf dem Rücken liegen, den Kopf ganz leicht angehoben, und man mußte ihm eine kalte Kompresse auf die Stirn legen. Angela zog die drei Kissen unter Mutters Kopf weg, eins nach dem anderen, und ließ die Mutter zurücksinken, sodann griff sie sich ein Handtuch und brachte es zustande, ihre zitternden Beine zu dem kleinen Badezimmer im Erdgeschoß zu dirigieren; sie tränkte das Handtuch mit kaltem Wasser, drückte es aus, kehrte zurück und legte es der Mutter auf die Stirn. Das Bluten hörte auf. Vorsichtig, voller Angst, daß sie sich geirrt haben könnte, wischte sie mit dem Handtuch das Blut weg, strich der Mutter mit dem dicken, steifen Leinen über das Gesicht, beobachtete die Wassertropfen, die ihr über die verklebte Haut rannen. Tatsächlich, es hatte aufgehört. Aus Mutters Nase kam nichts mehr. Erleichtert ging Angela abermals ins Bad, füllte eine Schüssel mit warmem Wasser, nahm Seife und ein frisches Handtuch und kehrte zur Mutter zurück. Behutsam begann sie die Mutter zu waschen.

Wieso hatte Mutter Nasenbluten gehabt? Es kam ihr seltsam vor, und seltsam auch, daß sie von dem ganzen Getriebe nicht aufgewacht war. Allmählich, die Hände noch in der Schüssel mit warmem Wasser, wo Seifenblasen an der Oberfläche zerplatzten, kamen ihr Bedenken. Sie drehte die Seife zwischen den Händen, bis das Wasser trübe war. Sie trocknete sich sorgfältig die Hände ab. In ihrem Kopf hämmerte es, als sie sich zwang, Mutters Augenlider anzuheben. Ein starres, stumpfes, milchiges Weiß blickte ihr entgegen. Die Lippen zwischen die Zähne gezogen, fuhr sie mit einer Hand seitlich an Mutters Körper entlang. Kein Schlag war zu spüren. Sie legte ein Ohr auf

Mutters Brust: Kein Laut war zu hören. »Der Milchmann!« brüllte Max im Hintergrund. Sie vernahm das Klappern der Milchflaschen. Steif und sehr aufrecht ging sie ans andere Ende des Flurs und nahm ihr Portemonnaie vom Bord. »Haben Sie sich geschnitten?« fragte der Milchmann, als sie ihm das Geld gab. Sie wollte nein sagen, aber sie brachte das Wort nicht heraus. Sie lächelte und schüttelte den Kopf. »Max«, sagte sie, »bring die Flaschen in die Küche.« – »Igitt«, sagte Max, »die sind ja ganz voll Blut.« Sie betrachtete die Milchflaschen – das Glas war mit blutigen Fingerabdrücken verschmiert, genauso rot wie obendrauf die Stanniolkapseln – und trug sie selbst in die Küche. »Max«, sagte sie, »ruf Papa im Büro an. Sag ihm, er muß schnell nach Hause kommen.«

Sie übergab sich ins Spülbecken, wo noch die Cornflakesschüsseln einweichten und Reste von Hafergrütze im Wasser schwammen. »Papa«, hörte sie Max sagen, »kannst du nach Hause kommen – Mami ist schlecht.«

Mutter war gestorben, gegen fünf Uhr morgens und friedlich, wie es hieß. Mutter hatte nichts gespürt; keine Schmerzen, keine Anfälle, ihr Herz war einfach stehengeblieben. Der Arzt gab sich sachlich. Auf Angelas tränenreiche Fragen antwortete er entweder mit einem Achselzucken oder einsilbig. Er kam sich offenbar großartig vor, weil er überhaupt gekommen war, zu einer Toten, die nicht einmal seine Patientin war. Angela nahm es ihm nicht übel. Er sagte, Mutters Herz sei gesund gewesen, als er es vor drei Tagen abgehorcht hatte. Mit so etwas mußte man eben rechnen. Er ging, nachdem er den Totenschein ausgestellt und ihnen Anweisungen gegeben hatte, was sie mit dem Leichnam tun sollten, als handele es sich um einen umgestürzten Baum.

Der Leichnam war ein Problem. Angela graute davor, noch einmal in die Nähe der Toten zu kommen oder diesen Leichnam auch nur anzusehen, von dem der Doktor sprach wie von einem seelenlosen Gegenstand. Sie konnte nicht in das Zimmer gehen. Die Dinge, die unbedingt getan werden mußten, konnte sie nicht tun. Es war Ben, der mit dem Arzt hineinging, Ben, der später den Vorhang zuzog und für den Bestattungsunternehmer, der bald eintreffen mußte, ein sauberes Nachthemd und frische Laken heraussuchte.

Sie warteten zwei Stunden auf die Leute vom Bestattungsinstitut, und als sie kamen, war Angela verlegen und beschämt. Sie waren ernst und freundlich, gaben ihr aber keinen Trost. Sie saß zusammengekauert am Fuß der Treppe, lauschte auf ihre gedämpften Stimmen, malte sich aus, was sie mit ihren geübten Händen machten. Sie konnte es nicht ertragen, Mutters Leichnam das Haus verlassen zu sehen, und versteckte sich oben, bis das Klicken der Haustür und das Geräusch eines sich entfernenden Wagens ihr sagten, daß sie fort waren. Dies erschien ihr als der letzte, schlimmste Verrat. Daheim in St. Erick lagen die Toten im Haus, bis sie zum Begräbnis hinausgetragen wurden. Die ganze Nachbarschaft kam, um ihnen die letzte Ehre zu erweisen; die Leute traten auf Zehenspitzen ins verdunkelte Schlafzimmer, warfen einen Blick auf den Leichnam, flüsterten ein paar Worte und überließen dann die Hinterbliebenen ihren Tränen. Es war abscheulich, Mutter in eine Leichenhalle zu schicken. Sie hätte es nicht zulassen dürfen. Vater würde bei dem Gedanken daran einen Anfall bekommen.

Über allem hing als düstere Wolke Vaters Ahnungslosigkeit. Mutter war seit sechs Stunden tot, und Vater wußte es nicht. An einem Samstagvormittag um elf Uhr würde er seine Wochenendeinkäufe tätigen; zielstrebig marschierte er mit einem Einkaufsnetz zum Metzger, um ein halbes Pfund Hackfleisch zu kaufen. Je länger Angela zögerte, um so schlimmer würde der Aufschub, um so unverzeihlicher und abscheulicher ihr Vergehen erscheinen. Während sie darauf wartete, daß Ben nach Hause kam, hatte sie versucht, den Vater anzurufen, doch ihre Hand hatte sich gesträubt, sich zum Telefon hinzubewegen, und war schlaff und leblos in ihrem Schoß geblieben. Sie hatte es noch einmal versucht, als sie auf den Arzt wartete – Ben hatte ihr das Telefon gebracht –, aber sie zitterte, und Ben hatte gemeint, sie würde sich besser fühlen, wenn der Leichnam aus dem Haus sei, und daß sie dann anrufen könne. Aber sie fühlte sich nicht besser. Sie hatte entsetzliche Angst. Stumm starrte sie Ben an; sie wünschte, er würde ihr diesen schrecklichen Anruf abnehmen, und wußte doch, daß er es nicht konnte.

»Komm«, sagte er sanft, »bring's hinter dich. Ich wähle für dich.«

»Ich kann nicht, ich kann nicht.«

»Du mußt. Ich wähl jetzt die Nummer.«

»Nein – ich weiß nicht, was ich sagen soll – wie soll ich es ihm beibringen – was soll ich sagen?«

»Die Worte kommen von selbst, wenn du zu sprechen anfängst.«

»Nein – er wird bestimmt wütend – er schimpft mich aus.«

»Nein, nein, sicher nicht, wieso soll er wütend werden? – Es war nicht deine Schuld.«

»Er wird sagen, ich hätte wissen müssen, wie krank sie war – er wird denken, ich hätte sie vernachlässigt, ich hätte nicht erkannt, wie ernst es war – und das stimmt ja auch, nicht?«

»Keiner hat es erkannt – der Doktor sagt, ihr Herz war vor drei Tagen vollkommen gesund – so etwas kommt eben manchmal vor.«

»Vater glaubt nicht daran, daß irgendwas einfach vorkommt. Er denkt bestimmt, ich habe ihn beschwindelt – er fühlt sich hintergangen, weil er nicht dabei war.«

»Er hätte auch nichts ändern können.«

»Das weiß ich, aber er hat all die Jahre auf sie aufgepaßt und sie bei allen Krankheiten gepflegt, und dann nicht dabeizusein, als es passierte – das wirft ihn um – ich kann den Gedanken einfach nicht ertragen –«

»Ja nun«, sagte Ben ein wenig unwirsch, während er im Zimmer auf und ab ging, »du mußt es durchstehen. Das kann dir keiner abnehmen.«

»Könntest du nicht –?« Doch ihre Stimme erstarb, und die Frage hing unvollendet in der Luft. Ben setzte sich zu ihr. Er wollte seinen Arm um sie legen, aber sie stieß ihn weg.

»Schau«, sagte er, »du weißt selbst, daß es unverzeihlich wäre, wenn dein Vater es nicht von dir erführe, daß deine Mutter gestorben ist. Nach dem ersten Schock würde ihm das bewußt werden, und dann würde er es dir vorhalten. Ich rufe ihn an, wenn du willst, aber ich halte es nicht für richtig.«

Er tröstete sie, so gut er konnte, brachte ihr eine Tasse starken Kaffee, so heiß, daß sie sich beim ersten Schluck die Lippe verbrannte. Der leichte Schmerz tat wohl – sie rieb die winzige Brandwunde genüßlich, als helfe ihr das, sich auf das zu konzentrieren, was sie zu tun hatte. Ben schloß die Tür, damit die Jungen nicht hereinstürmten, falls sie von den Bensons zurückkämen, wohin sie hastig gebracht worden waren, und trug das Telefon zu ihr hinüber. »In zwei Minuten«, sagte er aufmunternd, »hast du alles hinter dir. Ich spreche mit ihm, wenn du ihm das Wichtigste erzählt hast.« Er wählte die Nummer und reichte Angela den Hörer, und sie horchte benommen auf das Tuten. Vor ihrem geistigen Auge sah sie das vollgestopfte Wohnzimmer und den grünen, mit dem Rücken zum Licht gestellten Sessel, in dem die Mutter nun nie mehr sitzen würde, und bei diesem sentimentalen Gedanken strömten abermals Tränen aus der unerschöpflichen Quelle in ihrem Innern. Sie fühlten sich kalt an auf ihren heißen Wangen. Sie durfte solche Gedanken nicht in ihrem Kopf hegen – die konnte sie getrost Valerie überlassen. Als das Telefon läutete und läutete, keimte eine absurde Hoffnung in ihr auf – vielleicht würde der Vater nicht abnehmen. »Er muß weggegangen sein«, sagte sie zu Ben, und sie ließ den Hörer langsam sinken, doch Ben meinte: »Laß es weiterläuten. Vielleicht ist er im Garten.«

»Hallo«, brüllte der Vater.

Ihr Herz raste, aber sie brachte es fertig zu sagen: »Hallo, Vater.«

»Was gibt's?« wollte er sogleich wissen. »Ich war im Garten – ist jetzt alles in Ordnung für den Winter. Was ist los? Wie geht's ihr?«

Die Worte, die, wie Ben prophezeit hatte, von selbst kommen würden, wollten sich nicht einstellen. Sie horchte geistesabwesend auf den Atem des Vaters – er hielt den Hörer immer viel zu dicht an den Mund – und auf eine heulende Polizeisirene im Hintergrund. Sie hätte für immer so sitzen bleiben können, ohne etwas zu sagen, nur andere Geräusche in sich aufnehmend, als warte sie darauf, daß die in ihrem Namen einen Satz formulierten.

»Bist du noch da, Angela?« fragte der Vater ungeduldig. »Nun red schon – ich hab' nicht den ganzen Morgen Zeit – ich muß meine Pension abholen und die Gasrechnung bezahlen; sie ist zwar erst heute gekommen, aber deine Mutter mag es nicht, wenn Rechnungen liegenbleiben. Hatte sie eine gute Nacht?«

»Ja«, sagte Angela, »sie hatte eine gute Nacht.«

»Gut geschlafen, hm, das ist recht. Wie geht's ihr heute morgen? Besser?«

»Nein«, sagte Angela.

»Verdammt«, sagte der Vater, »das sieht ihr ähnlich – einmal oben, einmal unten. Immer dasselbe, wenn sie krank war – zwei Schritte vor, drei Schritte zurück. Was fehlt ihr denn heute morgen?«

»Sie hatte Nasenbluten« sagte Angela. Wenn sie doch nur weinen könnte, wenn die Tränen für sie sprechen könnten, aber nun, da sie Tränen brauchte, ließen sie sie im Stich.

»Nasenbluten?« echote der Vater, außer sich über diese Neuigkeit, »das ist aber komisch. Nasenbluten hatte sie noch nie. Wie ist das gekommen? Sie ist doch nicht etwa aufgestanden und gestürzt – ich hab' dir gesagt, paß auf sie auf – sie ist so unsicher auf den Beinen, wenn sie auch bloß einen Tag im Bett war – ist sie hingefallen und mit dem Gesicht aufgeschlagen?«

»Nein«, sagte Angela. Ben hatte seine ruhelose Wanderung durchs Zimmer wiederaufgenommen.

»Was dann?« sagte der Vater. »Wieso hatte sie Nasenbluten? Das will ich jetzt wissen. Hast du den Doktor geholt?«

»Ja.«

»Gut. Was hält er davon? Was hat er gesagt?«

»Er sagte –« Wieder erstarb ihre Stimme. Plötzlich kam kein Laut mehr aus ihrer Kehle, so als seien ihre Stimmbänder mit einem einzigen Schnitt durchtrennt worden.

»Komm schon, Mädchen – hat sie einen Anfall gehabt?« Sie schwieg weiter. »Na was, hm?«

»Vater, ich weiß nicht, wie ich es dir beibringen soll –« und nun schwieg der Vater, ausgerechnet jetzt, da sie sich sehnlichst wünschte, er möge toben und keifen. Er stand gewiß am Fenster, und seinem Blick würde es nicht entgehen, wenn auf der Straße auch nur eine Mülltonne nicht an Ort und Stelle wäre, er war auf Strümpfen, die schweren Gummistiefel hatte er auf dem Fußabstreifer stehenlassen. Höchstwahrscheinlich trug er sein altes braunes Tweedjackett und darunter seine graue Strickweste, die ihn rundum warmhielt. Er würde finster dreinblicken, weil ihm die Wendung des Gesprächs mißfiel.

»Vater«, sagte Angela; obwohl sie die Augen schloß, gelang es ihr nicht, sein Bild zu verbannen, »Mutter ist tot. Sie ist friedlich im Schlaf gestorben. Niemand hätte es verhindern können. Der Doktor sagt, vor drei Tagen war ihr Herz noch gesund. Es tut mir leid, daß – Vater?«

In all ihren Schreckensphantasien hatte sie sich nicht vorgestellt, daß er einhängen würde. Sie war so erschrocken, daß sie zitterte. Sie hatte mit Wut und Schmerz gerechnet, und nun wußte sie nicht, wie sie mit diesem plötzlichen Rückzug fertigwerden sollte.

»Er hat eingehängt«, sagte sie, und sie starrte betroffen auf den Hörer, als könne er jeden Augenblick wieder zum Leben erwachen. »Was soll ich tun?«

»Laß uns eine Weile warten, dann ruf ich nochmal an«, sagte Ben. »Du hast es sehr gut gemacht – es ist überstanden.«

»Überstanden? Gut gemacht? Er ist ganz allein zu Hause –«

»Das ist ihm sicher recht.«

»Er hat keinen Menschen, mit dem er reden kann –«

»Er wird mit niemandem reden wollen.«

»Vielleicht ist er zusammengebrochen – womöglich liegt er auf dem Boden.«

»Dein Vater? Bestimmt nicht. Dann hätte er ja nicht einhängen können. Er will einfach nicht sprechen. Ich ruf jetzt Valerie an. Sie soll sofort hinfahren, das ist wohl das beste.«

Angela ging zu der Glastür, die in den Garten führte, und an das kalte Glas gelehnt starrte sie auf den Tisch, an dem sie im Sommer aßen. Er war noch leicht mit Rauhreif überzogen. Sie hörte Bens tröstenden Ton und schloß aus dem, was er sprach, daß Valerie weinte. Weshalb sollte Valerie weinen – weshalb sollte sie weinen – nur der Vater, der die Mutter bis zu ihrer letzten Stunde aufrichtig geliebt hatte, hätte allen Grund zum Weinen, aber er würde es gewiß nicht tun. Er war vermutlich in den Garten gegangen, schritt über die schnurgeraden, mit Asche bestreuten Wege – marschierte auf und ab, die Arme verschränkt, stirnrunzelnd die letzten Kohlköpfe betrachtend. Mutter sagte immer, niemand könne in Vaters Gesicht lesen, wogegen sie das Herz auf der Zunge trug. Angela stützte sich mit den Händen gegen das Glas. Es gab kein Entrinnen aus den Schrecknissen der unmittelbaren Zukunft, und um Mutters willen mußte sie ein letztes Mal tapfer sein.

Angela hatte sich immer vor Katzen gefürchtet – Katzen aller Art. Sie konnte ihre Berührung nicht ertragen, und wenn eine auf ihren Schoß sprang, kreischte sie vor Entsetzen, auch wenn es sich in aller Öffentlichkeit abspielte. Das Haus, das sie kurz vor Sadies Geburt gekauft hatten, gehörte vorher einem alten Ehepaar, das Katzen liebte – nicht nur die drei eigenen, sondern jedermanns Katzen. Den ersten Monat in diesem Haus verbrachten sie damit, eine Katze nach der anderen zu verjagen – den ganzen Tag kamen sie über die Gartenmauern gesprungen, und wenn die Küchentür offenstand, huschten sie hinein,in der Erwartung, wie ehedem freudig begrüßt zu werden. Angela scheuchte sie fort und ließ keine Tür auf, wenn sie nicht selbst im Zimmer war. Allmählich blieben die Katzen weg. Doch eines Tages ging Angela nach dem Mittagessen in ihr Schlafzimmer hinauf, um sich hinzulegen, und als sie die Tür hinter sich schloß und sich umdrehte, um die Schuhe auszuziehen, sah sie einen großen schwarzen Kater mit funkelnden grünen Augen auf ihrem Bett. Er war ungeheuerlich. Er stand auf der Steppdecke, den Buckel gekrümmt, den Schwanz steif, die Krallen in den Stoff gebohrt, und Angela griff sich in maßlosem Schrecken an die Kehle. Aber sie schrie nicht. Sie schritt rückwärts zur Tür, langsam, damit die gräßliche Katze nicht plötzlich hinuntersprang, und tastete nach der Klinke, ohne das Tier aus den Augen zu lassen. Sie redete sich zu, bleib ruhig, bleib ruhig, denk an das Baby. Und deshalb fand sie den Mut, die Tür zu öffnen und der Katze den Rücken zuzuwenden und eine hinausweisende Geste zu machen. Wie der Blitz war die Katze draußen. Angela folgte ihr nach unten und sah sie in den Garten flitzen, und sie kehrte triumphierend ins Schlafzimmer zurück und ging zu Bett. Um des Babys willen hatte sie es fertiggebracht, ihre Angst zu überwinden. Ob es wohl etwas gab, fragte sie sich, wovor sie den Mut verlieren würde, da sie doch nun bald Mutter wurde und die Verantwortung für ein anderes Leben trug?

Als das letzte Arrangement getroffen, der letzte aufreibende Zeitplan nochmals durchgesprochen war, fiel ihnen Sadie ein. »Ich weiß nicht mal genau, wo sie ist«, sagte Angela, »sie wollten irgendwo in den New Forest.« Niemand würde zu Hause sein, wenn sie am nächsten Abend zurückkäme. Angela und Ben fuhren mit dem Sarg im Zug, und die Jungen waren bei entgegenkommenden Freunden untergebracht. »Vater wird Sadie bei der Beerdigung dabeihaben wollen«, sagte Angela.

»Das glaube ich nicht.«

»Aber sicher«, schrie Angela aufgebracht, »er wird darauf bestehen.«

Sie hatten noch nicht wieder mit Vater gesprochen. Ben rief etliche Male an, aber der Vater nahm nicht ab. Sie mußten warten, bis Valerie dort ankam, um zu erfahren, daß er wohlauf sei, aber mit niemandem sprechen wolle. Er könne es nicht erwarten, sagte Valerie, bis er Mutter daheim habe – das mache ihm am meisten zu schaffen, der Gedanke an ihren Leichnam unter Fremden. Sobald er erfuhr, daß der Sarg am nächsten Tag eintreffe, war er beruhigt. Die Vorbereitungen für die Beisetzung interessierten ihn nicht. Er meinte, sie sollten tun, was sie wollten – sie sollten es so machen, wie Mutter es gewünscht hätte.

Und was hätte sie gewünscht? Keiner hätte sich auf Unwissenheit herausreden dürfen. Seit mehr als zehn Jahren war Mutters Begräbnis ein drohendes Ereignis gewesen. Ihr Blick hatte sich jedesmal verklärt, wenn sie davon sprach, doch keiner konnte sich an genaue Instruktionen erinnern, außer daß sie keine Blumen wünschte. Sie hatten keine Ahnung von Kirchenliedern und waren kaum in der Lage, zwischen Beerdigung oder Einäscherung zu wählen. Angela beschloß, diese Entscheidung Valerie zu überlassen – damit sie etwas zu tun hatte, außer jeden Tag aufs neue zu jammern.

Die Söhne würden natürlich nicht kommen. Selbst Vater war das klar, obgleich er in einem Winkel seines Herzens hoffte, daß sie die teuren Tickets bezahlen würden, um zu Mutters Begräbnis zu fliegen. Sie hatten Telegramme erhalten und beantwortet, aber Tom und Harry waren hoffnungslose Fälle.

Vater würde auf seine Töchter bauen – und auf seine Enkelin, und als Angela an das dachte, was ihr bevorstand, schauderte sie. Sie fuhr sich mit kraftloser Hand über die Augen und fragte sich, ob sie überhaupt imstande sei, das durchzuhalten.

15

Valerie gab das Telefon anscheinend überhaupt nicht mehr aus der Hand. Infolge ihres zehnten Anrufs innerhalb von vierundzwanzig Stunden hätten sie beinahe den Zug nach Exeter versäumt.

»Ich kann es nicht glauben«, sagte sie zum soundsovielten Male, »ich kann es einfach nicht glauben, daß unsere Mutter von uns gegangen ist.«

»Ach, um Himmels willen«, sagte Angela, und sie gab sich nicht die geringste Mühe, ihre Gereiztheit zu unterdrücken, »mach dich nicht lächerlich – was soll diese gräßliche Umschreibung – von wegen ›von uns gegangen‹. Mutter ist tot. Sie war alt und krank, und wir haben mit ihrem Tod gerechnet – tu doch jetzt nicht so, als sei er völlig unerwartet gekommen.«

»Für mich schon«, sagte Valerie, »ich hatte keine Ahnung – du hast mir ja nicht einmal erzählt, daß sie krank war. Es kam so plötzlich – dieser Schock –«

»Du lieber Himmel«, sagte Angela, »die einzige, die ein Recht hat, von Schock zu sprechen, bin ich. Ich habe einen Schock gekriegt, als ich sie tot auffand. Das bedeutet das Wort Schock.«

»Es muß entsetzlich für dich gewesen sein, aber –«

»Jawohl, es war entsetzlich, und der Rest war auch nicht gerade ein Vergnügen.«

»Das weiß ich ja – ich meine, ich kann mir vorstellen, daß es furchtbar für dich gewesen sein muß, aber trotzdem –«

»Fein«, unterbrach Angela, »es freut mich, daß du's dir vorstellen kannst.«

»Aber sie war doch auch meine Mutter, und ich wäre in ihrer letzten Stunde gern bei ihr gewesen«, sagte Valerie und fing allen Ernstes wieder zu schluchzen an.

»Hör auf«, fauchte Angela. »Ich hab dieses ewige Geheule satt – niemand war in ihrer letzten Stunde bei ihr.«

»Ich weiß, ich weiß, ich meine bloß, ich war so weit weg –«

»Ein Glück für dich.«

»Sei doch nicht so gemein zu mir, bloß weil ich ganz durcheinander bin«, sagte Valerie. »Ich kann nichts dafür, daß ich weinen muß – ich bin wie Mutter«, und sie erging sich in einem neuerlichen hysterischen Weinkrampf.

»Weshalb hast du überhaupt angerufen«, sagte Angela schroff, »wir verpassen den Zug – kann das nicht die paar Stunden warten, bis wir uns sehen?«

Valerie bejahte, und Angela legte den Hörer auf, kochend vor Wut über Valeries Schwäche. Außerdem verübelte sie ihr die Behauptung, sie sei wie Mutter. Valerie war nicht wie Mutter, war es nie gewesen. Sie hatte nicht die leiseste Ähnlichkeit mit Mutter, sondern war völlig anders. Während ihrer ganzen Kindheit hatte sie behauptet, wie

Mutter zu sein, und ihr wurde nie widersprochen – Valerie war getätschelt und abgeküßt und in dem Glauben gelassen worden, daß es stimmte.

Als Angela wütend aus dem Haus stapfte, um zu Ben ins Taxi zu steigen, war sie erleichtert, daß jetzt wenigstens keinerlei Verstellung mehr nötig war. Sie brauchte keine Rücksicht auf Mutter zu nehmen – sie konnte zu Valerie sagen, was sie wollte, sie konnte brüllen, wenn sie Wut auf sie hatte, und sie auslachen, ohne befürchten zu müssen, daß Mutter in diesem leidenden Tonfall, der sie immer so gequält hatte, »aber Angela« sagen würde. Auf der Fahrt zum Bahnhof überkam sie eine wohlige Mattigkeit bei dem Gedanken, daß die Fesseln nun gelöst waren. Sie mußte nicht mehr fürchten, der Mutter die Wahrheit zu sagen, sie mußte sich nicht mehr mit Bildern von Mutters Elend quälen.

»Ich frage mich, ob ich nicht lieber hätte hierbleiben sollen«, sagte Ben, »bis Sadie nach Hause kommt. Der Brief, den du ihr dagelassen hast, ist ein bißchen brutal. Es wird ein Schock für sie sein, wenn sie ihn findet.«

»Jetzt fängst *du* auch noch an, von Schock zu reden – Sadie ist bestimmt nicht schockiert – es wird sie nicht im geringsten interessieren – es ist ihr höchstens lästig.«

»Sei nicht so ekelhaft. Ich glaube, sie hat ihre Großmutter sehr gerngehabt.«

»So? Und woraus schließt du das? Sie ist nie zu ihr gegangen – sie hat nie was für sie getan.«

»Man muß nicht unbedingt was für einen Menschen tun, den man gernhat.«

»Ich glaube aber nicht, daß Sadie sie gernhatte, und wenn es so aussah, dann war's bestimmt Scheinheiligkeit.«

In dem Brief stand: »Oma ist Samstag gestorben – bitte ruf uns sofort in St. Erick an. Die Jungen sind bei Bensons und Carriers, und wir möchten, daß du zur Beerdigung kommst.«

Angela hatte einen Koffer mit entsprechender Kleidung gepackt und ihn auf den Küchentisch gestellt und den Brief oben draufgelegt. Sie hatte an Sadies Klassenlehrerin geschrieben und ein Minicar für sie bestellt – sie brauchte nur noch zu bestätigen, um welche Zeit sie abgeholt werden wollte. Alles war organisiert. Falls Sadie, wie sie gesagt hatte, um sieben Uhr zurück war, konnte sie am gleichen Abend einen Zug nehmen. Wenn nicht, konnte sie bei ihrer Freundin Sue übernachten und am folgenden Nachmittag pünktlich zur Beerdigung eintreffen. Sadie brauchte überhaupt nicht zu denken, sondern lediglich klare Anweisungen zu befolgen.

Angela betrachtete sich in dem Spiegel, der hinten im Taxi angebracht war. Endlich trug sie das schwarze Kostüm zu dem Anlaß, für den es gedacht war. Mutter wäre stolz auf sie. Sie sah elegant und weiblich aus. Zu dem Kostüm trug sie eine graue Seidenbluse, den Kragen über das Jackenrevers geschlagen, und um den Hals ein schweres Goldmedaillon mit einem Bildnis der Mutter auf der einen und Sadie als Baby auf der anderen Seite. Sie trug schwarze Schuhe und eine sehr dünne, hellgraue Strumpfhose, und im Knopfloch steckte eine weiße Rose. Sie hatte sogar einen Hut auf – einen schlichten grauen Filzhut, der sich ihrer Kopfform so anpaßte, daß er ganz natürlich wirkte, und zum erstenmal seit einer Ewigkeit trug sie Handschuhe.

Der Sarg war schon da. Sie folgten ihm, als er den Bahnsteig entlanggetragen wurde, und standen dabei, als man ihn in den Zug lud. Die Prozedur, die sie gefürchtet hatte, erwies sich als gänzlich unverkrampft und schlicht ohne jegliche Peinlichkeit, weil die Männer diese Arbeit offensichtlich schon viele Male verrichtet hatten. Die Rouleaus in dem Abteil mit dem Sarg – ein Erste-Klasse-Abteil – waren herabgelassen, und Angela und Ben saßen nebenan. Sie ließen ihre Rouleaus offen, aber niemand stieg zu ihnen hinein. Als Angela, auf die Abfahrt des Zuges wartend, aus dem Fenster blickte, wünschte sie, sie hätte an einen Schleier gedacht, um sich vor neugierigen Blicken zu schützen. Ein Schleier wäre ein bißchen lächerlich, aber Mutter hätte er gefallen. Bei diesem Gedanken wurde ihr bewußt, daß sie in die Gewohnheit verfiel, die bei kürzlich durch den Tod beraubten Menschen so beliebt war – die Gewohnheit, unwillkürlich zu überlegen, was dem Verstorbenen gefallen oder nicht gefallen hätte, und sich nach seinen Wünschen richten zu wollen. Es war, als ließen die Toten eine deutliche Spur hinter sich, wie die Schleimspur einer Schnecke, und es bereitete ein wenn auch schauriges Vergnügen, ihr zu folgen.

Ben konnte es nicht ausstehen, wenn Leute in ihrer Trauer schwelgten. Er beobachtete Angela besorgt in der Erwartung, daß sie in rührselige Tränen ausbrechen würde, wenn sie diese höchst sentimentale, traurige Reise begannen. Um ihm eine Freude zu machen, um seinen Beifall zu finden und auch, um ihm zu beweisen, daß sie sich so benehmen wollte, wie er es gern hätte, schlug sie vor, im Speisewagen zu essen und die mitgebrachten Brote zu vergessen. Sie tranken eine Flasche vom besten Wein der Britischen Eisenbahngesellschaft, ehe sie umsteigen mußten – mit dem Sarg eine nervenaufreibende Prozedur –, und waren verhältnismäßig heiter bis St. Erick, wo der Vater und Valerie sie auf dem Bahnsteig erwarteten.

Sie waren von Kopf bis Fuß in tiefster Trauer. Angela entdeckte sie, bevor der Zug hielt – sie huschten vorbei wie schwarze Punkte, verschmolzen miteinander zu einem einzigen Fleck. Sie blickte Ben stumm an, und er seufzte. Zusammen traten sie in den Gang, bereit, die Tür zu öffnen, sobald der Zug hielt. »Ich wollte«, sagte Angela, sich an Bens Ärmel klammernd, »ich wollte, es wäre morgen um diese Zeit, und alles wäre vorbei.« – »Es wird blitzschnell vorüber sein«, sagte Ben. »Denk dran – es ist die letzte Runde.«

Sie bemühte sich, sie sich einzuprägen. Die letzte Runde.

Vaters aschfahles Gesicht, viel schlimmer, als sie es sich vorgestellt hatte, so grau, daß ihr das Lächeln auf den Lippen gefror. Die Einsamkeit des Sarges auf seinem Wagen und Vaters Hand, die kurz darauf ruhte, sein Zorn, als ein Träger einem Freund über den Sarg hinweg »hallo« zurief. Es fehlte nicht viel, und er hätte gesagt: »Stören Sie Mutter nicht.« Er wich Angelas Blick aus, so sehr darum besorgt, daß der Sarg auf den Leichenwagen gelangte, daß er sie kaum begrüßte. Die letzte Runde. Heim in dieses trostlose Haus, und das Aufstellen des Sarges auf Mutters Bett. »Er ist doch wohl nicht zugenagelt?« lauteten des Vaters erste Worte. »Hm? Die sind doch nicht etwa hingegangen und haben sie zugenagelt?« Schweigend zeigte ihm Ben, wo die Scharniere provisorisch befestigt waren. Sie hoben zusammen den Deckel ab. Valerie weinte, bevor sie etwas sah, und der Vater sagte: »Sie sieht friedlich aus, sehr friedlich.« Angela, die Mutter seit dem entsetzlichen Vormittag nicht mehr gesehen hatte, schaute ebenfalls hin. Mutter sah nicht friedlich aus. Sie hatte überhaupt keinen Ausdruck. Sie war ein Nichts.

Sie schlossen die Schlafzimmertür und versammelten sich im Wohnzimmer. Valerie, mit gräßlich geröteten Augen und Schluckauf vom vielen Weinen, ging in die Küche und stellte den Wasserkessel auf den Herd. Der Vater setzte sich, nach vorn gebeugt, die Hände auf den Knien. »So«, sagte er, »es gibt ja wohl einiges zu erklären.« Er hielt inne und starrte Angela an, der nichts einfiel, was sie hätte sagen können.

»Es gibt eine Menge Dinge, die ich wissen will«, sagte er.

»Was möchtest du wissen?« fragte Angela. Es war zwecklos, sich zu widersetzen. Er verlangte unerbittlich das letzte, was ihm zustand.

»Ich will alles wissen«, sagte der Vater, »von Anfang bis Ende. Ich habe ein Recht darauf.«

»Es gibt eigentlich nichts zu erzählen«, sagte Angela.

»Das würde dir so passen«, sagte der Vater.

»Mutter schien einfach nur müde zu sein«, sagte Ben rasch. »Angela hat sie großartig gepflegt – du darfst nicht denken, sie hätte sich nicht um sie gekümmert. Aber nach dem Tag in Woburn war sie müde und ging zu Bett, und als ihr am nächsten Tag nicht gut war, haben wir den Doktor geholt. Er sagte, ihr fehle nichts Ernstes.«

»Dämlicher Stümper«, sagte der Vater.

»Dann schien es ihr besserzugehen, und – ja – sie ist einfach im Schlaf gestorben, als wir dachten, sie wäre über den Berg. Es war ein schlimmer Schock für Angela, als sie Mutter fand.«

»Für mich war's schlimmer«, sagte der Vater. »Ich hab' sie gesund und munter zu euch geschickt, und – da seht ihr, was passiert ist. Ich hätte sie nicht aus den Augen lassen dürfen, niemals. Ich hab' geahnt, daß so was passieren würde.«

»Irgendwann mußte es passieren«, sagte Angela. Sie wollte ihn nur trösten, erkannte jedoch gleich, daß sie etwas Falsches gesagt hatte.

»Wie? Was? Hm? Wenn ich bei ihr gewesen wäre, dann wäre es noch lange nicht passiert, laß dir das gesagt sein.«

»Ich kann nichts dafür, daß Mutter gestorben ist, Vater.«

»Das kann ich nicht beurteilen. So oder so, was hat sie gesagt?«

»Sie ist im Schlaf gestorben.«

»Davor – was waren ihre letzten Worte? Nun sag schon.«

»Ich kann mich nicht erinnern.«

»Ihre letzten Worte – und du kannst dich nicht erinnern – das sieht dir ähnlich – keine Achtung.«

»Es *gab* keine letzten Worte – ich konnte ja nicht wissen, daß es ihre letzten sein würden, oder? Ich wußte nicht, daß sie sterben würde.«

»Ich auch nicht.«

Gottlob kam Valerie mit dem Tee herein, und alle tranken erleichtert.

»Es kommen so viele Leute zur Beerdigung«, sagte Valerie. »Der Pfarrer meint, die Kirche wird überfüllt sein.«

»Das gehört sich auch so«, sagte der Vater. »Sie hätte sich eine Menge Leute gewünscht. Wenn sie alle mitsingen, ist es recht.«

»Ins Haus kommt natürlich nur die Verwandtschaft«, sagte Valerie, und ihr fleckiges Gesicht belebte sich flüchtig. »Wir können nur die Verwandten bewirten, nicht auch noch Freunde und Nachbarn.«

»Eure Mutter bekommt einen anständigen Leichenschmaus«, sagte der Vater streng, »nichts Mickriges – kein gekaufter Kuchen oder so was.«

»Es wird nicht mickrig«, sagte Valerie, »ich habe ununterbrochen gebacken, seit ich hier bin.«

»Ich meinte ja bloß«, sagte der Vater.

Sie saßen eine Weile schweigend, an ihrem Tee nippend, der Vater den seinen geräuschvoll schlürfend. Das Licht war verblaßt, und draußen war es stockdunkel, doch niemand zog die Vorhänge zu. Alle beobachteten den Vater und scheuten sich, ein Gespräch anzufangen, weil es ihm vielleicht nicht recht war. Plötzlich stellte er seine Tasse hin. »So«, sagte er, »und was ist mit Sadie? Hm?«

»Wir können sie nicht erreichen«, sagte Ben, »sie ist auf einer Wanderung. Aber sie kommt heute abend zurück, und wir haben ihr einen Brief dagelassen. Sie muß jede Minute anrufen. Sie kommt morgen.«

»Gut«, sagte der Vater, »und die Jungen?«

»Die sind bei Freunden«, sagte Angela. »Wir dachten, sie sind zu jung für eine Beerdigung.«

»Sie sollten hiersein«, sagte der Vater grimmig, »und ein bißchen Respekt zeigen. Keiner zeigt heute mehr Respekt, das ist es. Mutter hat so an ihnen gehangen, und sie kommen nicht zu ihrer Beerdigung. Ein Skandal ist das.« Er schüttelte den Kopf. Niemand wagte ein Wort zu erwidern. Angela fühlte halb Abscheu, halb Scham. »Sie war zu gut für diese Welt«, sagte der Vater. »Sie hat gelitten, o ja, sie hat schwer gelitten.«

»Nicht allzu schwer«, sagte Angela schüchtern in der Absicht, ihn zu trösten.

»Was weißt denn du davon?« fragte der Vater, und plötzlich sprang er auf, knipste die grelle Deckenlampe an und zog die Vorhänge so heftig zu, daß die Gleiter quietschten. »Sie hat große Stücke auf dich gehalten, die Mutter, und was hast du getan – weggegangen bist du, jawohl. Hatte keine Augen für andere, nur für dich – was macht Angela, was denkt Angela – und was hast du dir aus ihr gemacht – nichts.«

»Das ist nicht wahr«, brachte Angela hervor, obwohl es schmerzlich war, zu sprechen.

»Aber du hast es nicht gezeigt. 'ne komische Art ist das. Das hat sie tief getroffen. ›Was hat das alles für einen Sinn‹, hat sie immer wieder gesagt – ›wozu haben wir überhaupt Kinder?‹ Hat keinen Zweck zu sagen, daß du dir was aus ihr gemacht hast.«

»Nein«, sagte Angela, »es hat wirklich keinen Zweck. Aber ich hoffe, sie hat es gewußt.« Valerie fing an zu weinen. »Möchte jemand was essen?«

»Ja«, sagte der Vater, »ich hab' den ganzen Tag nichts als Tee und Kekse gekriegt.«

Einmal waren sie am Leicester Square ins Kino gegangen, als Tim sechs Monate alt und noch ein zartes, schwieriges Baby war. Sie waren seit ungefähr einem Jahr nicht mehr im Theater oder im Kino gewesen, und die Kinder hatten vergessen, daß sie jemals ausgegangen waren. Ein Babysitter war schwer zu bekommen. Angela hatte die Verbindung zu den Schülerinnen der Oberstufe verloren, die sie früher angeheuert hatte, und als sie versuchte, mit ihnen Kontakt aufzunehmen, erfuhr sie, daß alle auf die Universität gegangen waren. Sie konnte sich nicht dazu überwinden, die Dreizehn- und Vierzehnjährigen zu nehmen, die an ihre Stelle gerückt waren – sie wirkten zu jung, um die Millionen von Krisen zu bewältigen, die in Angelas Einbildung lauerten. Schließlich fragte sie eine Nachbarin, die sich einmal angeboten hatte, Miss Jenkins, eine ehemalige Kinderschwester, die gelegentlich noch private Pflegedienste versah. Sadie schmollte, als sie hörte, daß Miss Jenkins kommen würde. »Sie kennt uns nicht«, sagte Sadie, »sie kann nicht mit dem Baby umgehen, wenn es aufwacht.« – »Sie ist Kinderschwester«, sagte Angela, aber Sadie ließ sich nicht beruhigen. »Du machst dir nichts draus«, sagte sie, »du willst bloß ausgehen.« – »Dann gehe ich eben nicht«, sagte Angela. Aber Ben bestand darauf. Und dann, mitten im Film, kam der Geschäftsführer des Kinos den Gang entlang und rief: »Mr. und Mrs. Bradbury bitte ins Foyer.« Angela ging mit wild klopfendem Herzen hinaus. »Ihr Babysitter hat angerufen«, sagte der Geschäftsführer, »sie meint, mit dem Baby stimmt anscheinend etwas nicht. Jedenfalls war ein Mordsgeschrei in der Leitung.« Sie fuhren voll unseliger Gedanken nach Hause. Tim fehlte eigentlich gar nichts. Angela nahm ihn nur hoch, und er hörte augenblicklich zu schreien auf. Ben begleitete die verlegene Miss Jenkins nach Hause. »Ich hab's dir ja gleich gesagt«, hielt Sadie ihr mit jämmerlicher Miene vor. »Es tut mir leid, Sadie«, sagte Angela. »Sie wollte nicht, daß ich ihn anfasse«, sagte Sadie, »ich hätte ihn beruhigt. Sie hat ihn so ungeschickt gehalten. Er wußte, daß sie sich nichts aus ihm gemacht hat – er hat es gespürt.« – »Es tut mir leid«, wiederholte Angela, »ich verspreche, daß es nie mehr vorkommt.« Aber sie versprach es nicht wegen dem, was der Vorfall Tim zugefügt hatte, sondern wegen dem, was er Sadie angetan hatte.

Am Morgen der Beerdigung blieb keiner im Bett – im Gegenteil, es war, als sei der Vorgang des Aufstehens eine Art Wettstreit. Alle bewegten sich ganz leise; Mutters Leichnam im Haus war jedem gegenwärtig. Sie drehten mit übertriebener Vorsicht die Wasserhähne auf und zu, ließen das Wasser nicht hervorschießen, sondern verminderten den Strahl zu einem langsamen, geziemenden Tröpfeln. Sie gingen die Treppe hinauf und hinunter, ohne zu sprechen oder zu husten, bemüht, nicht auf bestimmte, wohlbekannte knarrende Stufen zu treten. Sie stießen häufig zusammen – die normalen Geräusche waren so wirksam gedämpft, daß niemand den anderen herannahen hörte. Sie entschuldigten sich im Flüsterton und versicherten einander, daß es nichts mache, und anschließend benahmen sie sich für eine Weile normal. Jeder frühstückte für sich allein. Vater verzichtete ausnahmsweise auf Speck und Eier, was alle verwirrte, wußten sie doch, was ein solches Opfer bedeutete. Statt dessen aß er ein gekochtes Ei, und das schien für Valerie noch verwirrender zu sein. »Ein gekochtes Ei?« sagte sie. »Aber du hast noch nie gekochte Eier gegessen.« – »Aber heute«, sagte der Vater grimmig.

Gegen elf Uhr waren alle fertig, das Geschirr war gespült, die Betten waren gemacht, die Böden gewischt. Vater wollte nicht zulassen, daß Valerie den Staubsauger betätigte. Als sie auf die Krümel unter dem Tisch wies, ließ er sich auf alle viere nieder und kehrte sie mit Schaufel und Handfeger auf. Valerie flehte ihn an, das zu unterlassen. »Ich finde, das gehört sich nicht«, sagte sie, »ausgerechnet heute – auf allen vieren herumzukriechen –«, aber ihre Stimme erstarb. Vater wollte ihre Andeutungen nicht verstehen. »Geh mir aus dem Weg«, sagte er, »laß mich das aufkehren, und dann ist alles tipptopp.« Er verrichtete noch ein paar ähnliche häusliche Arbeiten und stand dennoch tadellos gekleidet bereit, als der erste Trauergast eintraf. In seinem schwarzen Anzug stand er am Kamin, ernst und streng, und seinen Augen entging nichts an Kleidung oder Auftreten der Ankommenden. Diejenigen, die einen hellen Anzug oder ein helles Kleid trugen – die dem modernen Brauch huldigten und Trauerkleidung für überflüssig hielten –, ernteten einen dermaßen abschätzigen, kritisch musternden Blick, daß sie sichtbar zurückzuckten und mit heftigen Gesten an ihrer Kleidung herumfummelten, als wollten sie das anstößige Blau, Rot oder Grün wegwischen. Diejenigen, die bei der Begrüßung lebhaft und forsch auftraten, sei es aus Nervosität oder dem echten Bedürfnis, den Vater aufzuheitern, wurden brüsk zurechtgewiesen. »Kalt heute, was?« sagte ein Onkel lächelnd, indem er sich schwungvoll die Hände rieb. »Für Mutter spielt es keine Rolle, ob es kalt ist oder nicht«, sagte der Vater, und die Hände kamen langsam zur Ruhe. Infolge dieser und ähnlicher Bemerkungen stockte allmählich jedes Gespräch. Alle standen unbeholfen in dem kleinen Zimmer und warteten, daß der Trauerzug sie aus diesem Elend erlösen möge.

Vater blickte häufig auf seine Armbanduhr. Eine Verspätung des Leichenwagens wäre eine Katastrophe, die Angela sich nicht auszumalen wagte. Aber der Vater sah aus einem anderen Grund auf die

Uhr. Er wartete auf Sadie. Angela hatte Angst vor ihrem Auftritt. Sadie hatte am Vorabend von ihrer Freundin aus angerufen, und obwohl sie folgsam zugesagt hatte zu kommen, war ihrem Tonfall nicht anzumerken gewesen, daß sie die Wichtigkeit, sich gesittet zu benehmen, eingesehen hatte. Auf alles, was Angela sagte, hatte sie geantwortet: »Ja, ja, okay, okay«, und was konnte das schon garantieren? Nichts zeugte davon, daß sie bekümmert war – Neugierde über die Einzelheiten von Mutters Tod, das ja, aber keine Teilnahme. Doch Sadie war die einzige Vertreterin ihrer Generation, und Vater brauchte sie als Symbol.

»Sie ist knapp dran«, sagte der Vater, und wieder schaute er auf die Uhr, indem er sie dicht an die Augen hielt, obwohl er nicht im mindesten kurzsichtig war. »Sehr knapp«, und er schürzte die schmalen aufgesprungenen Lippen und schüttelte den Kopf. »Das muß nicht sein«, sagte er.

»Sie kann doch nichts dafür, wenn der Zug Verspätung hat«, murmelte Angela, während sie gleichzeitig Mutters Cousine aus Truro zulächelte, die zwischen ihr und dem Vater stand, ohne jede Ahnung, worum sich das Gespräch drehte, und sich nicht zu fragen traute.

»Hätte einen früheren Zug nehmen können«, brummte der Vater.

»Es gibt keinen früheren Zug«, sagte Angela ruhig; sie wußte, daß sie dem Vater nicht widersprechen durfte, und wenn er noch so im Unrecht war. »Dies ist der erste Zug, mit dem sie den richtigen Anschluß hat.« Falls der Vater noch etwas sagte, mußte sie es hinnehmen, und sei es noch so provozierend. Doch er sagte nichts, schnalzte nur verärgert mit der Zunge, und Angela wandte sich pflichtschuldigst der Cousine aus Truro zu.

Nichts von alledem hatte etwas mit Mutter zu tun. Je länger sie dort stand und nichtssagende Bemerkungen machte, um so stärker wurde Angela von dem manischen, nahezu unwiderstehlichen Verlangen gepackt, in das kleine ebenerdige Schlafzimmer zu gehen und sich neben den Sarg zu setzen. Es wäre viel vernünftiger, still dort zu sitzen, als dieses sinnlose Ritual zu vollziehen.

Und doch, für Vater war es durchaus nicht sinnlos. Er strafte ihre Gedanken Lügen, indem er augenfällig demonstrierte, wie ein fanatisches Sichvertiefen in die Details der Begräbnisfeier die Trauer wirksam betäuben konnte. Da stand er, unerbittlich, und verrannte sich in seinen Zorn über Uhrzeiten, Kleidung und Ausdrucksweisen, unfähig, seinem Schmerz anders als in Vorwürfen Luft zu machen. Während Angela ihn beobachtete, wurde ihr klar, daß Sadies Anwesenheit immer wichtiger wurde. Er bauschte ihr Kommen zu einer bedeutenden Angelegenheit auf. Wenn sie nicht rechtzeitig eintraf, um mit der Familie im Wagen zur Kirche zu fahren, oder falls sie in schmutzigen Jeans, zerrissenem Hemd und mit schwarz lackierten Fingernägeln käme, würde sie Vaters Trauer so weit umleiten, bis sie sich in einer Lawine von Schimpfworten über sie ergoß.

Doch diese Spekulationen – und Angela wußte nicht, ob ein solcher Vorfall gut oder schlecht gewesen wäre – wurden durch Sadies Ankunft, eine Viertelstunde, bevor sich der Trauerzug in Bewegung setzen sollte, überholt. »Taxi«, rief der Vater, und alles drängte zum Fenster, als sei keiner von ihnen ebenfalls mit dem Taxi gekommen. Angela wich zurück, als sämtliche Verwandten die Hälse reckten, um zu sehen, weswegen der Vater auf einmal so aufgeregt war. »Es ist meine Enkelin«, verkündete er laut mit sichtbarer Befriedigung. »Ich mach' auf«, und er schob sich an Valerie vorbei, der er es die ganze Zeit überlassen hatte, die Tür zu öffnen.

Angela konnte nicht hören oder sehen, wie Sadie begrüßt wurde. Sie stand auf der anderen Seite des überfüllten Zimmers und bekam ihre Tochter als letzte zu sehen. »Wie sie ihrer Großmutter gleicht«, hörte sie jemanden sagen, und als Sadies Gesicht zwischen den vielen anderen auftauchte, fiel ihr die Ähnlichkeit auf; allerdings war es auch das erste Mal, daß sie Sadie mit streng aus der Stirn gekämmten, im Nacken straff zusammengebundenen Haaren sah. Zum erstenmal sah sie diese dichte, wirre Masse weich und glänzend, wozu gewiß stundenlanges Bürsten vonnöten gewesen war. Die Veränderung war verblüffend. Sadie trug ein schlichtes, dunkelgraues Kleid, das Angela ihr einmal gekauft und das sie sogleich ganz hinten in einem Schrank verstaut hatte. Bis sie Sadie in diesem Kleid sah, hatte Angela ihre Figur nicht gekannt. Genau wie Mutter – schlank, aber breithüftig und langbeinig, eine zierliche Silhouette, die normalerweise von ihrer männlichen Kleidung gänzlich verhüllt war. Angela beachtete weder die Schuhe, noch die Halskette, noch die Kameebrosche, die sie genau dort trug, wo Mutter sie an den Kragen des Kleides gesteckt hätte.

Ben ging zu Sadie hinüber und gab ihr einen Kuß, doch Angela blieb, wo sie stand, nickte ihr einen Gruß zu, den Sadie mit einem kaum merklichen Lächeln und einer leicht spöttischen Handbewegung erwiderte. Angela fragte sich, ob sie ihnen eine Parodie bieten würde – ob Sadie sich darin gefiel, sich scheinbar nach ihnen zu richten, um dann ihre eigene Vorstellung zu inszenieren. Doch selbst wenn, so war es für niemand anderen zu erkennen. In den letzten fünf Minuten stand Sadie neben dem Vater, ihre strahlende Erscheinung färbte auf ihn ab, so daß er an ihrer Seite weniger barsch und grau wirkte. Sie redete ernst und gesittet mit allen, die sie ansprachen, und erlöste dadurch jedermann von dieser beklemmenden Atmosphäre, die Vaters starre Wut geschaffen hatte. Als die Autos vorfuhren, waren sie beinahe heiter und stiegen in einer Stimmung ein, die der Vater vor Sadies Ankunft als unangemessen vergnügt verurteilt hätte.

Angela hatte erwartet, daß sie die Fahrt in völligem Schweigen zurücklegten, doch zu ihrer Verwunderung begann der Vater sogleich, sich bei Sadie nach ihrer Wanderung zu erkundigen. Sadie lieferte einen genauen Bericht, der ihn zufriedenstellte, und fügte Einzelheiten über das Wetter und die Hin- und Rückreise mit der Eisenbahn hinzu, die ihr normalerweise unmöglich zu entlocken gewesen wären. Erst als sie in die Auffahrt zur Kirche einbogen, sagte der Vater sehr streng: »Jetzt nicht mehr sprechen«, und sie saßen alle ganz aufrecht und still.

Beim Anblick von Mutters geliebter Kirche strömten Valerie die Tränen übers Gesicht, und Angela wurde von tiefer Schwermut ergriffen. Die Kirche war so persönlich – sie hatte in Mutters Leben so viel bedeutet. Mutter war betrübt über jeden Sonntag, an dem sie nicht zur Kirche gehen konnte, und solche Sonntage hatte es in den letzten Jahren allzu viele gegeben. Vater wetterte gegen »diese dämliche Bude«, weil sie ihr schade. Er behauptete, daß dies verdammte Sitzen und Stehen und Knien, dieses ewige Auf und Ab sie erschöpfe und sogar die Ursache ihrer Krankheit sei. Zuweilen ging er mit ihr, um ihre Bewegungen zu überwachen, und wenn er Mutter nötigte, sich bei allen Liedern, die mehr als zwei Strophen hatten, hinzusetzen, formte er für die um ihn Versammelten unhörbar die Worte: »Sie ist gebrechlich«, worauf sie verlegen lächelten und nickten und sich in ihre Gesangbücher vertieften.

Der Pfarrer erwartete sie auf der Treppe. Vater verabscheute ihn wie alle Geistlichen. Der bloße Anblick eines Bäffchens brachte ihn in Wut. Er hielt Geistliche für scheinheilige Trottel und für überheblich, und er verachtete sie – doch Angela bemerkte, wie geschwind er seine Verachtung unter beflissenen Gesten zu verbergen wußte. »Eine wahre Dienerin des Herrn«, murmelte der Pfarrer, »eine echte Christin.« Der Vater nickte nur und ging sogleich daran, seine kleine Gesellschaft zu einer Prozession aufzustellen, um dem Sarg zu folgen. Mutter hatte gesagt, sie wolle keine Blumen, aber Angela hatte sich nicht daran gehalten. Sie beobachtete gespannt das Gesicht des Vaters. Der dunkle Holzsarg war schmucklos in den Leichenwagen geschoben worden. Er kam mit einem Dutzend weißer Rosen auf dem Deckel heraus. »Recht so«, sagte der Vater ungeduldig, »also kommt – gehen wir.«

Die Kirche war gedrängt voll, die Bankreihen waren fast bis ganz hinten besetzt. Als sie Mutters Lieblingslied anstimmten – das heißt dasjenige, das Angela und Valerie als ihr Lieblingslied im Gedächtnis zu haben glaubten –, schwoll der Gesang an und erfüllte die Kirche mit einem prächtigen, vollen Klang – das war kein dünnes Piepsen, sondern ein mächtiger Chor, der Angela ehrfurchtsvoll erstaunen ließ. Vater würde zufrieden sein. Er würde später ausführlich darauf zurückkommen und sagen: »Das hätte sie gefreut«, ohne zuzugeben, daß es ihn ebenfalls gefreut hatte. Wie unbeholfen er dastand – Mutter war über diese Haltung jedesmal verärgert –, an die Lehne der Vorderbank geklammert, nicht um sich zu stützen, sondern weil er nicht wußte, was er mit seinen Händen anfangen sollte. Er war sichtlich ungehalten über Valerie mit ihren Weinkrämpfen, doch Angela bemerkte, daß er auch sie finster anschaute, und sie wußte, daß er über ihre Ruhe und Gefaßtheit nicht weniger ungehalten war. Nur Sadie gelang es, Würde und eine leichte Ergriffenheit miteinander zu verbinden; genauso wäre Mutter auch aufgetreten.

Der Pfarrer hielt eine lange, schmeichelhafte Ansprache. Er ließ sich ausführlich über Mutters Dienste für die Kirche aus. Er sprach von den Bibelstunden, die sie einst gehalten hatte, von ihrer Arbeit im Frauenbund und in der Sonntagsschule und ihrer langjährigen Mitgliedschaft in der Freundesliga, von ihrer Unterstützung der Missionare und von ihren regelmäßigen Spenden für das Gemeindeblatt, und er dankte für die Tausende von Blumen, die sie Sonntag für Sonntag zum Schmücken der Kirche aus ihrem Garten gestiftet hatte. (Bei diesen Worten zuckte der Vater leicht zusammen. Er hatte sich nur unwillig von jeder Blüte getrennt.) Der Pfarrer sagte, Mutters Güte und Hilfsbereitschaft würden unvergessen bleiben. Er sagte, sie hinterlasse einen aufopferungsvollen Gatten und eine sie zärtlich liebende Familie sowie viele, viele Freunde, die alle bewunderten, wie tapfer sie eine lange Reihe von Krankheiten ertragen hatte. Valerie mußte sich setzen. Der Vater blickte verstohlen auf seine Armbanduhr. Endlich war es vorbei, und sie begaben sich zum Friedhof. Angela fing einen Blick von Sadie auf und war überrascht zu sehen, wie erschüttert ihre Tochter war.

Einmal nahmen sie Mutter mit zum Einkaufen zu Biba, dem Warenhaus in South Kensington, das damals eine Art Verkaufstheater bot, wobei die ganz in Purpur, Schwarz und Silber gehaltene Dekoration völlig mit den meist unsinnigen angebotenen Waren harmonierte. Sadie, acht Jahre alt, war entzückt. Sie lief über die riesigen Flächen dikker Teppiche, rannte die Treppen auf und ab und bestaunte die herrli-

chen Schätze, die in farblich wundervoll abgestimmten Stapeln auf dem Boden aufgetürmt waren. Mutter, die das ausgesprochen albern fand und nicht um alles in der Welt zu erkennen vermochte, daß es die – ihr wohlbekannten – dreißiger Jahre heraufbeschwor, hatte Angst, daß sie Sadie verlieren könnten. Sie aßen im Restaurant zu Mittag; Mutter war vor lauter Mißbilligung ganz verkrampft. »Ist ja nur zum Spaß, Mutter, da ist doch nichts dabei.« – »Diese Verschwendung«, murmelte die Mutter, »man kann ja gar nichts Gescheites kaufen – das ist überhaupt kein richtiger Laden.« Sie fuhren im Aufzug nach unten ins Parterre. Als sie ausstiegen, blieb Sadie zurück – sie drehten sich gerade noch rechtzeitig um, um zu sehen, daß Sadie hinter ein paar Leuten, die nicht ausgestiegen waren, eingeklemmt war. Die Türen schlossen sich. Mutter geriet in Panik. Angela blieb gelassen. »Sie fährt mit nach oben, und dann kommt sie wieder runter«, sagte sie. Doch der Aufzug erschien ohne Sadie. Mutter wurde hysterisch. »Sadie ist ganz vernünftig«, sagte Angela, »sicher ist sie auf der falschen Etage ausgestiegen, und sobald sie es merkt, kommt sie runter. Über so was regt sie sich doch nicht auf.« Fünf Minuten vergingen, und schließlich kam Sadie heraus – zitternd, weinend vor Angst. »Um Himmels willen«, sagte Angela, als Sadie sich in ihre Arme warf und an sie klammerte, »ich hätte nie gedacht, daß du dich wegen so einer Kleinigkeit aufregen würdest.« – »Ach du«, war alles, was die Mutter sagte, aber sie befaßte sich eingehend mit Sadie und kam im Laufe des Tages immer wieder auf ihr Mißgeschick zu sprechen. Als Ben abends heimkam und sie ihm den Vorfall schilderten, sagte die Mutter: »Und Angela hat natürlich fest und steif behauptet, daß es Sadie auch noch Spaß macht – so ein Unsinn – sie hat ja keine Ahnung, was das Kind leidet.«

Das neue Krematorium, das den alten Friedhof überragte, war ein häßliches Gebäude. Angela war es unverständlich, wie jemand sich für die Einäscherung entscheiden konnte, wenn sie unter solchen Umständen stattfinden mußte. Als sie sich alle in die seelenlose Kapelle zwängten, die einer richtigen Kapelle nicht im entferntesten ähnelte, wünschte sie, daß sie statt dessen auf dem Weg zwischen den Zypressen auf dem angrenzenden Friedhof entlangschritten. Als Mutters Sarg lautlos durch den geöffneten Samtvorhang glitt, wünschte sie, daß er statt dessen in eine dunkle, tiefe Grube gesenkt würde. Statt der Dünste aus der Zentralheizung – Schwaden warmer, widerlicher Luft, die vom Fußboden aufstiegen – wünschte sie, den Wind im Gesicht zu spüren. Sie wünschte, die Worte »Staub zu Staub, Asche zu Asche« könnten einen Sinn ergeben, wie es in einer angemessenen Umgebung der Fall gewesen wäre. Vor allem aber wünschte sie, dies wäre nicht Sadies erstes Begräbnis, das sich ihrem Gedächtnis zwangsläufig auf immer und ewig als typische Beisetzung einprägen würde – zwei Abschnitte, Kirche und Krematorium, die nicht zu einem großen bewegenden Finale verschmolzen, sondern für immer getrennt blieben, echt und rührend der eine, falsch und geschmacklos der andere.

Als es vorbei war, standen sie vor der Tür und warteten auf die Autos, während die nächste Gruppe bereits ausstieg. »Verdammt«, sagte der Vater, »diese Rumhängerei«, und ehe ihn jemand zurückhalten konnte, hatte er sich mit gesenktem Kopf und rudernden Armen den Hauptweg hinunter in Marsch gesetzt. Alle sahen ihm nach, während sie brav auf die von Vater verschmähten Wagen warteten, wohl wissend, daß er sie später deswegen seine Verachtung spüren lassen würde. Ehe er an dem Tor angekommen war, das auf die Hauptstraße hinausführte, waren die Autos vorgefahren, und alle drängten sich hastig hinein. »Würden Sie bitte gleich hinter dem Tor anhalten«, sagte Angela, »damit wir meinen Vater mitnehmen können.« Doch sie wußte, er würde sich nicht mitnehmen lassen. Als ihr Wagen langsamer fuhr, winkte er ihn weiter, wobei er heftig mit den Armen fuchtelte, und wechselte trotzig auf die andere Straßenseite. »Warten Sie«, sagte Sadie, »halten Sie an.« – »Es hat keinen Zweck«, sagte Angela, »er steigt nicht ein.« Aber sie hatte Sadie mißverstanden. Sadie wollte Vater nicht zum Einsteigen überreden, sondern sie wollte aussteigen und mit ihm gehen. Sie sprang hinaus und lief hinter ihm her und ließ sie alle verblüfft zurück.

Sie waren in zwei Minuten zu Hause. Zum erstenmal seit drei Tagen hörte Valerie zu weinen auf. Sie begab sich schnurstracks in die Küche und winkte Angela, ihr zu folgen. In Windeseile stand eine unglaubliche Fülle zu essen auf dem Tisch, aber niemand wollte etwas anrühren, bevor der Vater und Sadie erschienen.

Beim Anblick von soviel Gebäck – haufenweise Kuchen, Törtchen und Pasteten – wurde Angela übel, doch alle anderen beäugten hungrig die gedeckte Tafel, einschließlich Ben, von dem sie sich gewünscht hätte, daß er über solchen Dingen stünde. Sie stellte sich ans Fenster und wartete auf ihren Vater und Sadie, die bald eintreffen mußten. Sie hätte nicht aussteigen können wie ihre Tochter, um mit dem Vater zu Fuß zu gehen. Sie hätte sich gefürchtet. Warum hatte Sadie das getan? Sadie, die nichts aus Mitleid tat, jedenfalls nicht für ihre Mutter. Als sie, den Hals reckend, um Vater und Sadie um die Ecke biegen zu sehen, darüber nachdachte, wurde sie wieder einmal eindringlich daran gemahnt, daß ihre Tochter nicht sie war und daß sie zu ihrer Tochter nicht so war, wie ihre Mutter zu ihr gewesen war. Während sie so dastand, schien es ihr, als sei die Tatsache, daß sie etwas anderes angenommen hatte, die Ursache ihrer ganzen Unsicherheit gewesen. Beziehungen wiederholten sich nun einmal nicht, sie aber hatte sich vorgemacht, daß sie sich doch wiederholten und daß es ihre Pflicht sei, das zu verhindern.

Während sie schlaff am Fensterrahmen lehnte – Vater würde schimpfen, weil sie die Gardine zerknitterte –, lauschte Angela auf die Gespräche um sie herum. Von Mutter war nicht viel die Rede. Seit ihrem Tod war eigentlich nie von ihr die Rede gewesen. Angela hatte sich endloses Schwelgen in Erinnerungen vorgestellt, hatte es sogar herbeigesehnt, aber es kam nicht dazu. Sie blickte zu Tante Frances hinüber, die Mutter von all ihren Schwestern am nächsten gestanden hatte, und wünschte, sie würde freimütig und liebevoll über Mutter sprechen, aber Frances erzählte nur jedermann von ihrem Ischias. Während Angela auf das Gefasel lauschte, stieg der Ekel wie Galle in ihrer Kehle hoch – dicker schleimiger Ekel, weil alle so gefühllos waren. Sie ertappte sich dabei, daß sie insgeheim Vaters ständige Redensart wiederholte: »Niemand hat sie richtig gewürdigt«, und dieser rührselige Gedanke trug sie fort, bis eine Vision von Mutters liebem Gesicht ihr die ersten Tränen an diesem Tag in die Augen trieb.

Sie wischte sie rasch fort, als Vater und Sadie durch das Gartentor traten. Der Vater blieb auf dem Weg stehen und wies Sadie auf ein Gewächs hin, und Sadie betrachtete es gehorsam. Dann nahm der Vater, als sei das Haus leer, seinen Schlüssel heraus und schloß die Tür auf. Geräuschvoll streifte er die Füße auf der Matte ab. Die Gespräche erstarben – die Sätze blieben unvollendet in der Luft hängen, als der Vater eintrat. Ein paar Leuten fiel plötzlich ein, daß sie ihren Zug erwischen mußten, dabei hatte vorher niemand einen Zug als Grund für einen vorzeitigen Aufbruch erwähnt. »Ißt niemand was?« sagte der Vater äußerst liebenswürdig, und erleichtert scharte sich die Menge um die Tafel. Für eine halbe Stunde war die Gesellschaft im Schmaus vereint, dann löste sie sich allmählich auf.

»Du gehst schon?« sagte der Vater zu jedem, der sich feige verabschiedete, und blickte ihm starr in die Augen. Keiner wagte Ausflüchte zu machen. Sie nickten, und er sagte betont: »Vielen Dank auch, daß du dir die Zeit genommen hast. Alles Gute.« In weniger als einer Stunde waren sie nur noch zu fünft. Sadie saß am Tisch und vertilgte ein Stück Kuchen nach dem anderen, während Valerie hin und her stapfte und die Teller abräumte. Sie machte einen ohrenbetäubenden Lärm, als sie Messer und Teelöffel einsammelte. Der Vater blickte mit verschränkten Armen in den Garten hinaus. Angela wünschte, er würde seine Gärtnermontur anziehen und hinausgehen, aber nach den Regeln, die er sich selbst auferlegt hatte, war das unmöglich. Er würde eine Woche lang nicht im Garten arbeiten, auch den Fernsehapparat würde er nicht einschalten; das Radio dagegen war gestattet.

»Ich habe mir eben überlegt«, sagte Angela, »daß du morgen doch mit zu uns kommen könntest – das würde dich ablenken.« Schon bevor der Vater »nein, nein, nein« sagte, wußte sie, daß sie eine Dummheit gemacht hatte. Die Trewicks wollten sich nicht ablenken lassen – sie hingen mit ihren Gedanken ausgesprochen gern jeder greifbaren Tragödie nach. Vater würde ausharren. Er würde willentlich jede Spur von Tröstung aus seinem täglichen Leben verbannen. Es gab keine Möglichkeit, ihm zu helfen.

Sie saßen um den Kamin herum und tranken Tee. Um neun Uhr sagte Angela: »Ich gehe früh zu Bett.«

»O ja, das sieht dir ähnlich«, sagte der Vater sarkastisch, »das ist mal wieder typisch.«

»Wieso? Ich bin müde. Es war ein langer und anstrengender Tag.«

»Für manche schon«, sagte der Vater.

»Für uns alle.«

»Für die einen mehr, für die anderen weniger.«

»Also gut – für die einen mehr, für die anderen weniger. Aber ich bin müde. Ich sehe nicht ein, was daran schlimm sein soll, wenn ich früh zu Bett gehe.«

»Immer dasselbe mit dir«, sagte der Vater bitter, »nie wolltest du bleiben, immer bist du weggegangen. Das hat Mutter sehr, sehr weh getan.«

Angela sagte nichts. Sie hielt es für besser, ganz still zu sitzen und im Kopf bis hundert zu zählen.

»Sehr weh getan, manchmal«, sagte der Vater wie geistesabwesend, aber dennoch streng und bestimmt. »Nun, das ist vorbei. Sie hat es überstanden. Niemand kann sie mehr enttäuschen, keiner von euch.«

»Ich trinke noch eine Tasse Tee«, sagte Ben und stand auf, »will noch jemand eine?« Alle schüttelten den Kopf.

»Ihre Sachen«, sagte der Vater. »Sie müssen aussortiert werden.«

»Ach, schick sie doch einfach in die Kirchensammlung.«

»Was?« sagte Valerie. »Mutters Sachen in die Sammlung geben? Schrecklich.«

»Es sind doch nur Kleider«, sagte Angela.

»Haufenweise«, sagte der Vater, »ganze Wagenladungen voll – ist mir egal, was ihr damit macht – schafft sie mir nur aus dem Haus.«

»Aber mir ist es nicht egal«, sagte Valerie, die vor Entrüstung rot angelaufen war. »Ich will nicht, daß Mutters Kleider in diesem gräßlichen Gemeindesaal auf einen Haufen kommen, in dem jeder herumwühlen kann.«

»Willst du sie haben?« fragte Angela.

»Nein – höchstens eine oder zwei Strickjacken – ich weiß nicht recht.«

»Geht jetzt gleich in ihr Zimmer und erledigt das«, sagte der Vater.

»Ich finde es nicht richtig«, sagte Valerie, »Mutter ist erst seit ein paar Stunden beerdigt – daß wir uns so bald mit ihren Sachen befassen.«

»Vom Aufschieben wird's auch nicht richtiger«, sagte der Vater, »nun geht schon.«

Sie setzten sich aufs Bett vor den geöffneten Kleiderschrank. Valerie nahm alle Kleider, eins nach dem anderen, heraus und probierte trotz ihrer Empfindsamkeit etliche an. Sie freute sich, als Angela ihr sagte, daß Mutters guter Tweedmantel ihr ausgezeichnet stand und daß bei einigen Kleidern nur der Saum herausgelassen werden mußte, um hochmodern zu sein. Sie legten alles auf zwei Stapel – einer für Valerie, einer für die Sammlung – und nahmen sich dann die Kommode vor. Sie enthielt Unmengen von Unterwäsche, die sie hastig unbesehen in eine Tasche stopften. Valerie nahm sämtliche Schals – Mutter trug immer ein kleines Tuch im Mantel oder Kleidausschnitt – und die vier spärlichen Schmuckstücke.

»Wir bringen morgen alles zur Gemeinde«, sagte Valerie, »dann braucht Vater sich nicht darum zu kümmern, und es quält ihn nicht so.«

»Ich glaube nicht, daß es ihn quälen würde«, sagte Angela, »in solchen Dingen ist er vernünftig.«

»Hart, meinst du«, sagte Valerie, »wie du. Mutter und ich waren so weichherzig. O je«, und sie warf sich aufs Bett und fing wieder zu weinen an. »Ich werde sie so vermissen. Ich kann den Gedanken nicht ertragen, daß sie tot ist.«

»Ich schon«, sagte Angela. »Ich kann ihn sehr gut ertragen.«

»Oh, du bist gemein – wenn Mutter dich hören könnte.«

»Kann sie aber nicht. Sie hat mich nie hören können. Als erwachsene Menschen haben wir uns nie etwas von Belang zu sagen gehabt.«

»Fertig?« sagte der Vater, indem er zur Tür hereinschaute.

»Ja«, sagte Angela.

16

Endlich, eine Stunde später als beabsichtigt, ging Angela zu Bett. Sie hoffte, daß der Vater beschwichtigt sei. Sie dachte, dies sei vielleicht das letzte Mal, daß sie in diesem schrecklichen Haus schlief, in dem sie geboren war. Vater würde es nichts ausmachen, wenn sie in den nächsten Ferien eine Hütte mieteten und ihn täglich besuchen kämen. Er wäre gewiß einverstanden. Er würde ihre Gesellschaft haben, und das Haus bliebe trotzdem sauber und aufgeräumt.

Die Jahre der Platzangst in dem engen, ungemütlichen Schlafzimmer glitten von ihr ab, als sie auf dem Rücken lag und an die Decke blickte. Die billigen geblümten Baumwollgardinen hatten nie richtig gepaßt und ließen selbst in einer dunklen Nacht zuviel Licht herein. Vater hatte sie an beiden Seiten mit Reißzwecken befestigt, dennoch spürte sie einen Luftzug am Hals. Es klopfte an der Tür.

»Herein«, sagte sie matt, in dem Glauben, es sei Valerie, die ihr wieder einen tränenreichen Vortrag halten wollte. Doch es war Sadie, die ihr Kakao brachte, ohne daß sie darum gebeten hatte. Sadie setzte sich unvermittelt aufs Bett. Angela nippte an dem heißen, süßen Getränk; es verursachte ihr einen leichten Ekel, aber sie war dankbar für den guten Willen. Sie sah sich von Sadie beobachtet, so wie sie Mutter zu beobachten pflegte, und beschloß zu reden. »Ich bin müde«, sagte sie, »und verzweifelt. Das Leben meiner Mutter hat mich deprimiert. Ihr Tod sollte eigentlich Erleichterung bringen, aber ich muß gestehen, daß ich mich nicht sonderlich erleichtert fühle.«

»Ich verstehe nicht, wieso Oma dich deprimiert hat«, sagte Sadie.

»Sie war nie richtig glücklich, und das war zum großen Teil meine Schuld. Ich war nie die Tochter, die sie sich wünschte – ich konnte ihr nicht geben, was sie wirklich wollte. Dieses Problem wirst du wenigstens nicht haben, Sadie – ich verlange nichts von dir. Schon vor deiner Geburt habe ich mir gelobt, daß ich nichts von dir verlangen werde.«

»Tust du aber«, sagte Sadie. »Du sagst mir das zwar immer, aber es ist gelogen.«

»Das ist nicht wahr. Ich bin vollkommen unabhängig und zufrieden und werde es immer sein. Ich erwarte nichts von dir.«

»Tust du doch.«

»Was denn? Wieso?«

»Ich weiß nicht. Ich bin dir eine Plage. Ich bin nicht so, wie du's dir wünschst.«

»Aber daß du mich plagst, das ist doch eine normale Entwicklung –

alle heranwachsenden Töchter sind nun mal eine Plage für ihre Mütter –«

»Ach, vergiß es«, sagte Sadie und stand auf. »Opa ist zu Bett gegangen, und Papa auch. Meinst du, ich kann mir einen Film im Fernsehen anschauen, wenn ich den Apparat leise stelle?«

»Ich denke schon«, sagte Angela, »aber wenn Opa hinunterkommt und protestiert, machst du sofort aus.«

Das kurze Gefühl der Vertrautheit war verflogen – durch Reden verscheucht, wie gewöhnlich. Angela schloß die Augen und versuchte zu schlafen. Wahre Intimität war schweigsam. Oft lag sie mit Ben im Bett, und sie hielten einander in den Armen, nachdem sie sich geliebt hatten, und diese Intimität war das Tröstlichste auf der Welt. Es war zehn Jahre her, seit sie Sadie, und dreißig Jahre, seit sie Mutter so nahe gewesen war. Nichts hatte diese körperliche Berührung ersetzt, durch die sich Liebe, Vertrauen und Zuversicht auf den anderen übertrugen. Sadie, auf der Schwelle zwischen kindlicher Anhänglichkeit und jugendlichem Elan, brauchte diese Nähe und fand sie nirgends.

Sadie hatte sich immer einen Hund gewünscht. Sie bettelte und bettelte – irgendeinen, egal, welche Rasse. Geduldig hatte Angela die Gründe aufgezählt, warum sie ihr keinen Hund erlauben konnte. Vorsichtig versuchte sie zu ergründen, warum Sadie sich einen Hund wünschte. Um etwas zu haben, für das sie sorgen konnte? Dazu war sie denkbar ungeeignet. Pflanzen gingen in ihrem Zimmer an Wassermangel ein, Fische verendeten in stinkenden Bassins, die sie zu säubern vergaß, eine Schildkröte wurde überfahren, weil Sadie das Gartentor offenließ. Zum Spazierengehen? Sadie haßte Spaziergänge. Zum Liebhaben? Sie hatte ihre Familie.

»Aber das ist was anderes«, sagte Sadie, »ein Hund würde mir ganz allein gehören, er würde nur zu mir wollen – ach bitte – ich will auch alles für ihn tun – bitte.«

Angela hatte beinahe nachgegeben, so dringend erschien ihr Sadies Verlangen. Sie hatte zu Ben gesagt, daß Sadie den Hund offenbar als Ventil für ihre Zuneigung brauchte. Doch Ben wandte ein, daß sie zu oft ins Ausland reisten, und das würde einem Hund nicht bekommen. Sadie hatte bitterlich geweint. Später, nach etlichen Jahren, als Saul sich einen Hund wünschte, hatte Sadie gelacht und gesagt: »Weißt du noch, wie ich einen Hund haben wollte? Gott sei Dank hast du's mir nicht erlaubt – Hunde sind ja so lästig.« Doch Angela bildete sich ein, Sadie sei durch die Unterdrückung ihres instinktiven Verlangens ein unsichtbarer Schaden zugefügt worden.

Sie nahmen am späten Vormittag einen Zug nach Exeter und fuhren am nächsten Morgen nach London weiter. Vater kam nicht mit zum Bahnhof – es schickte sich nicht, sich am Tag nach der Beerdigung in der Stadt sehen zu lassen. Er dankte ihnen für ihr Kommen, was Angela zusammenzucken ließ. Er sagte, er würde schon allein fertigwerden. »Aber es wird trist sein«, sagte er, »es gibt nicht viel zu tun jetzt, wo Mutter nicht mehr da ist.« Weder Augen noch Stimme zeigten eine Spur von Tränen. »Aber ich finde schon was zu tun, keine Bange.« Niemand bangte um ihn. Angela fand, es sei ein Glück, daß die Mutter ihnen kein Totenbett-Versprechen abgenommen hatte, sich um Vater zu kümmern. Sie würden es selbstverständlich tun, aber nicht unter Qualen. Mutter hätten sie nie in ein Heim geben können. Vater könnte ohne weiteres – obwohl Angela absolut sicher war, daß es niemals nötig sein würde – in einem gut geführten Stift leben, ohne daß es ihnen das Herz brach.

An der Sperre verabschiedeten sie sich von Valerie. »Schreibst du mir?« fragte sie Angela in letzter Minute.

»Wenn du willst. Aber nicht regelmäßig. Wenn's was Neues gibt, dann ja.«

»Bloß, damit wir in Verbindung bleiben«, sagte Valerie, »jetzt wo Mutter nicht mehr ist. Sie würde es wünschen, daß wir Verbindung halten. Sie würde nicht wollen, daß die Familie auseinanderbricht.«

»Gut, dann schreibe ich«, sagte Angela.

»Und ich komme dich manchmal besuchen.«

»Natürlich, wann immer du willst.«

Im Zug lehnte Angela den Kopf an den Sitz. Erleichterung war eine negative Empfindung, stellte sie fest. Sie fühlte gar nichts. Sie wünschte, Sadie säße ihr nicht gegenüber, damit sie mit Ben über die letzten Tage reden könnte – nicht, daß sie etwas zu sagen hätte, aber eine Besprechung, ein Austausch von Gedanken und Gefühlen in aller Muße, wie er ihnen im Lauf der Jahre immer perfekter gelungen war, half ihr jedesmal. Durch Sadies Gegenwart fühlte sie sich gehemmt.

»Du hast dich fabelhaft gehalten«, sagte Ben plötzlich, als der Zug aus dem Bahnhof rollte. Sadie sah erstaunt auf.

»Du hast immerhin auf der Beerdigung nicht geweint.«

»Nein«, sagte Angela.

»Mutter weint nicht«, sagte Sadie, indem sie rasch die Seiten der Illustrierten umblätterte, die sie sich gekauft hatte. »Warum sollte sie? Sie hat gewünscht, daß Oma stirbt.«

»Sei nicht kindisch«, sagte Ben, »du drehst ihr die Worte im Mund herum – bei dir hört es sich entsetzlich an, dabei weißt du genau, wie Angela das gemeint hat, falls sie so etwas überhaupt gesagt hat.«

»Oma hatte Angst vor ihr«, sagte Sadie, »und ich kann's ihr nicht verdenken.«

»Hör auf, Sadie«, sagte Ben aufbrausend, »das ist nicht komisch.«

»Du weißt nichts davon, Sadie«, sagte Angela mit klangloser, unbewegter Stimme, »versuch nicht, mir ein schlechtes Gewissen einzureden. Mutter hatte keine Angst vor mir, sie hatte Angst vorm Sterben, und sie hatte Angst, daß ich merkte, daß sie Angst hatte. Sie wollte, daß ich alles richtig mache, und das konnte ich nicht.«

»Letzte Woche hat sie mit mir gesprochen«, sagte Sadie, »sie hat gesagt, deine Mutter ist ein Alptraum, sie jagt mir eine Todesangst ein.«

»Das wird ja immer schöner«, sagte Ben entrüstet, »du siehst doch, daß –«

»Sie sieht gar nichts«, sagte Angela, »und ich will nicht darüber reden. Laßt uns einfach still sein. Es wird noch hektisch genug, wenn wir nach Hause kommen, und ich bin fix und fertig.«

»Ich verzieh mich mit Vergnügen«, sagte Sadie, und trotz ihrer Proteste ging sie ins nächste Abteil.

»Komisch«, sagte Ben. »Beim Begräbnis war sie so brav.«

»Sehr brav. Wirklich erstaunlich. Auf diese Art bin ich auch brav gewesen«, sagte Angela, während sie die vertraute Landschaft vorübergleiten sah. »Ich beschloß ohne besonderen Anlaß, mich so zu benehmen, wie Mutter es wünschte, bloß um zu zeigen, daß ich es konnte, und gleich anschließend bin ich wieder in mein typisches Betragen zurückgefallen, und alle haben vergessen, wie brav ich ihnen zuliebe war. Sie mögen mich nur, wenn ich tu, was sie wollen, habe ich damals gedacht.«

»Gib mir mal die Zeitung«, sagte Ben, »ich habe seit Tagen keine mehr gelesen.«

Sadies Stolz war nicht so stur, daß sie hätte widerstehen können, mit ihnen zu Mittag zu essen. Während der Mahlzeit sprachen und schwiegen sie abwechselnd, alle drei. Solange sie sich auf unpersönliche Themen beschränkten, kamen sie wirklich gut miteinander aus, stellte Angela fest. Ihre Müdigkeit verflog allmählich. Sie dachte an die Dinge, die zu erledigen waren. »Ich freu mich auf zu Hause«, sagte sie.

»Jetzt mußt du wenigstens nicht mehr dauernd nach St. Erick hetzen«, sagte Sadie, »höchstens, wenn Opa krank wird.«

»Er wird nicht krank«, behauptete Ben, »jedenfalls nicht so bald.«

»Es war schrecklich«, sagte Sadie, »wenn du immer so überstürzt abgedampft bist.« Angela blickte sie eindringlich an. Sie mißtraute Sadie, wenn sie diesen versöhnlichen Ton anschlug, und war auf der Hut.

»Für wen war es schrecklich?« fragte sie.

»Für uns natürlich«, sagte Sadie. »Es war schrecklich ohne dich – wenn wir uns selbst versorgen mußten – Papas Essen war saumäßig – Tim hat die Hälfte der Zeit geheult, und Max und Saul hatten sich in der Wolle.«

»Ihr habt es fabelhaft gemacht«, sagte Angela, »stell dich jetzt bloß nicht so an, um mir zu schmeicheln.«

»Ich stell mich doch nicht an. Es war furchtbar, und als du im Krankenhaus warst, war es noch schlimmer.«

»Dann will ich lieber nichts davon hören«, sagte Angela. Sie sah Mutters Gesicht vor sich, wenn sie ihr genau dasselbe gesagt hatten, und sie verglich ihren Unmut mit Mutters Freude.

»Du solltest dich freuen«, sagte Sadie, »denk doch mal, wie sehr wir alle auf dich angewiesen sind. Dabei sagst du dauernd, keiner hilft dir, niemand ist dir dankbar.«

»Das sage ich nie.«

»Aber du deutest es an.«

»Das ist nicht wahr. Ich will nicht, daß jemand auf mich angewiesen ist. Ich will nicht, daß jemand mich vermißt. Ich habe euch nicht so erzogen, daß ihr an mir hängt. Ihr sollt alle unabhängig sein – ich will keine Schürzenbänder, von denen ihr euch lösen müßt –«

»Mein Gott«, sagte Sadie, »das hab ich doch bloß so dahergesagt. Du nimmst immer alles so verdammt ernst.«

Jeden Abend las Angela eine Gutenachtgeschichte vor. Sie liebte dieses Ritual. Zuerst das Bad, dann ein Glas Milch in Schlafanzug und Bademantel und dann die Geschichte. Sadie und Max lagen in ihren Betten, und Saul war in seinem Gitterbettchen bereits eingeschlafen. Angela gestaltete die Szenerie mit Sorgfalt, sie liebte es, eine Idylle zu schaffen, an die Sadie ihr Leben lang zurückdenken würde. Ben fand das alles unnatürlich und ein bißchen fade. Das Ritual werde von Abend zu Abend länger, behauptete er. Aber es durfte nie wegfallen. Das konnte zu einer regelrechten Plage werden. Zuweilen mußte er eine Stunde auf Angela warten, bis sie endlich hinunterkam, um ihn zu Hause zu begrüßen. Wenn sie ausgingen, verzögerte das Ritual ihren Aufbruch, weil kein Babysitter Angelas Rolle zufriedenstellend übernehmen konnte. Angela bedauerte das manchmal insgeheim – dann wünschte sie, sie brauchte nur zu sagen »marsch ins Bett«, und Sadie und Max würden gehen – doch es war der Mühe wert, für Sadies Erinnerungen. Sie wußte, daß sie etwas Kostbares schuf. Als Tim geboren war, hielt sie das Ritual mühsam in Gang. Eines Abends konnte sie nicht mehr. »Ihr müßt allein ins Bett gehen«, sagte sie zu den drei anderen, »ich bin zur Zeit zu müde, um euch Gutenachtgeschichten vorzulesen.« – »O fein«, sagte Sadie, »ich konnte das sowieso nicht ausstehen.«

Bis zu dem Tag, als Tante Frances sie besuchen kam, war Angela erstaunt, wie rasch das Dasein wieder in gewohnte Bahnen glitt. Sie nahm ihren Teilzeitunterricht wieder auf und verspürte eine tiefe Befriedigung über den Ablauf eines jeden Tages, da sie sich nun auf seinen Rhythmus verlassen konnte. Wenn sie losfuhr, hinterließ sie alles einwandfrei organisiert; sie hatte eine akkurat aufgestellte Einkaufsliste bei sich, der sie sich auf dem Rückweg voll Aufmerksamkeit widmete. Sie hatte ihre Gedanken beisammen. Worauf sie seit Mutters Tod gewartet hatte, war endlich eingetreten: Die schwere Last war von ihr gewichen. Sie war frei in ihrem Handeln – frei von Schuldbewußtsein und Angst und von dieser entsetzlichen, lähmenden Verantwortung. Sie fühlte sich wohler und sah um Jahre jünger aus. Valerie sagte am Telefon: »Ist es nicht schrecklich, daß nichts mehr Spaß macht, seit Mutter nicht mehr ist?«, und sie stöhnte, als Angela erwiderte: »Im Gegenteil – mir macht jetzt vieles Spaß, wovor ich früher Angst hatte.«

Vielleicht war es diese Heiterkeit, Angelas neue, sichtbare Vitalität, die Tante Frances ihr verübelte und sie veranlaßte, ihr einen Dämpfer zu verpassen. Etwa zwei Monate nach Mutters Tod rief sie an und sagte, sie sei in der kommenden Woche in London und würde Angela gern besuchen. »Wir wollen doch den Kontakt nicht verlieren«, sagte sie auf dieselbe salbungsvolle Art wie Valerie, »deiner Mutter wäre es sicher lieb, wenn wir uns öfter sehen würden, jetzt wo sie nicht mehr ist.« Angela lächelte, weil sie keinerlei Kontakt gehalten hatten, seit sie erwachsen war, und sagte, sie würde sich freuen. Sie lud Tante Frances zum Mittagessen ein – diese Geste fiel ihr nicht schwer, seit sie von neuem Schwung beseelt war. Sie machte sich einige Umstände, um ein delikates Mahl zu bereiten, und veranstaltete am Vortag einen gründlichen Hausputz, um ihre Tante zu beeindrucken.

»Mary hat immer von eurem großen Haus geschwärmt«, sagte Frances und kramte in ihrer Handtasche nach einem Papiertaschentuch. Sie war kaum fünf Minuten im Haus, als sie schon ihre unendliche Trauer zum Ausdruck brachte, und als sie sich nun zum Essen setzten, zerdrückte sie abermals ein paar Tränen. »Ach je, ich muß immer noch weinen, wenn ich ihren Namen ausspreche.« Angela, die sich am Herd zu schaffen machte, sagte nichts. Sie hoffte, daß Frances ihren Gesichtsausdruck als mitfühlendes Lächeln deutete. »Du siehst gut aus«, sagte Frances. »Ich muß schon sagen, ich verstehe nicht, warum deine Mutter immer so besorgt war, daß du zuviel tust.«

»Ich fühle mich sehr wohl«, sagte Angela.

»Man hätte meinen sollen, der Tod deiner Mutter würde dir nahegehen«, sagte Frances. »Du hast es gut. Mir haben solche Dinge immer furchtbar zugesetzt. Ich fühle mich entsetzlich seit Marys Tod – überall habe ich Schmerzen – und dann bin ich so deprimiert, ich komme scheinbar nie darüber weg.«

»Ein Jammer«, sagte Angela. Sie mußte mit diesem Lächeln aufhören, das Tante Frances gewiß für unziemlich hielt.

»Bist du nicht deprimiert?« fragte Frances.

»Nein.«

»Obwohl deine eigene Mutter von uns gegangen ist?«

»Nein. Mutter war jahrelang krank. Sie hat nicht viel Freude am Leben gehabt – nein, ich bin nicht deprimiert.«

»Ach, ich wollte, ich könnte es auch so leichtnehmen«, sagte Frances. »Deine Mutter war meine Lieblingsschwester. Arme Mary, sie hat es ja so schwer gehabt.«

Angela, obwohl durch Erfahrung gewarnt, konnte sich nicht enthalten zu sagen: »Ach, ich weiß nicht. Ich glaube nicht, daß Mutter es so schwer hatte, wenn man ihr Leben mit dem anderer Menschen vergleicht.«

»Aber du weißt doch kaum was davon«, sagte Frances lebhaft, und an der Art, wie sie plötzlich den Kopf reckte, ihre Papiertaschentücher auf die Seite schob und sich über den Tisch lehnte, merkte Angela, daß dies der eigentliche Grund ihres Kommens war. »Es gibt so vieles, was du nicht weißt – Mary hat es großartig verstanden, alles von euch Kindern fernzuhalten – du hast ja keine Ahnung. ›Ich will nicht, daß sie sich Sorgen machen‹, hat sie immer gesagt, ›sie sind nur einmal jung, bald haben sie in ihrem eigenen Leben genug Schwierigkeiten, da will ich sie nicht noch mit meinen belasten.‹ Deshalb hat sie euch nie was erzählt – hat sich bloß abgerackert, und euch hat sie geschont, aus lauter Liebe zu euch. Es war lächerlich.«

»Mir kommt das ganz vernünftig vor«, sagte Angela, während sie Frances einen blau-weiß gemusterten Teller reichte, auf dem eine säuberlich ausgelöste Forelle lag.

»Oh – aber was für ein Leben hatte die Ärmste, und ihr wußtet nichts davon und seid ruhig eure eigenen Wege gegangen.«

Angela sah Frances' Lippen zittern von der Anstrengung, die Worte sorgfältig zu wählen. Ihre dicke rosa Zunge, auf der weiße Fischstückchen hafteten, schnellte vor und zurück und leckte die Lippen, als Frances sich bemühte, ihrer Aufregung Herr zu werden. Sie zog ihr Doppelkinn ein und vergrub es im Kragen ihres Pullovers, wobei sie leicht mit dem Kopf wackelte und sogar vor unterdrückter Erregung die Augen schloß. Angela wußte, was Frances wollte. Mutter hatte sie gewiß beschworen, den Mund zu halten, doch nun war Mutter tot, und Frances brannte darauf, ausgefragt zu werden, ermuntert zu werden, die hundertundeins kleinen Histörchen, die sie zu erzählen hatte, vom Stapel zu lassen. Angela könnte Tante Frances einfach ignorieren. Wenn sie nicht bedrängt wurde, erlaubte es ihr Gewissen nicht, ihre Geheimnisse preiszugeben. Angela könnte sie einfach ihre Forelle und ihren Salat und zwei Portionen von dem Schokoladenauflauf, für den sie eine besondere Vorliebe hegte, aufessen und sie gehen lassen, ohne daß sie ihre boshafte Anklage losgeworden wäre. Angela mußte eine Entscheidung fällen und beglückwünschte sich zu ihrem Entschluß.

»Nimm doch noch etwas Salat«, sagte sie mit strahlender Miene.

»Ein köstliches Essen«, sagte Frances leicht schniefend, »du hättest dir nicht so viele Umstände machen sollen – das war doch nicht nötig – ich dachte bloß, wir sollten wieder zusammenfinden, obwohl ich gar nicht weiß, was ich dir getan habe, daß du mich in all den Jahren nie besucht hast, aber lassen wir das.« Sie tupfte sich mit ihrer Serviette den Mund ab und hüstelte. »Ein schönes Haus habt ihr«, sagte sie, »sehr hübsch. Deine Mutter war froh, daß du so ein schönes Haus hast. Sie hat es nie so gut gehabt, die Ärmste. Sie hat ja nie viel gehabt, nachdem sie deinen Vater geheiratet hat. Immer knapp bei Kasse, immer sparen müssen, das war sie nicht gewöhnt. Das war ihr Unglück. Sie hätte jeden haben können, und dann hat sie den genommen.«

»Das ist eine Lüge«, sagte Angela ruhig und, wie sie hoffte, ohne beleidigend zu wirken.

»Aber ich *bitte* dich«, sagte Frances.

»Mutter hätte nicht jeden haben können. Sie hat Vater geheiratet, weil kein anderer sie gefragt hat, und sie war schon dreißig. Sie wünschte sich ein Heim und Kinder und dachte, sie würde sie sonst nicht bekommen. Das hat sie mir selbst erzählt.«

Frances war puterrot geworden. Ihr Doppelkinn wackelte, als sie tief Luft holte. »Tatsache bleibt«, sagte sie, »daß die Ehe eine Katastrophe war.«

»Wie kommst du darauf?«

»Mary hat deinen Vater gehaßt. Du hast keine Ahnung davon. Du hast nie gewußt, daß sie ihn einmal verlassen hat – er hat sie fast zum

Selbstmord getrieben – das hast du nicht gewußt. So, nun weißt du's.«

Es war heraus, jedenfalls zum Teil. Leider hatte Angela Frances provoziert, als sie beabsichtigte, sie versöhnlich zu stimmen.

»Interessant«, sagte Angela, entschlossen, ruhig zu bleiben, »nimm noch ein bißchen von dem Auflauf.«

»Nein danke. Es war fürchterlich. Du warst erst zwei, und Valerie war unterwegs – das hat es ins Rollen gebracht – sie war entsetzt, als sie feststellte, daß sie wieder schwanger war, sie hat es gehaßt – ›ach Frances‹, hat sie zu mir gesagt, ›ich halte das nicht aus‹. Aber er ließ sie natürlich nicht in Ruhe. Deshalb hat sie ihn verlassen. Sie sagte, es tue ihr leid und es sei ihre Schuld – was natürlich nicht stimmte – und sie würde nur zurückkommen, wenn er ihr verspricht, daß er sie nicht anrührt. Das wollte er natürlich nicht versprechen. Du warst sechs Monate bei uns, als das alles passierte, und dann –«

»Ich will nichts mehr hören«, sagte Angela, »und ich finde es abscheulich von dir, daß du mir das alles erzählt hast.«

»Es ist nicht recht, daß du nicht weißt, was deine Mutter durchgemacht hat – die Opfer, die sie für euch gebracht hat. Sie war eine Heilige, die arme Mary, das steht fest – was sie euretwegen gelitten hat.«

Langsam stieg eine ungeheure Wut in Angela auf, während sie dieser rachsüchtigen Frau gegenübersaß, deren dümmliches Gesicht mit Schokolade beschmiert war und deren Augen vor nahezu evangelischem Fanatismus glühten, als sie ihre Haßpredigt ausspuckte. Sie war nicht mehr zu bremsen.

»Euretwegen ist sie zurückgegangen«, sagte Frances, »sie hat ihre Freiheit und ihren Seelenfrieden für euch geopfert. Wir alle haben sie angefleht, nicht zurückzugehen – jede von uns hätte sie bei sich aufgenommen –, aber sie sagte, sie muß zurückgehen, wegen der Kinder. Für euch hat sie auf jede Chance, glücklich zu werden, verzichtet, sie hat mehr geopfert als jede andere Frau, die ich kannte. Ihr wart ihr Stolz und ihre Freude, für euch hat sie alles getan, alles andere zählte nicht.«

»Sie ist tot«, sagte Angela laut.

»Ja, und es macht dir anscheinend nichts aus.«

»Tante Frances, du kannst nicht wissen, ob es mir etwas ausmacht oder nicht. Du weißt überhaupt nichts von mir – du hast mich nie gekannt. Du hast gewiß noch eine Menge Sachen parat, um mich zu schockieren, aber ich will nichts mehr davon hören – erzähl das alles lieber Valerie.«

»Oh, ich möchte Valerie nicht aufregen – sie ist deiner Mutter so ähnlich, sie hat ein viel zu weiches Herz. Nein, *du* mußt es wissen –

der Meinung bin ich schon lange – es hat mich krank gemacht, wie du deine Mutter behandelt hast, nach allem, was sie für dich getan hat, und deshalb mußte ich den Mund aufmachen. Warte nur, bis es dir genauso geht, dann wirst du begreifen, wie deiner Mutter zumute war – wart's nur ab, bis deine Sadie sich von dir loslöst und dich behandelt, als käme sie vom Wohlfahrtsamt.«

»Sadie braucht sich nicht loszulösen. Sie war nie an mich gebunden, seit sie auf der Welt ist. Ich erwarte nichts von ihr.«

»Ach, das sagst du jetzt – warte nur, bis du alt und krank bist – dann möchtest du, daß sie sich um dich kümmert – dann erwartest du, daß sie dich entschädigt, und bist enttäuscht, wenn nichts kommt – keine Liebe, keine Dankbarkeit, nichts.«

Frances errötete von Minute zu Minute tiefer. Sie waren beide aufgestanden und schrien sich über den Küchentisch hinweg an, auf dem unbeachtet die Reste ihrer Mahlzeit standen. Es war für beide peinlich, und weil es so absurd war, mußte Angela lachen.

»Tante Frances«, sagte sie, »das ist doch albern. Ich verstehe nicht, warum du dich so aufregst. Ich weiß gar nicht, wie du darauf kommst, daß ich Mutter nicht geliebt habe.« Es war schmerzlich, mit Frances über Liebe zu sprechen, und das Wort kam ihr nur schwer über die Lippen.

»Das habe ich nicht gesagt.«

»Du hast es durchblicken lassen – und zwar mehr als deutlich.«

»Ich habe nur gesagt, daß du sie am Ende im Stich gelassen hast. Es ist nicht so gekommen, wie sie es sich vorgestellt hat, als du noch ein anhängliches kleines Mädchen warst.«

»Natürlich nicht. Wie denn auch? Ich finde es nicht fair, mir Vorwürfe zu machen, weil es nicht so gekommen ist.«

»Wir haben uns immer gut verstanden, deine Mutter und ich.«

»O ja.«

»Wirklich. Wir haben uns sehr nahegestanden. Ich habe zu ihr aufgeschaut, ich hätte alles für sie getan.«

Angela räumte die Teller ab und machte Kaffee. Dies war die Stunde der Versöhnung. Doch nachdem Frances am späten Nachmittag gegangen war, besänftigt und sogar kleinlaut, fiel es Angela schwer, das Bild von Mutters Gesicht aus ihren Gedanken zu verbannen. Sie hatte damit gerechnet, daß dies geschehen würde, als die Mutter in ihrem Sarg lag, als ihr Leichnam sich noch im Haus befand, aber da war sie von quälenden Heimsuchungen verschont geblieben. Erst lange danach hatte ihr Frances dieses Schreckgespenst beschert. Während sie ihren üblichen häuslichen Pflichten nachging, leistete sie Abbitte vor dieser allgegenwärtigen ausdruckslosen Maske. Nichts von Mutters lebendigem Mienenspiel zeigte sich darin – weder Kummer noch Resignation, keine Spur von Freude oder Trauer, nur der unveränderliche leere Blick; die großen, weit offenen Augen starrten sie ohne zu blinzeln an und durch sie hindurch. Angela flehte bis zur Erschöpfung um eine Reaktion, aber sie bekam keine Antwort – sie ertappte sich dabei, daß sie die Lippen bewegte und die Mutter vernehmlich flüsternd beschwor.

»Was ist los mit dir?« fragte Sadie, als sie von der Schule kam, und wie üblich ließ sie ihr kaum Zeit zu antworten. »Im April machen wir eine Klassenfahrt nach Griechenland. Darf ich mit?« Sie strich auf der Suche nach etwas Eßbarem durch die Küche und drehte sich erst zu Angela um, als von ihr keine Antwort kam. »Ich könnte von dem Geld fahren, das ich beim Babysitten verdient habe«, sagte sie.

»Ich kann im Moment nicht darüber nachdenken«, sagte Angela.

»Wann denn? Wir müssen uns bis morgen entscheiden – wer zuerst kommt, mahlt zuerst.«

»Ich überleg's mir heute abend.«

»Ja? Aber bestimmt. Ich wäre dann die ganzen Osterferien weg – du wärst mich drei Wochen los – das heißt zwei.«

»Das soll wohl ein Anreiz sein, wie?«

»Na klar – du bist doch froh, wenn wir weg sind –«

»Nur, weil ich möchte, daß ihr euch amüsiert.«

»Ich weiß – aber du hast auch ein bißchen Ruhe, wenn du uns los bist.«

»Ich will euch nicht los sein –«

»Ach, du weißt schon, wie ich das meine – sei doch nicht so empfindlich – natürlich willst du uns vom Hals haben, wer wollte das nicht.«

»Ich möchte, daß ihr euch frei fühlt, aber –«

»Das tun wir auch.«

»– aber ihr sollt nicht denken, daß ich euch nicht gernhabe.«

»Das denke ich nicht, auch wenn's stimmt.«

»Was soll das heißen?«

»Ach, vergiß es – war bloß 'n Witz – jedenfalls würde ich gern mit nach Griechenland fahren, wenn ich darf.«

Es wäre sinnlos zu versuchen, sie abzuhalten – von Tante Frances' Besuch aufgewühlt, fehlte ihr die Kraft, sich mit Sadie auf eine Diskussion einzulassen. Der Tumult, von dem sie geglaubt hatte, er habe sich für immer gelegt, brodelte in ihrem Innern wieder auf, als sie über das Bild nachsann, das ihre Tante gezeichnet hatte. Sie dachte, sie hätte am Tag nach dem Begräbnis ihr Gewissen von allem befreit, das mit der Mutter zusammenhing, doch nun schien die Tortur schlimmer denn je – das Fundament ihrer neugewonnenen Heiterkeit war schwächer, als sie vermutet hatte. Sie wußte nicht, wie sie die Gedanken an die Mutter vertreiben konnte, die sie anklagte, die ihretwegen litt, kummervoll und gütig und unerträglich traurig.

Nachdem Angela Tim ins Bett gebracht hatte, zögerte sie auf der Schwelle zu Sadies Zimmer. Sie lugte zur Tür hinein und erblickte Sadie, die, ein paar aufgeschlagene Bücher vor sich ausgebreitet, eifrig schrieb. Angela zog sich leise zurück. Als sie später Schallplattenmusik hörte und wußte, daß Sadie mit den Hausaufgaben fertig war, dachte sie daran, in Sadies Zimmer zu gehen, sich aufs Bett zu setzen, ihren Kummer einzugestehen und um Hilfe zu bitten, aber sie hatte so etwas noch nie getan, und die Vorstellung war ihr peinlich. Die Hoffnung, an die sie sich klammerte, war so unwirklich, daß sie auf der Stelle davon abließ. Statt dessen wanderte sie von Zimmer zu Zimmer, wünschte, Ben würde nicht so spät kommen, wie er angekündigt hatte, und wenn sie auch nicht die Hände rang, so ging sie doch Spiegeln sorgfältig aus dem Weg, weil die ihre Qual allzu deutlich enthüllen würden. Es war ihr bewußt, daß sie tat, was Mutter getan hatte, daß sie fühlte, was Mutter oft gefühlt hatte, daß sie sich wünschte, was Mutter sich gewünscht hatte – Beistand, Gemeinsamkeit, geteilte Verantwortung. Wenn doch Sadie erscheinen und einen Arm um ihre Schultern legen würde ...

»Nein«, sagte sie laut vor sich hin und schaltete entschlossen den Fernsehapparat ein, gleichgültig, welches Programm sie erwischte. Sie zog sich einen Sessel heran und konzentrierte sich auf die gerade laufende Sendung, um die hysterischen Windungen ihres müden Hirns in eine vernünftigere Richtung zu lenken. Doch die Angst blieb. Früher war die Mutter ihr Trost gewesen. Wenn sie als Kind unglücklich oder krank wachgelegen hatte, war die Mutter zu ihr gekommen, hatte ihr sanft eine Hand auf die Stirn gelegt und sie zärtlich getröstet. »Es wird alles wieder gut«, hatte die Mutter gesagt, ohne zu wissen, was ihr fehlte, »quäl dich nicht so«, und auch als sie älter war und ihr Verstand ihr sagte, daß es gar nicht wieder gut würde und sie allen Grund hatte, sich zu quälen – selbst dann hatte der Zauber gewirkt. Sie hatte Vertrauen, weil Mutter eine Mutter war. Später hatte sie mit ihren Kindern getan, was Mutter mit ihr getan hatte. Dieselben Beschwichtigungen hatten sie in beseligendes Vertrauen gehüllt. Sie hatte gesehen, wie die kleinen geballten Fäuste sich bei ihren Worten öffneten, wie Stirnfalten sich wundersamerweise glätteten, und hatte über ihre eigene Macht gestaunt. Jetzt aber graute ihr vor dem Gedanken an ihre Mutter.

Sie fand sich im Obergeschoß, wo die Jungen schliefen, und konnte sich nicht erinnern, wie sie die Treppe hinaufgestiegen war. Tim schlief fest, die Arme über dem Kopf, die Beine auf der Zudecke ausgestreckt. Für ihn war sie immer noch alles. Sie wandte sich ab, weil sie den Anblick ihres jüngsten Kindes nicht ertragen konnte, das sie so eindringlich an ihre eigene Bedeutsamkeit gemahnte. »Sie werden so schnell groß«, pflegte die Mutter wehmütig zu sagen, doch Angela vermochte ihr Bedauern nicht zu teilen. Es war herzzerreißend, so sehr gebraucht zu werden. Sie betrachtete Max und Saul und fühlte sich sogleich besser – sie hatten die unsichtbare Schranke vollkommener Abhängigkeit überwunden. Angela bedeutete nicht mehr alles für sie, und das machte sie froh. Mutter dagegen hatte so bitter über ihre Söhne gesprochen. »Von Jungen hat man gar nichts«, hatte sie gesagt, »sie entwachsen einem, und damit aus.«

Angela war jetzt erschöpft und trübsinnig in einer Weise, die sie verachtete – die wahre Angela konnte diese rückgratlose, rührselige Art nicht ausstehen. Als sie wieder unten war, brühte sie sich Tee auf, den sie gar nicht wollte, und setzte sich hin, das heiße Getränk umklammernd. Ihr Elend war so physisch geworden, daß ihr ganzer Körper schmerzte. Jede Bewegung tat ihr weh. Sie kauerte im Sessel und dachte, daß sie am nächsten Tag zum Arzt gehen und sich diese erbärmlichen Beruhigungspillen verschreiben lassen müsse. Sie war immer so stolz gewesen, weil sie so etwas nicht nötig hatte. Sie würde sich eine Zeitlang damit vollstopfen.

Sie schlief im Sessel ein, und als Ben heimkam, deckte er sie verwundert zu, schob ihr ein Kissen unter den Kopf und einen Schemel unter die Füße und ließ sie allein.

Sie wachte auf, sobald das erste Licht durch die gelben Wohzimmervorhänge fiel. Ihr erster Gedanke war Erleichterung, daß sie überhaupt geschlafen hatte. Sie ging leise nach oben und schlüpfte ins Bett zu Ben, der sich im Schlaf rührte, aber nicht aufwachte. Sie hatte Kopfweh und war überall ganz steif, doch das wahnsinnige Rasen in ihrem Hirn war verflogen. Sie erkannte deutlich, wie sie sich selbst in diese Verfassung hineinmanövriert hatte, wie sie sich von Tante Frances' boshaftem Klatsch hatte aufregen lassen. Das konnte ganz leicht wieder passieren – die Vergangenheit, tückisch herbeizitiert, würde immer diese Macht über sie haben.

»Mischt sich in alles ein, diese Hexe«, sagte der Vater an diesem Abend am Telefon, »hab' sie nie leiden können – die würde ich nicht in mein Haus aufnehmen – was wollte sie überhaupt?«

»Einfach mal vorbeikommen«, sagte Angela, »bloß um Verbindung zu halten, Mutter zuliebe.«

»Faule Ausrede«, sagte der Vater, »paß bloß auf – das ist ein hinterlistiges Weib. Deine Mutter hat sich schon vor Jahren mit ihr verkracht.«

»Warum?«

»Geht dich nichts an. Was vorbei ist, ist vorbei – die wollte sich nicht mal um ihre eigene Mutter kümmern, obwohl sie das große Haus hatte und Geld wie Heu. Wir haben sie aufgenommen – das heißt, wir wollten, wenn sie nicht so plötzlich gestorben wäre – dabei hatten wir so wenig Platz, daß man sich kaum umdrehen konnte.«

»Das habe ich nicht gewußt.«

»Es gibt eine Menge, was du nicht weißt.« – »Das hat Tante Frances auch gesagt.«

»Ich würde ihr nicht mal trauen, wenn sie die Uhrzeit sagt. Sie ist nämlich katholisch geworden.«

»Vater, also wirklich –«

»Ja?«

»Hör mal, das kannst du doch nicht sagen – man kann Tante Frances doch nicht vorwerfen, daß sie katholisch geworden ist – als ob das was damit zu tun hätte, ob man ihr trauen kann.«

»Klar hat das was damit zu tun – wenn die Kirche die Leute erst mal in die Pfoten kriegt, ist es aus. Diese Priester können mit ihnen alles machen – sie tun, was sie wollen, sagen, was sie wollen, und husch, sind sie bekehrt, und fertig ist die Laube.«

Angela schwieg betrübt. Wenn man in der richtigen Stimmung war, wirkte Vaters verrückte Logik komisch, doch in der falschen Stimmung war sie zutiefst deprimierend und machte ihr von neuem klar, wie schwer Mutter es gehabt hatte.

»Valerie geht's nicht gut«, sagte der Vater.

»Oh, was fehlt ihr denn?«

»Weiberprobleme. Dasselbe wie bei deiner Mutter in ihrem Alter.« Wieder schwieg Angela. Ihr fiel nichts ein, was sie sagen könnte, das nicht für beide peinlich wäre.

»Du solltest sie anrufen«, sagte der Vater, »tut ja sonst keiner mehr.«

»Mach ich.«

»Anstelle deiner Mutter.«

»Ja.«

Aber sie schob es auf. Sie wollte für niemand anderen die Mutter sein, schon gar nicht für Valerie. Außerdem war es eine lächerliche Vorstellung, daß sie Mutters Rolle übernehmen könne. Zuerst hatte der Vater sie gegeneinander aufgehetzt, und nun erwartete er, daß sie füreinander dieselbe überschwengliche Zuneigung empfanden, die Mutter empfunden hatte.

Sadie durfte alles tun, was Spaß machte, und Max, drei Jahre alt, grollte bitterlich. Sie durfte endlich allein die Straße überqueren. Sie durfte einen Brief einwerfen, auf Zehenspitzen gestreckt, um ihn richtig durch den Schlitz in den Kasten zu stecken. Vor allem aber durfte sie im Laden an der Ecke Besorgungen machen, Zettel und Geld in die Tasche gestopft, den Einkaufskorb wie Rotkäppchen am Arm. Max stand am Gartentor und schrie, und Angela suchte ihn mit den immer gleichen Worten zu trösten. »Wenn du alt genug bist, darfst du auch einkaufen gehen«, sagte sie zu ihm und wußte doch, daß es nichts nützte. Aus seiner Sicht würde er nie so alt sein wie Sadie, würde er nie ihre Rolle spielen. »Bitte, Sadie«, sagte Angela, »nimm Max mit zum Laden. Halt ihn an der Hand, wenn ihr über die Straße geht.« Aber Sadie wollte ihn nicht mitnehmen. Sie erfand alle möglichen Ausreden. »Er bleibt nur an meiner Hand, bis du uns nicht mehr sehen kannst«, sagte sie, »und dann reißt er sich los und läuft über die Straße und wird überfahren, und ich bin schuld.« Angela schwor, Max würde folgsam sein. Sie bettelte und schmeichelte, bis Sadie schließlich nachgab. Angela lief nach oben ans Treppenfenster und beobachtete sie, bis sie die Straße überquert hatten und sicher um die Ecke bogen. Wie süß sie aussahen – Bruder und Schwester Hand in Hand, eines auf das andere aufpassend. Auf dem Rückweg versuchte Max, Sadie den Korb zu entreißen. Sadie knallte ihm eine. Max ließ den Korb los und rannte schreiend nach Hause. Als Sadie, weinend vor Kränkung, ankam, war sie es, der Angela Zuwendung und Trost spendete. Sie hatte Sadie ihre eigene Illusion aufgedrängt, und das war nicht richtig.

»Vater sagt, du bist krank«, sagte Angela, als sie sich endlich aufraffte, Valerie anzurufen.

»Ich muß operiert werden«, sagte Valerie, »der Doktor redet mir schon seit Monaten zu, also muß ich's machen lassen.« Sie hielt inne, und Angela wußte, daß es nun an ihr war zu fragen, weshalb Valerie sich operieren lassen mußte.

»Ist es was Ernstes?« fragte sie statt dessen.

»Gebärmutterentfernung. Wie bei Mutter.«

»Ich hab' nie gewußt, daß Mutter an der Gebärmutter operiert wurde.«

»Du wolltest es ja nie wissen – Mutter sagte, sie konnte mit dir über nichts sprechen – du hast einfach das Thema gewechselt.«

»Wie lange bleibst du drin?«

»Zwei Wochen, und dann brauche ich Erholung, wie unsere arme Mutter – weißt du nicht mehr, wie erledigt sie war und daß sie nichts heben konnte?«

»Nein«, sagte Angela. Sie gönnte Valerie ihre maximale Befriedigung.

»Du hast es gut«, sagte Valerie, »du hast nichts von Mutters Problemen geerbt. Ich meine, du hast doch keine schwierigen Perioden oder irgendwelche Schmerzen? Vielleicht haben sie dich übersprungen und sind an Sadie weitergegangen.«

»Um Himmels willen, Valerie.«

»Was?«

»Ich will nicht über meine oder deine oder sonst jemandes Periode sprechen – so was Geschmackloses – ich kann es nicht ausstehen, wenn Frauen deswegen so ein Tamtam machen – das ist eine rein persönliche Angelegenheit.«

»Hast du aber eine prüde Einstellung.«

»Dann bin ich mit Vergnügen prüde.«

»Du solltest dich deiner natürlichen Funktionen nicht schämen. Ich habe Mädchen zu betreuen, die haben Mütter wie du, und das führt zu einer Menge Probleme. Mutter hat immer gesagt, du bist ein bißchen heikel mit der Periode, und –«

»Valerie, ich habe dich angerufen, um dir zu sagen, wie leid es mir tut, daß du ins Krankenhaus mußt, und um dich zu fragen, ob ich dir irgendwie helfen kann. Ich wünsche keinen Vortrag, wie ich mein Privatleben zu gestalten habe, und ich will nicht wissen, was Mutter oder sonst wer von meiner Einstellung gehalten hat. Also, kann ich dir helfen? Möchtest du dich bei uns erholen? Du bist herzlich willkommen.«

»Nein – ich habe schon alles festgemacht – ich gehe für drei Wochen zu einer Freundin, sie hat ein Haus in den Cotswold Hills – Joan Simpson, vielleicht erinnerst du dich, wir waren zusammen auf dem College und haben immer in Verbindung gestanden. Sie hat mich schon vor einer Ewigkeit eingeladen, und dort ist es bestimmt schön ruhig.«

»Hört sich prima an. Hoffentlich geht alles gut. Ich bin ganz sicher. Ich nehme an, seit Mutters Operation hat sich einiges verbessert.«

»Es ist trotzdem eine sehr gefährliche Operation. Ich bin jedenfalls froh, daß Mutter nicht erfahren mußte, was mir bevorsteht.«

Angela war so erzürnt, daß sie den Hörer, nachdem sie auf Wiedersehen gesagt hatte, mit unnötiger Heftigkeit hinknallte. Bei jeder Gelegenheit wurde ihr vorgehalten, sie sei eine Fremde für Mutter gewesen, ein Wesen am Rande ihrer Existenz, das im Gegensatz zu Vater, Valerie, Tante Frances und weiß der Himmel wer noch nicht in ihre tiefsten Geheimnisse eingeweiht war. Sie konnte aber nicht ergründen, ob sich dadurch etwas änderte – ob es aus dieser Entdekkung eine Lektion zu lernen galt, die auf ihre hartnäckigen Bemühungen, ihre Beziehung zu Sadie anders zu gestalten, einen entscheidenden Einfluß hätte.

17

In der folgenden Woche erhielt Angela einen Brief von Tante Frances; jede Zeile triefte von schlechtem Gewissen. Sie habe es nur gut gemeint, schrieb Frances, doch nach reiflicher Überlegung sehe sie ein, daß sie es wohl falsch angefaßt habe – sie hoffe, Angela sei nicht beleidigt – sie hoffe, sie habe sie nicht verstimmt, und vertraue darauf, daß sie sich bald wiedersähen und um ihrer Mutter willen Freundinnen würden. Mary sei immer stolz auf Angela gewesen, schrieb Frances, und sie sei ja auch wirklich eine gute Seele, und sie, Frances, habe nichts anderes behaupten wollen. In einer Nachschrift fragte sie, ob sie ein paar Fotografien von *ihrer* Mutter haben könne, die Angela vielleicht bei Marys Sachen fände. Mary, die als einzige in St. Erick geblieben war, habe sie alle aufbewahrt, als Haus und Habe ihrer Eltern verkauft wurden.

Angela hatte diese Aufgabe aufgeschoben, nicht weil es sie bedrückte, sondern weil sie einfach noch keine Zeit dafür erübrigen konnte. Als sie und Valerie die Sachen in Mutters zweitürigem Mahagonischrank aussortiert hatten, waren sie auf zwei Schuhkartons mit Briefen und Karten gestoßen, unordentlich hineingestopft, was eigentlich nicht Mutters Art war. »Nimm du sie«, sagte Valerie, »nimm sie mit nach Hause und sieh sie durch – wer weiß, was du alles findest – Vater würde sie bloß verbrennen, ohne sie anzuschauen. Ich mag das nicht machen – es würde mich nur aufregen, Mutters Handschrift zu sehen, aber dich regt es sicher nicht auf, oder?« – »Nein«, hatte Angela gesagt, und sie hatte die beiden Kartons in eine Plastiktüte geleert und sie zuunterst in ihren Koffer gelegt und mit nach Hause genommen. Seitdem lag sie unangetastet im Koffer unter ihrem Bett.

Unangetastet, aber nicht vergessen. Jeden Tag, wenn sie das Bett machte, stieß Angela mit der Zehe an den Koffer, der ein Stückchen unten hervorragte. Es war dumm, ihn hier aufzubewahren, aber sie konnte sich nie aufraffen, ihn auf den Speicher zu bringen, wo die übrigen Koffer und Kisten standen. Es war praktisch, ihn hierzuhaben, da sie ihn so häufig gebraucht hatte. Sie fluchte über den Koffer, wenn sie dagegenstieß, und dann fielen ihr Mutters Papiere ein, die sich noch immer darin befanden. Es war unwahrscheinlich, daß etwas Interessantes darunter war. Mutters Sammlertrieb hatte vor Jahren vor Vaters stärkerem Hang, alle Briefe und Mitteilungen zu zerreißen und zu vernichten, kapituliert. »Mist«, sagte er, und die Postkarten, Heiratsanzeigen und Zeitungsausschnitte, die Mutter gern aufgehoben hätte, wanderten ins nie verlöschende Feuer. Gegen solche Übermacht konnte sich nicht viel angesammelt haben – aber gerade das machte das wenige heimlich Aufbewahrte um so kostbarer.

Angela war neugierig und doch, entgegen ihren Beteuerungen gegenüber Valerie, auch befangen. Der Anblick von Mutters Habseligkeiten regte sie auf, wider alle Vernunft. Sie scheute weniger intime Enthüllungen als Ergriffenheit – eine unvermeidliche Ergriffenheit, die womöglich noch unerträglicher wäre als Tante Frances' boshaftes Geschwätz.

Das hatte sie vermeiden wollen. Die kläglichen Erinnerungen gefährdeten ihren Seelenfrieden. Und doch war sie, als Tante Frances nach den Fotografien fragte, beinahe froh, daß sie gezwungen war, ihre Abneigung zu überwinden. Sie wartete bis zu einem sonnigen, heißen Sonntagnachmittag, um die Plastiktüte aus ihrem Schlafzimmer zu holen, und dann ging sie mit Bedacht in den Garten hinaus, wo fast die ganze Familie mit den verschiedensten Dingen beschäftigt war. Der Lärm – dem sie gewöhnlich zu entfliehen trachtete – war enorm. Aber sie wollte die Tüte auf keinen Fall an einem regnerischen, kalten Tag öffnen, wenn sie allein wäre und leicht in eine melancholische Stimmung geraten könnte.

Tim spielte in einem Planschbecken, das längst zu klein für ihn war. Angela konnte das gelbe aufblasbare Plastikbassin nicht anschauen, ohne an Sadie zu denken, wie sie, ein Jahr alt, darin saß und vor dem extrem flachen Wasser fast in Panik geriet. Das Becken lag in den letzten Zügen. Tim zerrte es jedes Jahr wieder aus der Garage, um es nur noch mehr zu ruinieren. Er füllte es bis zum Rand und sprang von der Gartenmauer hinein, so daß es nach allen Seiten spritzte. Max war nicht da, aber Saul und ein Nachbarjunge von den Bensons hockten hoch oben auf der hohen Ulme im hinteren Teil des Gartens und schossen mit Pfeilen auf sämtliche Schuppendächer, die sich in Sichtweite befanden. Ben fällte einen Apfelbaum, der plötzlich an Fäule litt, und das schrille Kreischen der elektrischen Säge, die er sich eigens dazu geliehen hatte, hätte Angela normalerweise so gestört, daß sie schleunigst ins Haus geflüchtet wäre.

Angela setzte sich zu Sadie. Sadie lag so weit wie möglich von den infantilen Betätigungen entfernt und sonnte sich. Sie lag auf einem leuchtend orangefarbenen Handtuch auf dem Bauch; vor sich hatte sie ein paar Bücher aufgebaut – ein verzweifelter Versuch, in letzter Minute ihre Noten zu verbessern. Angela setzte sich nicht ohne Bedenken zu ihr. Sie stellte den Korbsessel, den sie mit herausgebracht hatte, ans Ende von Sadies Handtuch und setzte sich erst, als Sadie aufgeblickt hatte. Hätte sie sich nur umgedreht und beim Anblick ihrer Mutter kommentarlos wieder weggeschaut, dann wäre Angela, die nichts so sehr respektierte wie das Bedürfnis nach Ungestörtheit, wenigstens ein paar Schritte weitergerückt. Doch Sadie sagte »oh, hallo« und lächelte sogar, und Angela fühlte sich freudig zum Bleiben aufgefordert.

Sie ließ sich umständlich nieder, indem sie die Kissen auf dem ziemlich unbequemen Sessel arrangierte, ihre Jacke ablegte und sich die Schultern einrieb. Es war wirklich sehr heiß. Sadie in ihrem knappen Bikini und Tim in seiner Badehose waren die einzigen, die dem Wetter entsprechend angezogen waren. Später würden sie vielleicht alle zusammen schwimmen gehen. Unschlüssig fingerte sie an dem Bindfaden, den sie um die Tüte geschnürt hatte, während sie die Szenerie um sich herum bewußt in sich aufnahm. Allzu bewußt. Jeder einzelne Laut schien von unermeßlicher Bedeutung und schuf eine wirksame Absperrung gegen die Vergangenheit, die sie im Schoß hielt. Sie ertappte sich dabei, daß sie sich nach all ihren Lieben umsah, als suche sie Beistand im Kampf gegen die Geister, die sich aus der bedrohlichen blaugrünen Kaufhausplastiktüte erheben mochten.

»Was machst du?« fragte Sadie; sie erhob sich auf einen Ellbogen, als sie sich halbwegs umdrehte und Angela ansah, auf einem Grashalm kauend, die Sonnenbrille in die Stirn geschoben, um es den Mädchen in den Illustrierten gleichzutun.

»Ich sortiere Omas Papiere«, sagte Angela.

»Was Interessantes dabei?«

»Ich glaube nicht. Ich habe noch nicht angefangen. Ich hatte es schon seit Monaten vor. Es ist vermutlich bloß langweiliger Kram.«

»Kann auch nicht langweiliger sein als das hier«, sagte Sadie und wandte sich wieder ihrem Buch zu.

»Was ist das?« fragte Angela, bewußt Ablenkung suchend.

»›Große Hoffnungen‹.«

»Das ist nicht langweilig – ein großartiges Buch.«

»Für dich vielleicht. Der labert mir zuviel – dieses endlose Gefasel – er ist so langatmig – ich hätte ja nichts gegen die Handlung, wenn er sie bloß nicht so auswalzen würde. Das ist ja zum Einschlafen.«

Angela blickte auf Sadie herab, die sich schlafend stellte. Ihr Rükken war wunderbar gebräunt; ihre Haut war am Körper so dunkel wie bei einer Spanierin, aber im Gesicht war sie so hell, wie Mutter immer gewesen war. Eine seltsame Kombination – diese rosigen Wangen und die sanft golden getönte Stirn im Vergleich zu der dunklen Färbung des übrigen Körpers. Angela, die leicht einen Sonnenbrand bekam, beneidete sie.

Behutsam schüttelte sie den Inhalt der Tüte in ihren Schoß. Der schwere Stoß von Papieren ließ ihren Baumwollrock zwischen ihren Knien einsacken. Sie drückte die Knie zusammen und brachte den Haufen darauf oberflächlich in eine gewisse Ordnung. Zuerst die diversen, mit Gummibändern zusammengehaltenen Päckchen. Das erste enthielt Mutters Zeugnisse vom Lyzeum, drei waren es, aus der ersten, zweiten und dritten Jahrgangsstufe. Führung 1, Pünktlichkeit 1, Algebra 1, Religion 1, Kochen 1. Angela lächelte – so eine gute Schülerin war Mutter gewesen. Doch in Handarbeit hatte sie nur eine Zwei und in Zeichnen eine Drei. Im Klassendurchschnitt war sie immer die Erste von dreiundvierzig. Ihr Klassenlehrer, R.C. Wolfe, konnte den Fleiß, den Eifer und die Intelligenz seiner begabten Schülerin nicht genug loben. Es war ein Vergnügen, sie zu unterrichten. Sie würde es zu etwas bringen. Angela faltete die Zeugnisse zusammen. Mutter hatte es zu nichts gebracht.

»Hier«, sagte sie, indem sie Sadie die Zeugnisse zuwarf, »lies die mal.« Sadie las sie und lachte und verriet mehr Interesse, als Angela für möglich gehalten hätte.

»Unglaublich«, sagte sie. »Ich meine, Oma war ja richtig begabt – das ist mir nie aufgefallen.«

»Begabt und verschwendet.«

»Wieso verschwendet?«

»Sie hat ihre Intelligenz nie genutzt. Sie hatte keine Gelegenheit. Als sie vierzehn war, starb ihr Vater, und sie ging von der Schule ab und arbeitete im Büro, und aus.«

»Du bist ein Snob«, sagte Sadie, »man kann auch im Büro glücklich sein – wir wollen doch nicht lauter Blaustrümpfe werden. Außerdem hat sie geheiratet und hat im Büro aufgehört, also ist schließlich alles gut geworden.«

»So?«

»Huch, Mami – laß diese geheimnisvollen Andeutungen. Das kann ich nicht ausstehen. Guck dir lieber das übrige Zeugs an, mach schon.«

Angela nahm sich das nächste Päckchen vor. Die Ergebnisse der Musikexamen. Staatliche Musikakademie London, am 13. und 14. Februar 1920, Reg.Nr. 9511. Prüfungsgegenstand: Piano. Solo

39 von 40 Punkten, Etüde 23 von 25, Tonleitern 20 von 20, mündliche Prüfung 14 von 15. Resultat: mit Auszeichnung bestanden, Klasse 4. Jahr für Jahr bestand Mutter mit Auszeichnung, und seit dem Tag, als sie den Vater geheiratet hatte, rührte sie nie wieder ein Piano an. Es bekümmerte sie, daß weder Angela noch Valerie jemals eine einzige Klavierstunde hatten. »Wo«, sagte sie mit unglücklicher Miene, »wo sollten wir ein Klavier aufstellen, selbst wenn wir eins hätten?« Erst Jahre später fragte sich Angela, warum sie nicht auf dem Klavier der Großmutter spielen konnten, das während ihrer ganzen Kindheit, da sie regelmäßig zu Besuch kamen, ungenutzt in der Diele stand.

Das nächste Päckchen enthielt Quittungen. Von P. Jones, Maler, Dekorateur, Tapezierer etc. Kostenvoranschlag frei – prompte Ausführung aller o.a. Arbeiten – erstklassige Musterkataloge. 1 l Glanzfarbe Braun 9 Shilling 6 Pence; 0,15 l Emailglasur Weiß 3 Sh 6p, 56 m Besatzmaterial à 9p pro Meter, 3 große Pakete Schlämmkreide 1 Sh 6p. Insgesamt für Dekorationsarbeiten 3 Pfund 3 Sh 5p. Verbindlichsten Dank. Fünf Pfund für ein Sofa, Lieferung Freitag. Alles bezahlt, quittiert und aufbewahrt. Zeugnisse aus glücklichen Tagen – Dekorateure im Haus und neue Möbel, ehe die Jahrzehnte einsetzten, in denen sie alles selbst machten und nicht einmal mehr eine Bank kauften. Angela sah nicht alle Quittungen durch. Sie schnürte sie hastig zusammen.

»Ich kann es nicht ertragen, das hier anzuschauen«, sagte sie, »es ist zu bedrückend.«

»Es sind doch bloß Rechnungen«, sagte Sadie, als sie sich ein paar angesehen hatte. »Was ist daran bedrückend, wenn man liest, was die Sachen gekostet haben?«

»Darum geht es nicht – es geht um die Bilder, die mir dabei in den Sinn kommen – ein kleines Mädchen, das im Puppenhaus Familie spielt – und so ein liebes kleines Mädchen noch dazu, das seine Welt nicht so gestalten konnte, wie es wollte. Sie hat es ohnehin bald aufgegeben. Sie hat immer gesagt, das Geld ging einfach weg, und es war nie genug da, um sich auch nur den kleinsten Luxus zu leisten, warum also sich die Mühe machen, seine Spur zu verfolgen – aber das war ihr ein echtes Bedürfnis. Sie wäre gern wie diese Damen gewesen, die ein Kundenkonto beim Lebensmittelhändler und ein anderes beim Metzger hatten und ein hübsches, glänzendes rotes Buch mit festem Einband, um darin ihre Ausgaben einzutragen. Statt dessen hieß es, günstige Gelegenheiten und Sonderangebote aufzuspüren, und das war ihr verhaßt.«

»Das tun doch 'ne Menge reiche Leute auch«, sagte Sadie.

»Darum geht es nicht.«

»Das sagst du immer – du bist dir so sicher, daß du weißt, worum es geht, und niemand anders kann einen Standpunkt haben, der vielleicht auch richtig ist. Du bist so überzeugt, daß Oma immer elend und unglücklich war, und wir mußten sie immerzu bedauern. Vielleicht hast du das alles falsch gesehen.«

»Ich wünschte, du hättest recht«, sagte Angela.

Sie nahm sich den nächsten Packen vor – diverse Urkunden – ein Taufschein, ein Konfirmationsblatt mit der Unterschrift des Bischofs, Heirats- und Geburtsanzeigen, Todesanzeigen, alles stark vergilbt. Das letzte Päckchen war ein dicker, mit Klebestreifen verschlossener Manilaumschlag. Er enthielt eine Sammlung von Grußkarten von ihr selbst an die Mutter – Karten zum Geburtstag und zum Hochzeitstag, schreiend bunte Karten mit Bauernhäusern mit rosenumrankten Türen, Vasen mit unmöglich arrangierten Blumen, aufgeputzte Damen in altmodischen Krinolinen. Manche Karten waren mit Satinbändern durchzogen, andere hatten kleine Stickereien an den Ecken, und alle waren mit überschwenglichen Versen beschrieben –

»Meine Segenswünsche sind ohne Zahl,
Die ich Dir schuldig bin.
Du hast mich Liebe und Güte gelehrt,
Der Freud' und des Glückes Sinn.
Meine tiefe Achtung Dir zu sagen,
Dafür sind Worte zu klein,
Drum fleh' ich auf Dich Gottes Segen herab,
Mein süßestes Mütterlein.«

Alle Karten waren mit ihrer großen, etwas nach links geneigten Schrift unterschrieben, die sie beibehalten hatte, bis sie sich infolge des Schönschreibekurses in der Gesamtschule eine sauberere Schrägschrift angewöhnte. »Für Mami, mit den *besten* Wünschen zum Geburtstag, in *Liebe* und *tiefer* Achtung von Angela.«

Angela lächelte kaum merklich über die Unterstreichungen und die »tiefe Achtung«.

Wie alt war sie da gewesen? Sieben oder acht. Die Texte wurden später noch schwulstiger, bis sie in der allerletzten Karte, als sie etwa zwölf war, ihren Höhepunkt fanden – »Der wunderbarsten Mami, mit jedem schönen Bruchstück, das die Welt zusammenhält«. Sie starrte auf diese unverständliche Widmung – was hatte sie gemeint? Sie hatte einen solch hochtrabenden mysteriösen Ausspruch wohl für sehr weltklug gehalten. Auf der Karte, auf der diese Worte standen, steckte vorn ein winziges Notizbüchlein mit der Aufschrift: »Ein

Gebet für Dich zum heutigen Tag«. Angela schlug es auf, ein Lächeln stand bereits auf ihren Lippen.

> »Dieser Tag bleib' unvergessen,
> Liebe Mutter, für Dich und mich
> Wie jeder Augenblick, an dem
> Wir nah' uns waren, Du und ich.
> Immer schenktest Du mir Liebe
> Voller Güte und Geduld,
> Und alles Glück auf dieser Welt
> Gabst Du mir mit Deiner Huld.
> Und kann ich's Dir auch nicht vergelten,
> Was Du für mich getan,
> So mach' ich Dir doch diesen Tag
> So glücklich, wie ich kann.
> Ich bet' um Gesundheit immerdar,
> Um Frieden für Dich und Ruh,
> Eine Zukunft voll Zufriedenheit,
> Du liebste Mutter Du.«

Sie weinte. Das verächtliche Lächeln noch auf den Lippen, weinte sie endlich. Einmal hatte es ja kommen müssen, und nun weinte sie an einem strahlenden Sommernachmittag, leise und hemmungslos.

»O Mami«, sagte Sadie, als sie es merkte, und setzte sich auf, »um Himmels willen.«

Angela reichte ihr die Karten und lehnte sich in ihrem Sessel zurück, von der Sonne geblendet. Sadie sah alle Karten durch und lachte. »Aber die sind doch *lustig*«, sagte sie, »die sind köstlich – so was Überspanntes – du hattest ja einen gräßlichen Geschmack.«

»Sie sind peinlich«, sagte Angela, »wie ich mich ihr aufgedrängt habe – so hungrig nach ihrer Zuwendung.«

»Hast du sie nicht bekommen?«

»Doch, doch, natürlich – Mutter war immer herzlich und liebevoll – sie hat mich stundenlang auf ihren Knien gehalten und gehätschelt – sie war immer zärtlich – aber es war nie genug – dann hörte es auf, und nichts trat an seine Stelle, bis ich Ben kennenlernte – kein Wunder, daß sie traurig war.«

»Aber das ist doch ganz natürlich – man wird nicht von seiner Mutter gehätschelt, wenn man erwachsen ist, nicht? Eine erwachsene Frau sitzt nicht bei ihrer Mutter auf den Knien, oder?«

»Nein, aber es müßte sich in Freundschaft verwandeln. Man kann immer noch miteinander vertraut sein –«

»Hört sich schrecklich an.« Sadie streckte sich und gähnte. Angela weinte nicht mehr. »Jetzt muß ich meinen Bauch bräunen.« Sadie legte sich auf den Rücken, schloß die Augen und lächelte. »Ich werde jedenfalls in zwanzig Jahren nicht mit all meinen Karten an dich dahocken und heulen. Ich hab dir nie welche geschickt, oder?«

»Doch, eine oder zwei selbstgemalte, als du klein warst.«

»Du hast sie doch nicht etwa aufgehoben?«

»Natürlich. Die Zeichnungen waren gut.«

»Ich bin platt. Ich hätte nie gedacht, daß ich dir auch nur eine einzige geschickt habe – so was liegt mir nicht.«

»Nein.«

»Hat es dir was ausgemacht? Ich meine, warst du enttäuscht, weil du keine Karten von mir gekriegt hast?«

»Eigentlich nicht.«

»Also doch. Gut, nächstes Jahr schick' ich dir eine – erinnere mich dran«, und Sadie lachte über ihren eigenen Witz. Sie schnippte eine Fliege von ihrem Gesicht. »Gott sei Dank sind wir in unserer Familie nicht so.«

Zwecklos, sie zu fragen, was sie damit meinte. Ihr Gespräch war ohnehin schon länger und liebenswürdiger gewesen als seit Monaten. Sadie war neuerdings sanfter. Der schnippische Ton, das kurz Angebundene, das rastlose Hin und Her, dieses Nie-länger-als-eine-Stunde-zu-Hause-Sein wich allmählich einer gefälligeren, zuvorkommenderen Art. Am Tag vorher hatte sie tatsächlich gefragt, ob sie irgend etwas tun könne. Das hatte Angela lächerlicherweise glücklich gemacht. Als sie zurückgelehnt in ihrem Sessel lag, überkam sie dieses Glücksgefühl so stark wie Wein, der durch ihre Adern strömte, und sie fühlte sich ein wenig trunken davon. Sadies Komplimente waren schwer zu definieren, aber dennoch unmißverständlich. Als sie gesagt hatte »Gott sei Dank sind wir in unserer Familie nicht so«, da wußte Angela, daß es als Kompliment gemeint war. Sadie verurteilte ihre Beziehung zu Mutter nur, um ihre eigene Beziehung zu Angela gutzuheißen.

Keine von beiden sprach. Die Luft war nach wie vor vom Rufen und Schreien der Jungen und dem schrillen Kreischen von Bens Säge erfüllt, aber Angela kam es sehr friedlich vor. Sie blickte aus halb geschlossenen Augen verstohlen auf Sadie hinunter. Sadie lag flach ausgestreckt, ganz still, rührte weder Hand noch Fuß, und ihr Gesicht war ausdruckslos. Aber womöglich fühlte sie sich nicht so gelöst, wie sie aussah. Vielleicht hatte sie in der letzten halben Stunde mehr Verständnis für Angelas Jammer aufgebracht, als es den Anschein hatte. Ich habe geweint, erinnerte sich Angela, und ich war sichtlich verzweifelt, und beim geringsten Anstoß – bei einem einzigen falschen Wort oder Blick – wäre ich ins Haus gelaufen und hätte mich in meinem Zimmer eingeschlossen. Sadie hatte zu ihr gehalten. Sie hatte ihr geholfen. Sie durfte es nicht einfach als Zufall abtun, wie Sadie die Situation bewältigt hatte. Angela hatte so lange geglaubt, daß zwischen ihr und ihrer Tochter keine Bindung bestand – daß sie in dieser Beziehung genauso versagt hatte wie ihre Mutter, wenn auch aus anderen Gründen –, daß es sie wie ein Schock traf zu erkennen, daß überhaupt ein Gefühl vorhanden war. Sadie hatte sie soeben dazu beglückwünscht, daß sie nicht dieselben Lebensbedingungen schuf, die Mutter geschaffen hatte. Sie hatte gesagt: »Gott sei Dank sind wir in unserer Familie nicht so«, und wie sie es auch interpretierte, Angela konnte daraus nur schließen, daß Sadie froh darüber war und fand, daß dies ein Lob verdiente.

Langsam sammelte Angela die verschiedenen Schriftstücke ein und schob sie wieder in die Tüte. Sie wollte im Haus eine Schachtel suchen, die Papiere hineinstecken, sie etikettieren und auf dem Speicher für die Nachkommenschaft aufbewahren. Sie sah alles noch einmal durch, um sicherzugehen, daß keine Fotografien darunter waren. Tante Frances würde Vater darum bitten müssen. Fotos waren das einzige, was Vater nicht wegwarf – er mochte sie, hob jedes einzelne auf, und war es noch so schlecht, und legte sogar Alben an, alle Ecken dermaßen mit Leim beschmiert, daß die Seiten häufig zusammenklebten. Es war unwahrscheinlich, daß er Frances die Fotos überließ, die sie haben wollte – er würde sagen, er könne das Album nicht ruinieren, du liebe Zeit, das fehlte noch. An regnerischen Feriennachmittagen holte er die Alben oft hervor, und ihr Zauber verblaßte erstaunlicherweise nie.

Angela band die Schnur fest und stand auf, um ins Haus zu gehen. Sie wollte für alle eiskalte Getränke holen und einen Kuchen, den sie am Morgen gebacken hatte, ehe die Sonne die Küche zu heiß werden ließ. Sie liebte es, derartige Verrichtungen für ihre Familie zu machen, auch wenn es um weit niedrigere Dienste ging als darum, Erfrischungen in den Garten zu bringen – es gab ihr so ein mütterliches Gefühl. Als sie ihre Jacke aufhob und mit Mutters Erinnerungen in der Hand den Weg zum Haus entlangging, sann sie darüber nach, wie sehr sich das Leitbild, das sie geschaffen hatte, von dem der Mutter unterschied und wie tief dennoch die Wurzeln waren, die zu jener anderen Auffassung von Mutterschaft zurückreichten. Sie hatte sich nicht ganz losgelöst – es war ihr nicht gelungen, sich gänzlich von Mutters Maßstäben zu befreien. Es war unmöglich, Verlust oder Gewinn zu messen. Später, viel später, wenn Sadie erwachsen und selbst

Mutter wäre, würde sie ihre Beziehung vielleicht aus einer anderen Perspektive sehen. Noch war sie voller Zweifel, und das einzige, was sie aufheiterte, war ein winziger Beweis, daß Sadie etwas für sie empfand. Würde sich diese Empfindung in Schuldbewußtsein verkehren? Würde Sadie ungeachtet ihrer Beteuerungen unter einer alten Mutter genauso leiden, wie sie gelitten hatte? War Schmerz der unvermeidliche Preis für die unermeßliche Liebe, die Mütter ihren Kindern in solchem Überfluß schenkten?

»Holst du was zu trinken?« rief Sadie ihr nach.

»Ja.«

»Wird auch höchste Zeit.«

»Du solltest dir dein Zeug selber holen«, sagte Angela, aber ohne Groll.

Bitte beachten Sie
die folgenden Seiten

Tagebuch der Maria Bashkirtseff

Mit einem Nachwort
von Gottfried M. Daiber

Ullstein Buch 30151

Maria Konstantinowa Bashkirtseff, die junge russische Adlige, die eine glanzvolle Rolle in der Pariser Gesellschaft vor der Jahrhundertwende spielte, die die geistige Elite faszinierte und zur Kultfigur wurde, begann mit zwölf Jahren, Tagebuch zu schreiben. Bis zu ihrem Tode als Vierundzwanzigjährige (1884) hat sie es Tag für Tag fortgeführt. »Dem Schicksal zum Trotz, das sich ihr verweigern wollte, hatte sie sich zuletzt die Unsterblichkeit verdient«, schreibt Hilde Spiel.
»In dem Mädchen ist eine groteske Vorurteilslosigkeit der Reflexion, eine Freiheit und Frechheit der Beobachtung, die empörend sein könnte, wenn sie nicht reizend wäre.«
(Hugo von Hofmannsthal)

Die Frau
in der Literatur

Maxim Gorki

Die Mutter

Roman

Mit einem Nachwort
von Martin Gregor-Dellin

Ullstein Buch 30109

Die Frau
in der Literatur

Gorkis Roman »Die Mutter« (1907) gilt heute als das klassische Werk des Sozialistischen Realismus. Gorki gestaltet in ihm die politische Bewußtseinsbildung der russischen Arbeiterschaft am Beispiel der Titelheldin Nilowna, die durch ihren revolutionären Sohn Pawel allmählich aus passiver Beobachtung in eine kämpferische politische Aktivität hineinwächst und schließlich als überzeugte Revolutionärin verhaftet wird. Obwohl die didaktische Absicht des Romans immer präsent bleibt, so ist die Verwandlung der Mutter doch nicht aus ideologischen Gründen so ergreifend, sondern weil sie vollkommen aus der psychologischen Situation der Mutter erfaßt, ganz aus dem Menschlichen motiviert ist. Die Mutter steht bei Gorki für die Idee der Güte, der Zusammengehörigkeit und einer tieferen, helleren Menschlichkeit.